Mise à niveau post-bac
Premiers cycles universitaires scientifiques

Électricité & Électromagnétisme

Cours, applications & exercices

Joseph Cipriani

Agrégé de sciences physiques
Maître de conférences à l'université Pierre et Marie Curie/Paris-VI

Hans Hasmonay

Docteur ès sciences
Maître de conférences à l'université Pierre et Marie Curie/Paris-VI

Ouvrages récents de sciences physiques chez le même éditeur

(extrait du catalogue)

Collection « Référence »

J. L. MERIAM et L. G. KRAIGE, *Statique : mécanique/génie mécanique/sciences de l'ingénieur,* XVIII+526 p.

Collection « Vuibert Supérieur »

• Série « Mise à niveau » par J. CIPRIANI et H. HASMONAY

Mécanique & énergie, 248 p.
Électricité & électromagnétisme, 208 p.
Optique, ondes, atome & noyau, 208 p.

• Série « Nouveaux programmes de sciences physiques »

J.-M. PARISI et R. SIMON, *Optique géométrique, 68 sujets corrigés*, 288 p.

• Série « Grandes annales des concours »

J. ARZALLIER et A. CUNNINGTON, *Chimie : problèmes corrigés types posés aux concours,* 240 p.

L. DESNOËL, *Physique : 12 problèmes posés au concours commun polytechnique et autres écoles d'ingénieurs,* 240 p.

M.-O. BERNARD et CH. DUPONT (OUVRAGE COLLECTIF), *Physique : 10 problèmes posés aux concours communs Mines/Ponts et Centrale/Sup'Élec,* 240 p.

M.-O. BERNARD et CH. DUPONT (OUVRAGE COLLECTIF), *Physique : 10 problèmes posés à l'École polytechnique et aux Écoles normales supérieures,* 224 p.

• Série « Platine »

G. LAVERTU, *Thermodynamique. Cours complet avec 91 exercices et problèmes corrigés,* 448 p.

• Nouveau cours de physique par J. BOUTIGNY et A. GEORGES

Mécanique du corps solide, 192 p.
Le champ électrique dans le vide, 160 p.
Le champ électrique dans les milieux matériels, 160 p.
Le champ magnétique dans le vide, 128 p.
Le champ magnétique dans les milieux matériels, 144 p.

• Série « Usuels »

I. JELINSKI, *Nouveau formulaire d'électronique*, 80 p.

F. MORELLO, D. OBERT et CH. PLOUHINEC, *Nouveau formulaire de physique, deuxième édition,* 352 p.

• Série « Vuibert Technologie »

A. JANSEN et J. ROSSETTO, *Sciences industrielles : 32 sujets corrigés des concours avec les rapports du jury,* 352 p.

I. JELINSKI, Toute l'électronique du premier cycle : Cours complet, exercices corrigés d'application et problèmes de synthèse

Amplificateurs-Oscillateurs (avec 77 exercices corrigés), 240 p.

Traitement du signal - Asservissements linéaires (avec 62 exercices corrigés et 13 problèmes résolus), 288 p.

Signaux et systèmes numériques - Filtres - Modulation (avec 48 exercices corrigés et 13 problèmes résolus), 304 p.

Composants – Électronique de puissance (avec 46 exercices corrigés), 288 p.

• Série « Enseignement supérieur et informatique »

PH. FORTIN et R. POMÈS, *Premiers pas en Maple,* 288 p.

A. LEROUX et R. POMÈS, *Toutes les applications de Maple,* 288 p.

F. MORAIN et J.-L. NICOLAS, *Mathématiques/Informatique,* 256 p.

D. MONASSE, *Option informatique. Cours complet : prépa MPSI,* 208 p.
*Option informatique. Cours complet : prépa MP & MP**, 160 p.

Collection « Les blocs Vuibert »

A.-M. REDON, *90 exercices corrigés posés en première année du DEUG : mécanique et électricité,* 352 p.

A.-M. REDON, *140 exercices corrigés posés en première année du DEUG : électrostatique et thermodynamique,* 448 p.

Collection « Sciences de l'éducation »

B. BELHOSTE, H. GIESPERT et N. HULIN (coordinateurs), *Les sciences au lycée. Un siècle de réformes des mathématiques et de la physique en France et à l'étranger,* 320 p.

Hors collection

I. BERKES, *La physique de tous les jours,* 376 p.

Dessin de couverture : Nicolas Dahan
Composition et mise en page : Régis Médioni

ISBN 2-7117-8867 9

TABLE DES MATIÈRES

CHAPITRE ❶ LES LOIS DU COURANT CONTINU : ÉTUDE DE CIRCUITS SIMPLES 1

[1] Le courant électriques et la différence de potentiel 1
[2] Définitions et notations 2
[3] La loi d'Ohm 2
[4] Association de dipôles en série 4
[5] Loi de Pouillet 5
[6] Association de dipôles en parallèle 6
[de l'essentiel à la pratique] 7
[exercices] 12
[réponses] 14

CHAPITRE ❷ PUISSANCE ET ÉNERGIE ÉLECTRIQUES EN COURANT CONTINU 15

[1] Résistors et récepteurs 15
[2] Les générateurs 16
[de l'essentiel à la pratique] 17
[exercices] 20
[réponses] 22

CHAPITRE ❸ CIRCUITS À PLUSIEURS MAILLES 23

[1] Définitions 23
[2] Flèches de tension et flèches de courant 23
[3] Loi des mailles et loi des nœuds 25
[de l'essentiel à la pratique] 26
[exercices] 30
[réponses] 31

CHAPITRE ❹ LES CONDENSATEURS 33

[1] Description et représentation schématique 33
[2] Charges sur les armatures d'un condensateur. Capacité 34
[3] Énergie électrostatique d'un condensateur 34
[4] Associations de condensateurs 35
[de l'essentiel à la pratique] 36
[exercices] 42
[réponses] 44

CHAPITRE ❺ NOTIONS D'ÉLECTRONIQUE. DIPÔLES PASSIFS NON LINÉAIRES 45

[1] Caractéristique, point de fonctionnement 45
[2] Les dipôles passifs 46
[de l'essentiel à la pratique] 48
[exercices] 53
[réponses] 56

CHAPITRE ❻ LE TRANSISTOR 57
[1] Étude expérimentale du transistor bipolaire 57
[2] Caractéristiques du transistor 59
[de l'essentiel à la pratique] 60
[exercices] 65
[réponses] 67

CHAPITRE ❼ L'AMPLIFICATEUR OPÉRATIONNEL 69
[1] La masse dans un circuit électronique 69
[2] Description de l'amplificateur opérationnel 69
[3] Représentations et caractéristique de l'A.O. 70
[4] L'amplificateur opérationnel idéal 71
[de l'essentiel à la pratique] 72
[exercices] 82
[réponses] 86

CHAPITRE ❽ LE CHAMP MAGNÉTIQUE 87
[1] Les aimants 87
[2] Champs magnétiques créés par des aimants 88
[3] Champs magnétiques créés par des courants 89
[4] Le champ magnétique terrestre 91
[de l'essentiel à la pratique] 92
[exercices] 95
[réponses] 98

CHAPITRE ❾ LA LOI DE LAPLACE 99
[1] Étude expérimentale 99
[2] Caractéristiques de la force de Laplace 99
[3] Une convention très utile 100
[de l'essentiel à la pratique] 101
[exercices] 105
[réponses] 109

CHAPITRE ❿ FORCE MAGNÉTIQUE EXERCÉE SUR UNE PARTICULE CHARGÉE 111
[1] La force de Lorentz 111
[de l'essentiel à la pratique] 112
[exercices] 120
[réponses] 124

CHAPITRE ⓫ INTRODUCTION ÉLECTROMAGNÉTIQUE 125
[1] Étude expérimentale de l'induction 125
[2] Le flux magnétique et la f.é.m. induite 125
[3] La loi de Lenz 127
[de l'essentiel à la pratique] 127
[exercices] 132
[réponses] 135

CHAPITRE ⓬ L'AUTO-INDUCTION 137
[1] Étude expérimentale de l'auto-induction 137
[2] Relation entre la f.é.m. d'auto-induction et l'intensité du courant 138
[3] Tension aux bornes d'une bobine 140
[4] Énergie magnétique 140
[de l'essentiel à la pratique] 140
[exercices] 145
[réponses] 147

CHAPITRE ⓭ L'OSCILLOGRAPHE ÉLECTRONIQUE 149
[1] Le canon à électrons 149
[2] L'oscillographe électronique 150
[3] Visualisation de tensions variables 152

CHAPITRE ⓮ OSCILLATIONS ÉLECTRIQUES LIBRES 153
[1] Le circuit oscillant L,C : équation différentielle 153
[2] Énergie emmagasinée 155
[3] Circuit oscillant réel 155
[4] Entretien des oscillations : montage à résistance négative 156
[5] Le circuit oscillant réel : un résonateur électrique 158
[6] Le facteur de qualité 158
[de l'essentiel à la pratique] 159
[exercices] 165
[réponses] 169

CHAPITRE ⓯ COURANT ALTERNATIF SINUSOÏDAL 171
[1] Grandeurs électriques instantanées et efficaces 171
[2] Lois générales 172
[3] La construction de Fresnel 173
[4] Les dipôles élémentaires 174
[5] Le dipôle R,L,C série 176
[6] La résonance d'intensité 177
[7] Puissance moyenne 178
[de l'essentiel à la pratique] 179
[exercices] 189
[réponses] 196

INDEX 197
Lettres grecques usuelles 200

[AVANT-PROPOS]

Nous nous sommes fixé un objectif ambitieux : donner un exposé aussi complet que possible de la physique, de façon élémentaire mais rigoureuse, tout en prenant en compte l'orientation des programmes mis en place dans l'enseignement secondaire en 1995.

En physique, aucun pré-requis n'est nécessaire mais le physicien ne pouvant se passer de l'outil mathématique certaines notions sont supposées connues : ce sont les critères d'égalité des angles, les relations trigonométriques dans un triangle, le théorème de Pythagore, la notion de vecteur et de coordonnée, la résolution des équations du second degré ainsi que celle des systèmes d'équations linéaires à deux ou trois inconnues. Certains chapitres font appel à des notions étudiées en Première ou en Terminale (dérivées de fonctions, primitives, produits de vecteurs : dans *Mécanique et énergie* les chapitres 5, 7, 11 à 17 ; dans *Électricité/Électromagnétisme* les chapitres 9 à 15). Par ailleurs, dans le premier volume, des chapitres préliminaires répertoriés de A à F regroupent des notions générales et des compléments de mathématiques : nous vous recommandons d'en prendre rapidement connaissance pour pouvoir par la suite les consulter de façon plus approfondie à chaque fois que ce sera nécessaire.

Le contenu de l'ouvrage déborde celui des programmes des lycées ou les complète : en particulier les chapitres 18 et 19 du premier volume, les chapitres 3, 6, 7, 9, 15 du deuxième volume et les chapitres 1 à 6, 10, 12, 17 du troisième volume intitulé *Optique, ondes, atome et noyau* ne font plus partie de l'enseignement secondaire obligatoire (certains sont abordés dans l'enseignement de spécialité) ou y sont à peine effleurés. Bien que ce manuel puisse être utilisé avec profit dès la classe de Première, il s'adresse plus particulièrement aux étudiants en formation permanente, à ceux qui s'apprêtent à s'engager dans la voie de l'enseignement supérieur (classe préparatoire, DEUG, DUT, médecine, DAEU). Il devrait être utile tout spécialement aux étudiants qui préparent les concours paramédicaux, dont les épreuves interprètent assez librement le programme défini par le Ministère de la Santé.

Chaque chapitre traite d'un point précis et est organisé en trois parties :

— les notions fondamentales sont d'abord exposées ;

— le lecteur est ensuite sollicité directement et guidé pour traiter des applications : la solution complète et commentée y est toujours détaillée (certains chapitres ne comportent pas de première partie, les notions considérées comme fondamentales étant exposées dans un chapitre précédent) ;

— enfin, des exercices similaires sont proposés et suivis de réponses, d'indications ou de solutions abrégées.

Pour ses précieux conseils nous tenons à exprimer notre gratitude à Michel Lainey, professeur à l'École supérieure d'ingénieurs en électronique et électrotechnique (ESIEE) auquel les chapitres 5, 6 et 7 du deuxième volume doivent beaucoup.

Les auteurs

[DONNÉES]

Constantes universelles

Vitesse de la lumière dans le vide :	$c = 299\,792\,458\,\text{m.s}^{-1}$
Perméabilité magnétique du vide :	$\mu_0 = 4\pi.10^{-7}\,\text{H.m}^{-1}$
Permittivité électrique du vide :	$\varepsilon_0 = 8{,}854\,187\,817.10^{-12}\,\text{F.m}^{-1}$
Constante de gravitation :	$G = 6{,}672\,598.10^{-11}\,\text{m}^3.\text{kg}^{-1}.\text{s}^2$
Constante de Planck :	$h = 6{,}626\,075\,5.10^{-34}\,\text{J.s}$
Charge élémentaire :	$e = 1{,}602\,177\,33.10^{-19}\,\text{C}$
Nombre d'Avogadro :	$\mathcal{N} = 6{,}022\,136\,7.10^{23}\,\text{mol}^{-1}$
Constante des gaz parfaits :	$R = 8{,}314\,510\,\text{J.K}^{-1}\text{mol}^{-1}$
Masse du proton :	$m_p = 1{,}007\,27\,\text{u} = 1{,}672\,61.10^{-27}\,\text{kg}$
Masse du neutron :	$m_n = 1{,}008\,66\,\text{u} = 1{,}674\,92.10^{-27}\,\text{kg}$
Masse de l'électron :	$m_e = 0{,}000\,548\,6\,\text{u} = 9{,}109.10^{-31}\,\text{kg}$

Unités dérivées

Accélération	(m.s^{-2})	Impédance	ohm (Ω)	Permittivité	(F.m^{-1})
Aire	(m^2)	Inductance	henry (H)	Pression	pascal (Pa)
Angle	radian(rad)	Intensité électrique	ampère (A)	Puissance	watt (W)
Capacité	farad(F)	Intensité lumineuse	candela (cd)	Pulsation	(rad.s^{-1})
Champ électrique	(V.m^{-1})	Longueur	mètre (m)	Quantité de matière	mole (mol)
Champ magnétique	tesla (T)	Masse	kilogramme (kg)	Résistance	(Ω)
Charge électrique	coulomb (C)	Masse molaire	mole (mol)	Température absolue	kelvin (K)
d.d.p, tension, f.é.m.	volt (V)	Masse volumique	(kg.m^{-3})	Temps	seconde (s)
Énergie	joule (J)	Moment d'une force	(N.m)	Travail	(J)
Force	newton (N)	Période	(s)	Vitesse	(m.s^{-1})
Fréquence	hertz (Hz)	Perméabilité	(H.m^{-1})	Volume	(m^3)

Utilisation des préfixes décimaux devant les unités

femto (f)	pico (p)	nano (n)	micro (μ)	milli (m)	kilo (k)	méga (M)	giga (G)	téra (T)
10^{-15}	10^{-12}	10^{-9}	10^{-6}	10^{-3}	10^{3}	10^{6}	10^{9}	10^{12}

LES LOIS DU COURANT CONTINU. ÉTUDE DE CIRCUITS SIMPLES

CHAPITRE 1

[l'essentiel]

[1] Le courant électrique et la différence de potentiel

Le courant électrique est dû au mouvement des porteurs de charges : ceux-ci sont des électrons dans un conducteur métallique ou des ions dans une solution conductrice (eau salée par exemple).

Pour mettre les électrons (ou les ions) en mouvement, il faut créer un champ électrique $\overrightarrow{E}$ qui va les soumettre à une force $\overrightarrow{F} = q\,\overrightarrow{E}$ (*cf.* Tome **I** chapitre **10.[3]**).

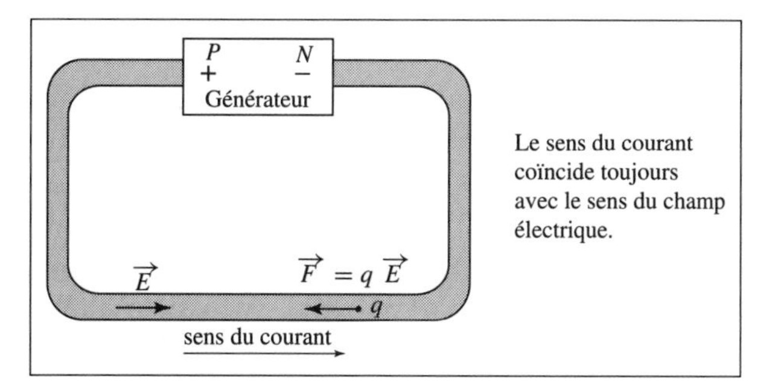

Le sens du courant coïncide toujours avec le sens du champ électrique.

$\overrightarrow{E}$ est créé par la différence de potentiel (d.d.p.) $V_{PN} = V_P - V_N$ qui existe entre les pôles du générateur. Les électrons circulent du pôle négatif du générateur vers le pôle positif ; toutefois le *sens conventionnel du courant* est le contraire du sens de déplacement des électrons.

✗ **Lorsque l'on parle de «sens du courant» on parle toujours du sens conventionnel.**

Pendant un intervalle de temps Δt, une section (S) du conducteur est traversée par N électrons portant chacun la charge négative $-e = -1{,}6.10^{-19}$ C. La charge totale en valeur absolue $\Delta q = Ne$ qui traverse (S) est appelée une **quantité d'électricité**.

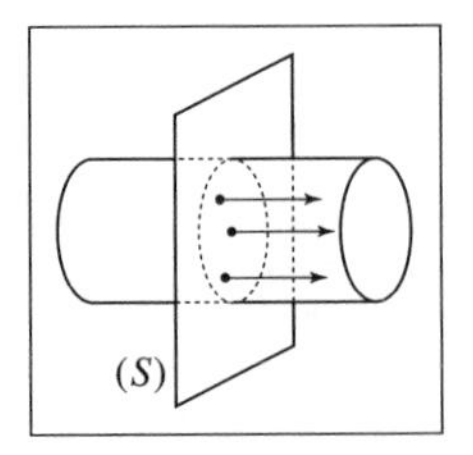

L'**intensité du courant** I est définie par la relation :

$$\boxed{I = \frac{\Delta q}{\Delta t}} \qquad (1, 1)$$

avec I en **ampère (A)**, Δq en **coulomb (C)** et Δt en **seconde (s)**.

Un *courant continu* est un courant dont l'intensité reste constante au cours du temps.

[2] Définitions et notations

L'étude du courant électrique s'appelle l'*électrocinétique*. Un circuit électrique simple est un ensemble d'éléments conducteurs montés en série appelés **dipôles électrocinétiques**. Un dipôle possède deux bornes et il est connecté par deux fils au reste du circuit. Le tableau ci-dessous donne la représentation symboliques des dipôles que nous rencontrerons dans les chapitres suivants.

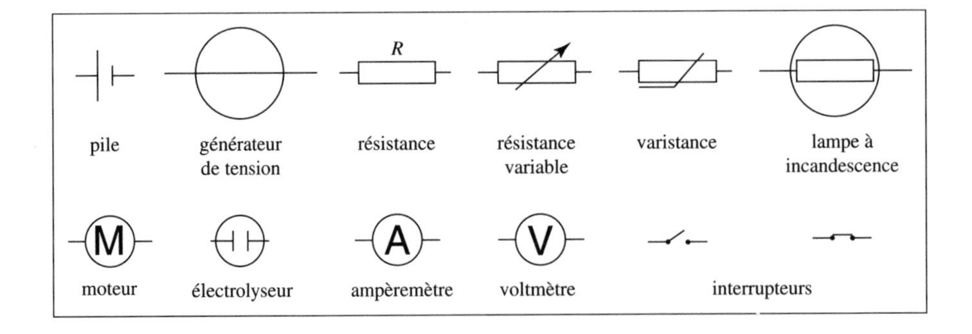

[3] La loi d'Ohm

Pour certains dipôles, la tension au bornes du dipôle et l'intensité du courant qui le traverse sont liées par une relation *linéaire* qui est caractéristique du dipôle considéré et connue sous le nom de *loi d'Ohm*.

[a] Loi d'Ohm pour un conducteur ohmique (résistor)

En courant continu, dans les cas simples, le sens du courant est connu : la flèche indique le sens du courant[1].

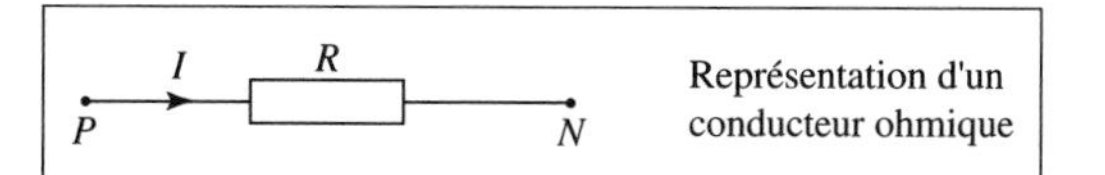

Représentation d'un conducteur ohmique

La tension appliquée est :

$$U_{PN} = RI \tag{1, 2}$$

avec U_{PN} en **volt** (**V**), A en **ampère** (**A**) et R en **ohm** (Ω).

Le coefficient positif R s'appelle la **résistance** du conducteur ohmique et se mesure en **ohm** (Ω) dans le système international. Il est habituel d'utiliser également le terme « résistance » à la place de « conducteur ohmique ».

[b] Loi d'Ohm pour un générateur

Le générateur de tension continue (piles, accumulateur,...) est le dipôle qui fait circuler le courant. Ses grandeurs caractéristiques sont sa **force électromotrice** E (f.é.m.), qui est la tension entre ses bornes en circuit ouvert[2], et sa **résistance interne** r.

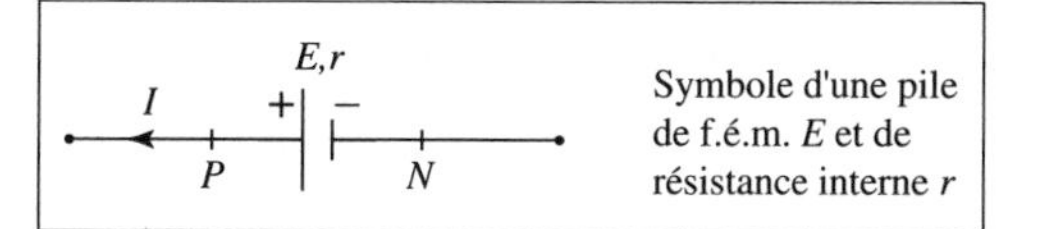

Symbole d'une pile de f.é.m. E et de résistance interne r

La tension fournie par un générateur est donnée par :

$$\boxed{U_{PN} = E - rI} \tag{1, 3}$$

avec U_{PN} et E en **volt** (**V**), I en **ampère A** et r en **ohm** (Ω).

[c] Loi d'Ohm pour un récepteur

Un récepteur est un dipôle susceptible de transformer l'énergie électrique qu'il reçoit en une autre forme d'énergie que la chaleur.

La moteur électrique, qui transforme une partie de l'énergie électrique en énergie mécanique, est un récepteur. De même, l'électrolyseur qui transforme une partie de l'énergie électrique en énergie chimique est un récepteur. Le conducteur ohmique n'est pas un récepteur.

Les récepteurs sont caractérisés par leur **force contre-électromotrice** (f.c.é.m.) E' (en volt) et leur **résistance interne** r'.

---

[1] Dans le cas où le sens du courant n'est pas connu, la flèche indique le *sens positif* choisi pour le courant.

[2] On dit aussi *tension à vide*.

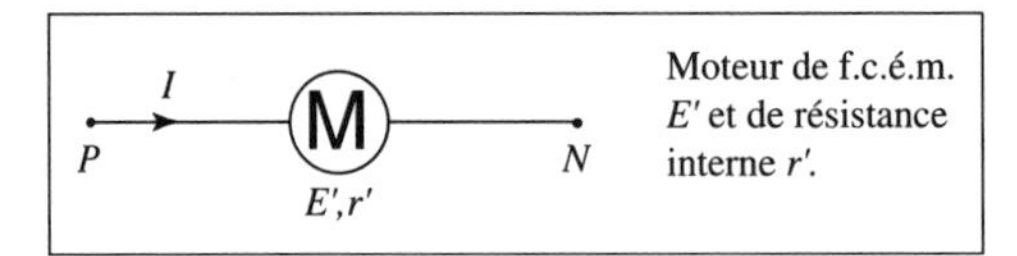

La tension appliquée est :

$$\boxed{U_{PN} = E' + r'I} \qquad (1,4)$$

avec U_{PN} et E' en **volt** (**V**), I en **ampère** (**A**) et r' en **ohm** (Ω).

✘ **Un générateur dans lequel on fait circuler un courant en sens inverse du sens normal se comporte comme un récepteur de f.c.é.m. égale à la f.é.m.**

✘ **La f.c.é.m. E' et la résistance interne r' sont des nombres *positifs* ; aussi le récepteur ne peut-il être traversé par un courant $I \neq 0$ que si la tension appliquée est supérieure à la f.c.é.m.**

[4] Association de dipôles en série

✘ **L'intensité I est la même en tout point d'un circuit ne comportant que des dipôles en série.**

[a] Loi d'addition des tensions en série

Les tensions en série s'ajoutent. Ainsi, on a :

$$V_A - V_C = (V_A - V_B) + (V_B - V_C)$$

ou encore :

$$\boxed{U_{AC} = U_{AB} + U_{BC}.} \qquad (1,5)$$

Cette relation se généralise pour un nombre quelconque de dipôles en série.

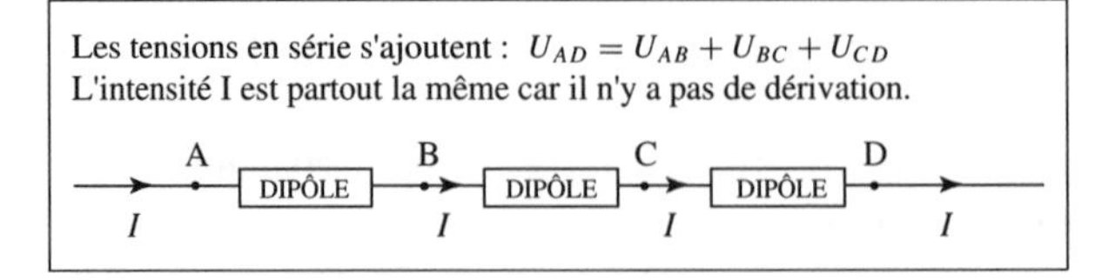

Les tensions sont des grandeurs algébriques : $U_{AB} = -U_{BA}$, $U_{BC} = -U_{CB}$, etc.

[b] Conducteurs ohmiques en série : résistance équivalente

Un dipôle AB constitué de *résistors* montés *en série* ou *en parallèle* peut être remplacé par un résistor unique de résistance R : l'intensité I entrant dans le dipôle est alors la même pour une tension appliquée donnée.

(1,2) et (1,5) montrent que pour l'association de n résistors en série, la résistance équivalente est[1] :

$$\boxed{R = \sum_{k=1}^{n} R_k.} \qquad (1,6)$$

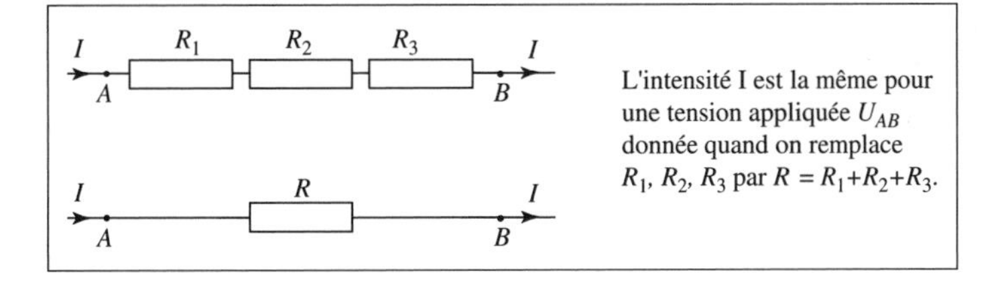

[5] La loi de Pouillet

La loi de Pouillet permet de calculer l'intensité du courant dans un circuit série. Considérons le circuit particulier suivant, comportant un générateur, un moteur et un conducteur ohmique en série :

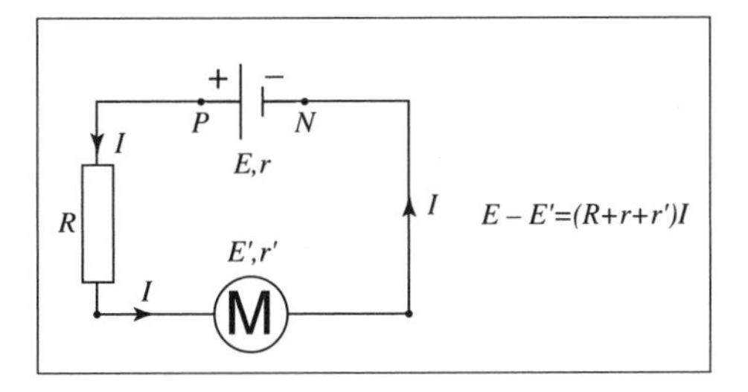

$$V_P - V_N = (V_P - V_A) + (V_A - V_N)$$

ou, compte tenu de (1,2) à (1,4) :

$$E - rI = RI + E' + r'I,$$

soit :

$$I = \frac{E - E'}{R + r + r'}.$$

1 $\sum$ signifie « la somme de ».

Cette relation se généralise à un circuit comportant un nombre quelconque de générateurs, de récepteurs et de conducteurs ohmique en série :

$$I = \frac{\sum E - \sum E'}{\sum R}. \qquad (1, 7)$$

On peut dire qu'en série les résistances, les f.é.m. ou les f.c.é.m. s'ajoutent.

[6] Association de dipôles en parallèle

[a] Loi d'addition des intensités en parallèle

Les électrons et la charge qu'ils transportent se répartissent dans les dérivations mais leur nombre total ne saurait varier, de sorte que :

$$I = I_1 + I_2 + I_3$$

ou, plus généralement, pour n dérivations :

$$I = \sum_{k=1}^{n} I_k. \qquad (1, 8)$$

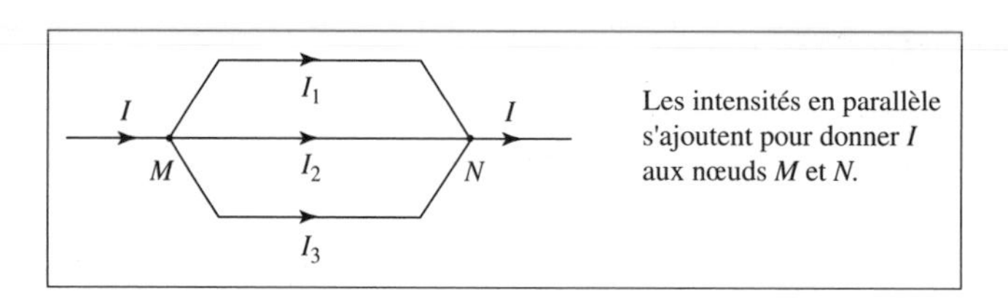

Les intensités en parallèle s'ajoutent pour donner I aux nœuds M et N.

[b] Résistors en parallèle : résistance équivalente

(1,2) et (1,8) montrent que pour n conducteurs ohmiques associés en parallèle la résistance équivalente est :

$$\frac{1}{R} = \sum_{k=1}^{n} \frac{1}{R_k}. \qquad (1, 9)$$

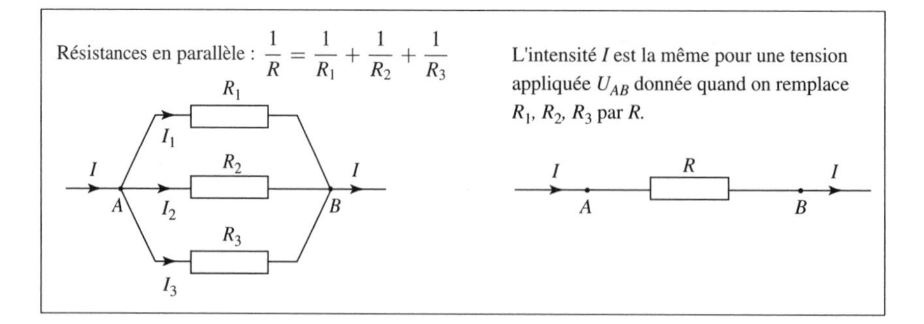

L'intensité I est la même pour une tension appliquée U_{AB} donnée quand on remplace R_1, R_2, R_3 par R.

[de l'essentiel à la pratique]

Mots-clés

dipôle

courant

tension

loi d'Ohm

association :
— en série
— en parallèle

loi de Pouillet

[1] *On monte en série :*

- *quatre piles identiques ayant chacune une f.é.m.* $E = 2\,V$ *et une résistance interne* $r = 0{,}2\,\Omega$ *;*
- *un électrolyseur de f.c.é.m.* $E' = 1{,}5\,V$ *et de résistance interne* $r' = 1{,}2\,\Omega$.

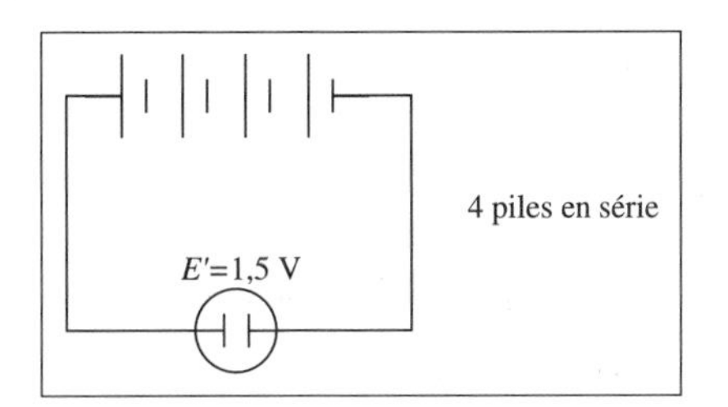

4 piles en série

[a] *Calculer l'intensité du courant.*

La loi de Pouillet (1,7) s'écrit :

$$I = \frac{4E - E'}{4r + r'} = 3{,}25\,\text{A}.$$

[b] *On inverse la polarité d'une des piles (montage en opposition).*

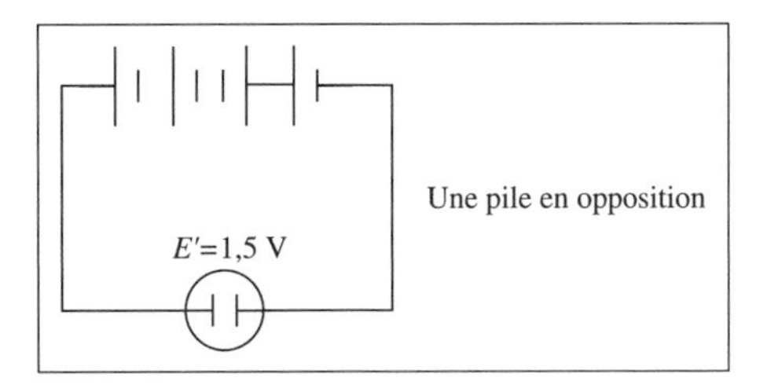

Une pile en opposition

Quelle est la nouvelle intensité du courant ?

Le générateur en opposition se comporte comme un récepteur.

$$I' = \frac{3E - (E + E')}{4r + r'} = 1{,}25\,\text{A}.$$

[c] *On monte un deuxième générateur en opposition. Que se passe-t-il ?*

L'intensité du courant est nulle car la tension appliquée à l'électrolyseur est nulle (et donc inférieure à sa f.c.é.m.).

[2] *Calculer les intensités I_1, I_2 et I relatives à la figure.*

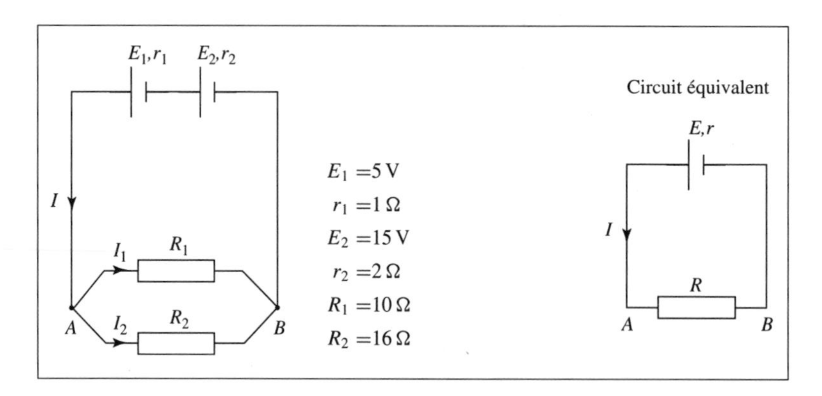

Les f.é.m. et les résistances internes du générateur en série s'ajoutent respectivement :

$$E = E_1 + E_2 \quad \text{et} \quad r = r_1 + r_2.$$

Calculons la résistance R équivalente aux résistances R_1 et R_2 :

$$\frac{1}{R} = \frac{1}{R_1} + \frac{1}{R_2},$$

$1/R = 1/10 + 1/16$, d'où $R = 6{,}15\,\Omega$.

Pour calculer I, on remplace le circuit précédent par le circuit série équivalent et on applique la loi de Pouillet :

$$I = \frac{E}{R+r}, \quad U_{AB} = RI$$

soit :

$$I = \frac{20}{6{,}15+3} = 2{,}18\,\text{A}, \quad U_{AB} = 13{,}4\,\text{V}.$$

Connaissant U_{AB} on peut calculer I_1 et I_2 :

$$I_1 = \frac{U_{AB}}{R_1} = 1{,}34\,A$$

et

$$I_2 = \frac{U_{AB}}{R_2} = 0{,}84\,A.$$

À titre de vérification, on constate que $I = I_1 + I_2$.

[3] *Le circuit comporte un générateur et un électrolyseur en parallèle avec un conducteur ohmique. Calculer les intensités du courant.*

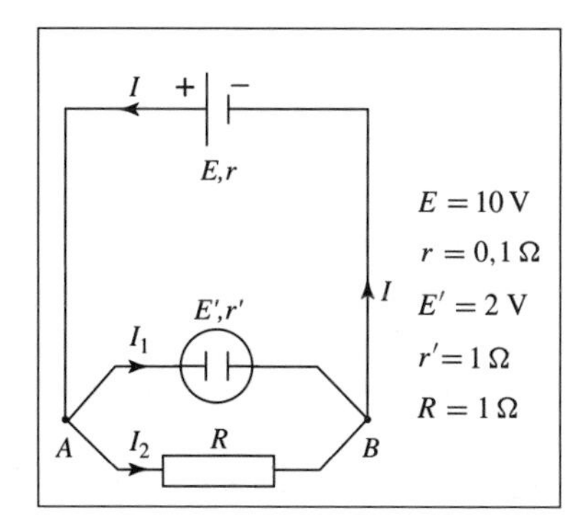

La relation (1,9) n'est pas applicable car dans l'une des dérivations il y a un récepteur. Écrivons la tension U_{AB} de trois manières :

Dans le circuit principal :

$$U_{AB} = E - rI. \qquad (1)$$

Dans la dérivation 1 :

$$U_{AB} = E' + r'I_1. \qquad (2)$$

Dans la dérivation 2 :

$$U_{AB} = RI_2. \qquad (3)$$

La relation (1,8) s'écrit :

$$I = I_1 + I_2. \qquad (4)$$

Nous commençons par éliminer U_{AB} entre (1) et (3), puis entre (2) et (3) :

$$RI_2 + rI = E$$
$$RI_2 - r'I_1 = E'.$$

En remplaçant $I = I_1 + I_2$ on obtient un système de deux équations à deux inconnues :

$$\begin{cases} rI_1 + (R + r)I_2 = E \\ -r'I_1 + RI_2 = E'. \end{cases}$$

Nous avons maintenant intérêt à passer aux valeurs numériques pour éviter les calculs compliqués :

$$\begin{cases} 0,1I_1 + 1,1I_2 = 10 \\ -I_1 + I_2 = 2. \end{cases}$$

On tire aisément :

$$I_1 = 6,5\,\text{A}\,; \quad I_2 = 8,5\,\text{A}\,; \quad I = 15\,\text{A}.$$

[4] *Une batterie d'accumulateurs de voiture a une f.é.m. $E = 12\,V$ et une résistance interne $r = 0{,}01\,\Omega$. Le démarreur est un moteur électrique de f.c.é.m. $E' = 1{,}1\,V$ et de résistance interne négligeable.*

[a] *Quelle est l'intensité du courant débité par la batterie pendant la mise en marche du moteur de la voiture ?*

La loi de Pouillet (1,7) donne :

$$I = \frac{E - E'}{r} = 100\,\text{A}.$$

[b] *La voiture refuse de démarrer. Combien de temps peut-on faire fonctionner le démarreur sachant que la capacité de la batterie est de 40 A.h et qu'elle est détériorée si sa capacité devient inférieure à 5 A.h ?*

L'ampère-heure (A.h) est une unité de charge électrique : 1 A.h = 3 600 C.

La batterie peut faire circuler (sans être détériorée) une quantité d'électricité $q = 35 \times 3\,600 = 126.10^3$ C.

L'intensité étant $I = 100$ A, on déduit le temps de fonctionnement possible du démarreur :

$$\Delta t = \frac{q}{I} = 1\,260\,\text{s},$$

soit 21 minutes (si la batterie est bien chargée !).

[c] *La batterie déchargée a une capacité de 10 A.h et sa f.é.m. est toujours 12 V. Pour la charger on utilise un générateur de f.é.m. $E_1 = 13\,V$ et de résistance interne $r_1 = 0{,}5\,\Omega$.*

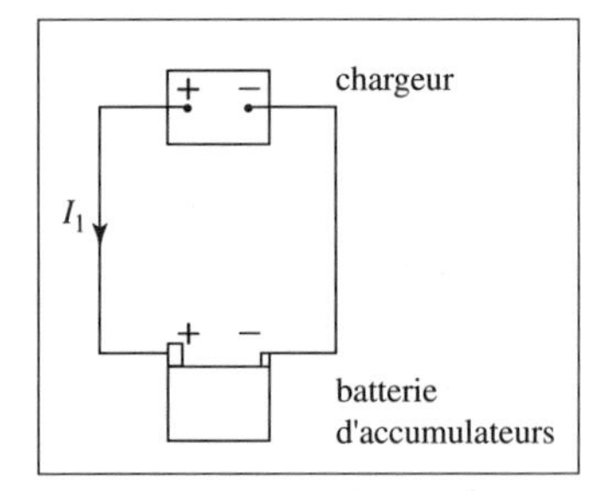

Calculer le temps de charge pour atteindre une capacité de 40 A.h.

Pendant la charge la batterie est *en opposition* avec le générateur et se comporte comme un récepteur de f.c.é.m. $E = 12$ V et de résistance interne $r = 0{,}01\,\Omega$. Calculons l'intensité du courant I_1 pendant la charge :

$$I_1 = \frac{E_1 - E}{r + r_1} = 1{,}96\,\text{A}. \qquad \text{(loi de Pouillet)}$$

La batterie doit absorber la charge $q_1 = 30$ A.h. Le temps de charge est donc :

$$\Delta t = \frac{q_1}{I} = \frac{30 \times 3\,600}{1{,}96} = 55{,}1.10^3\,\text{s ou } 15{,}3\,\text{h}.$$

[5] *La résistance ohmique R d'un conducteur électrique est proportionnelle à sa longueur ℓ et inversement proportionnelle à sa section S.*

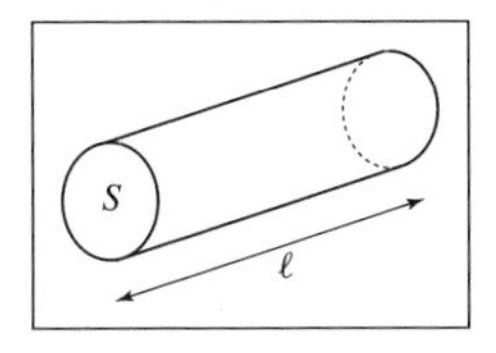

Il en résulte que sa résistance est donnée par la relation :

$$R = \rho \frac{\ell}{S},$$

où ρ est un coefficient appelé **résistivité**. *Sa valeur dépend de la nature du conducteur et d'autres facteurs, la température par exemple.*

[a] *En quelle unité s'exprime ρ ?*

Écrivons l'équation aux dimensions (voir volume **I**, **A.[4]**) :

$$\rho = \frac{RS}{\ell} \quad \text{et} \quad [\rho] = \frac{[R][L]^2}{[L]} = [R]\,[L].$$

Il en résulte que ρ s'exprime en Ω.**m**.

[b] *On enroule sur un cylindre de rayon $r = 3$ cm, $N = 600$ spires d'un fil de cuivre de diamètre $d = 1$ mm. Calculer la résistance R de la bobine sachant que la résistivité du cuivre est $\rho = 1{,}6.10^{-8}\ \Omega$.m.*

La longueur du fil est $\ell = 2\pi r N$ et sa section est $S = \dfrac{\pi d^2}{4}$. D'où :

$$R = \rho \frac{8rN}{d^2}$$

$$R = 1{,}6.10^{-8} \frac{8 \times 3.10^{-2} \times 600}{\left(10^{-3}\right)^2}$$

$$R = 2{,}3\ \Omega.$$

[c] *On remplace le fil de cuivre par un fil de maillechort (alliage de cuivre, zinc et nickel) de même diamètre. Quel doit être de nombre de spires N' pour que cette bobine ait la même résistance que la bobine précédente ?*

On donne la résistivité du maillechort : $\rho' = 30.10^{-8}\ \Omega$.m.

On doit avoir :

$$\rho' \frac{8rN'}{d^2} = \rho \frac{8rN}{d^2},$$

soit :

$$N' = \frac{\rho}{\rho'} N$$

et enfin $N' = 32$ spires.

[exercices]

[1] **[a]** Calculer les intensités I, I_1, I_2 relatives à la figure.

[b] Calculer les tensions U_{PN}, U_{AC}, U_{AB}, U_{BC}.

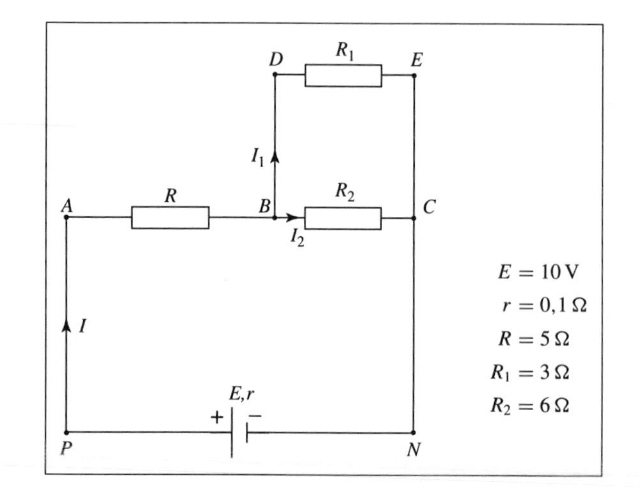

[2] On mesure :

$$U_{AB} = 1{,}55\,\text{V}\ ;\ U_{DC} = 0{,}92\,\text{V}\ ;\ I_{AD} = 31\,\text{mA}\ ;\ I_{FE} = 24\,\text{mA}.$$

Calculer U_{BC} et I_{CB}. Quel est le sens de déplacement des électrons dans la branche BC ?

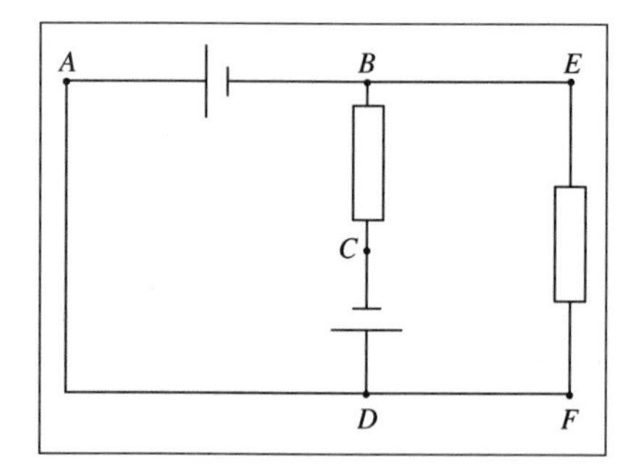

[3] Un générateur G de f.é.m. $E = 24$ V et de résistance interne r débite un courant d'intensité $I = 2{,}3$ A dans un conducteur ohmique de résistance $R_1 = 3\,\Omega$ monté en série avec un électrolyseur de f.c.é.m. E' et de résistance interne r'.

Si l'on fait débiter le générateur G dans R_1 seul, l'intensité du courant est $I' = 6$ A. À travers l'électrolyseur, seul le générateur débite un courant d'intensité $I'' = 3{,}28$ A. Calculer r, E', r'.

[4] Trouver le dipôle équivalent à l'association de la figure : donner sa résistance.

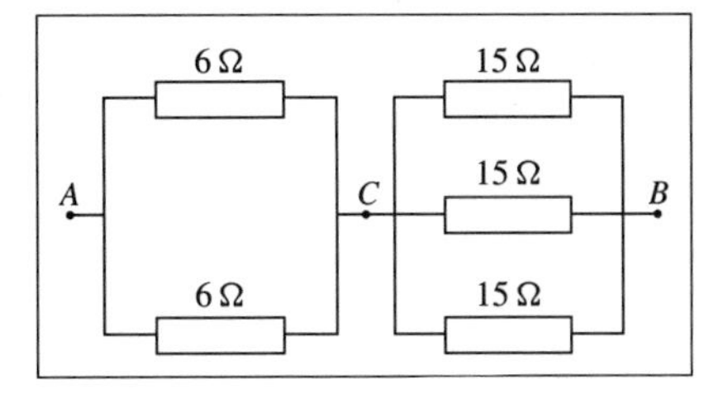

[5] Une pile de lampe de poche, de force électromotrice $E = 4{,}5\ \text{V}$ est montée en série avec une lampe. L'intensité du courant est $0{,}35$ A et la différence de potentiel aux bornes de la lampe est $3{,}5$ V. Déterminer la résistance interne de la pile et celle de la lampe.

[réponses]

[1] **[a]** $I = 1{,}41\,\text{A}$; $I_1 = 0{,}94\,\text{A}$; $I_2 = 0{,}47\,\text{A}$.

[b] $U_{PN} = U_{AC} = 9{,}86\,\text{V}$; $U_{AB} = 7{,}05\,\text{V}$; $U_{BC} = 2{,}82\,\text{V}$.

[2] $U_{BC} = U_{BA} + U_{AD} + U_{DC} = -0{,}63\,\text{V}$. Les électrons circulent de B vers C. On a $I_{CB} = 7\,\text{mA}$.

[3] $r = 1\,\Omega$; $E' = 0{,}9\,V$; $r' = 6\,\Omega$.

[4] AC équivaut à 3 ohms, CB à 5 ohms et AB équivaut à un conducteur ohmique de résistance 8 ohms.

[5] La résistance interne de la pile est :

$$r = \frac{E - U}{I} = 2{,}9\,\Omega.$$

La résistance de la lampe est $R = 10\,\Omega$.

PUISSANCE ET ÉNERGIE ÉLECTRIQUES EN COURANT CONTINU

CHAPITRE 2

[l'essentiel]

[1] Résistors et récepteurs

Lorsqu'un résistor ou un récepteur (moteur ou électrolyseur) AB est soumis à une tension $U = V_1 - V_B$, il est traversé par un courant I et la charge qui a circulé pendant la durée Δt dans le dipôle AB est $\Delta q = I\Delta t$, conformément à (1,1).

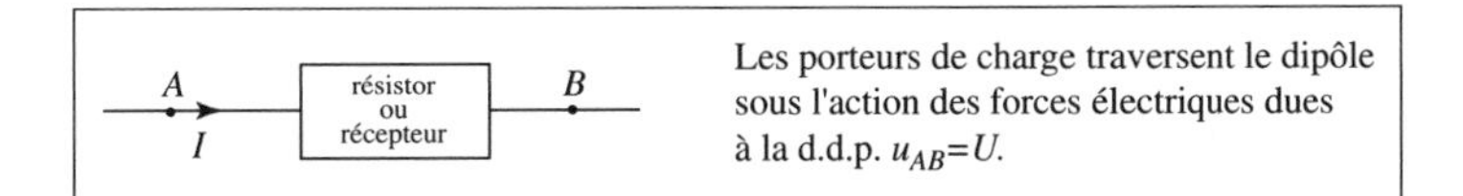

Les porteurs de charge traversent le dipôle sous l'action des forces électriques dues à la d.d.p. $u_{AB}=U$.

Nous admettrons que la relation (10,6) (*cf.* volume **I**) donnant l'énergie potentielle électrostatique d'une charge reste valable ici, de sorte que les forces électriques qui sont responsables du mouvement des porteurs de charge du point A au point B ont fourni au dipôle l'énergie électrique :

$$W_{\text{él}} = E_p(A) - E_p(B) = \Delta q V_A - \Delta q V_B,$$

soit :

$$\boxed{W_{\text{él}} = U\Delta q} \qquad (2, 1)$$

soit, compte tenu de $\Delta q = I\Delta t$ et $V_A - V_B = U$:

$$\boxed{W_{\text{él}} = UI\Delta t.} \qquad (2, 2)$$

La puissance[1] électrique $P_{\text{él}} = \dfrac{W_{\text{él}}}{\Delta t}$ reçue par le dipôle est donc :

$$\boxed{P_{\text{él}} = UI} \qquad (2,3)$$

avec $P_{\text{él}}$ en **watt** (**W**), I en **ampère** (**A**) et U en **volt** (**V**).

[a] Le conducteur ohmique (résistor)

Pour un conducteur ohmique $U_{AB} = RI$ d'après (2,1) et cette dernière relation s'écrit :

$$\boxed{P_{\text{j}} = RI^2.} \qquad (2,4)$$

Cette puissance est transformée en chaleur (**effet Joule**). L'énergie électrique transformée en chaleur pendant Δt est donc :

$$\boxed{W_{\text{j}} = RI^2\Delta t.} \qquad (2,5)$$

[b] Les récepteurs

Pour un récepteur $U_{AB} = E' + r'I$, d'où la puissance reçue :

$$P_{\text{él}} = U_{AB}I = E'I + r'I^2.$$

$r'I^2$ est la puissance dissipée par effet Joule dans le récepteur. Il en résulte que $E'I$ représente la **puissance utile** (mécanique pour un moteur, chimique pour un électrolyseur) du récepteur :

$$\boxed{P_{\text{u}} = E'I.} \qquad (2,6)$$

[2] Les générateurs

Un générateur convertit de l'énergie chimique ou mécanique en énergie électrique.

Un générateur de f.é.m. E et de résistance interne r génère une puissance P_{g} dont une partie $P_{\text{él}} = U_{AB}I$ est fournie au circuit qu'il alimente, le reste $P_{\text{j}} = rI^2$ est dissipé par effet Joule par le générateur lui-même. Il en résulte que :

$$\begin{aligned} P_{\text{g}} &= P_{\text{él}} + P_{\text{j}} \\ P_{\text{g}} &= U_{AB}I + rI^2 \\ P_{\text{g}} &= (E - rI)I + rI^2 \end{aligned}$$

soit :

$$\boxed{P_{\text{g}} = EI.} \qquad (2,7)$$

[1] La puissance est l'énergie reçue par unité de temps (par seconde) : *cf.* volume **I** chapitre **6.[4]**.

Mots-clés

- puissance électrique
- puissance utile
- puissance dissipée

[1] *Un moteur électrique de résistance interne $r = 5\,\Omega$ fonctionne sous une tension $U_{AB} = 120$ V et consomme une puissance électrique de 480 W.*

[a] *Calculer sa force contre-électromotrice E'.*

$P_{\text{él}} = U_{AB}I$ donne $I = 4$ A ; par ailleurs $U_{AB} = E' + r'I$, d'où $E' = 100$ V.

[b] *Calculer la puissance mécanique du moteur.*

$$P_{\text{u}} = E'I = 400\,\text{W}.$$

[2] **[a]** *Calculer l'intensité du courant I relatif à la figure.*

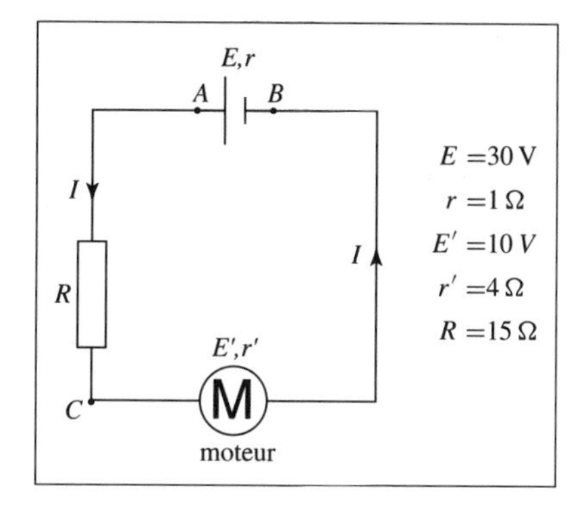

La loi de Pouillet (1,7) s'écrit :

$$I = \frac{E - E'}{R + r + r'},$$

soit $I = 1$ A.

[b] *Calculer la puissance $P_{\text{él}}$ fournie par le générateur au circuit extérieur. Comparer $P_{\text{él}}$ à la somme des puissances électriques reçues par le conducteur ohmique et le moteur.*

Le générateur fournit au circuit extérieur une puissance :

$$P_{\text{él}} = P_{\text{g}} - rI^2 = 29\,\text{W}.$$

Le conducteur ohmique reçoit :

$$P_{\text{R}} = RI^2 = 15\,\text{W}.$$

Le moteur reçoit :

$$P_{\text{M}} = P_{\text{u}} + r'I^2 = 10 \times 1 + 4 \times 1^2 = 14\,\text{W}.$$

On constate que :

$$P_{\text{él}} = P_{\text{R}} + P_{\text{M}}.$$

La conservation de l'énergie est donc vérifiée.

On peut procéder d'une façon un peu différente. Calculons d'abord les différentes tensions :

$$U_{AB} = E - rI\ ; \quad U_{AC} = 29\,\text{V}$$
$$U_{AC} = RI\ ; \quad U_{AB} = 15\,\text{V}$$
$$U_{CB} = E' + r'I\ ; \quad U_{CB} = 14\,\text{V}$$

La puissance fournie par le générateur au circuit extérieur est :

$$U_{AB}I = 29\,\text{W}.$$

La puissance reçue par le conducteur ohmique est :

$$U_{AC}I = 15\,\text{W}.$$

La puissance reçue par le moteur est :

$$U_{CB}I = 14\,\text{W}.$$

[c] *Calculer le rendement du générateur et du moteur.*

Le rendement η est le rapport entre la puissance utile et la puissance produite. Pour le générateur la puissance utile est celle fournie au circuit, soit (2,3). La puissance produite est P_g (*cf.* (2,7)). Donc :

$$\eta_g = \frac{U_{AB}I}{EI} = \frac{U_{AB}}{E} = 0{,}97 = 97\,\%$$

Pour le moteur :

$$\eta_M = \frac{E'I}{U_{CB}I} = \frac{E'}{U_{CB}} = 0{,}71 = 71\,\%.$$

[3] *La f.c.é.m. d'un moteur électrique est proportionnelle à sa vitesse de rotation.*

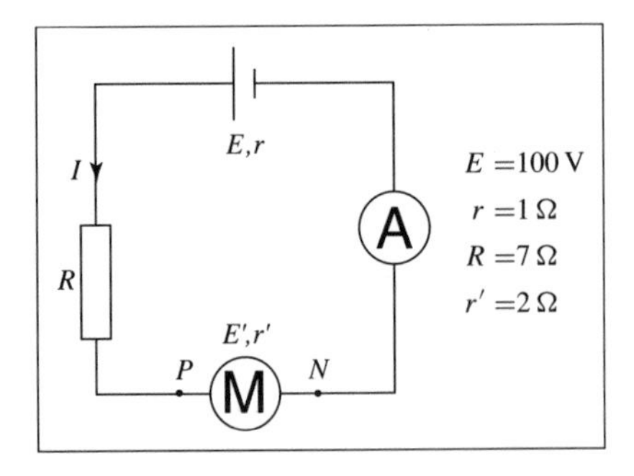

[a] *On bloque l'arbre de rotation (le rotor) du moteur. Quelle est l'indication de l'ampèremètre ?*

Un moteur bloqué se comporte comme un résistor : $E' = 0$. La loi de Pouillet (1,7) s'écrit :

$$I = \frac{E}{R + r + r'} = 10\,\text{A}.$$

[b] *On libère le rotor. L'ampèremètre indique alors $I_1 = 4\,\text{A}$. Calculer dans ces conditions la force contre-électromotrice du moteur, la puissance mécanique qu'il fournit et le rendement du moteur.*

La loi de Pouillet donne :

$$E' = E - (R + r + r')I_1,$$

soit $E' = 60\,\text{V}$.

La puissance mécanique (c'est-à-dire utile) est :

$$P_{\text{u}} = E'I_1,$$

soit $P_{\text{u}} = 240\,\text{W}$.

La puissance électrique reçue par le moteur est :

$$P_{\text{él}} = U_{PN}\,I_1 \quad \text{et} \quad U_{PN} = E' + r'I_1.$$

On trouve $P_{\text{él}} = 272\,\text{W}$.

Le rendement du moteur est :

$$\eta = \frac{P_{\text{u}}}{P_{\text{él}}} = 0{,}88 = 88\,\%.$$

[c] *Calculer le rendement du générateur.*

De même qu'au **[2].[c]** :

$$\eta_{\text{g}} = \frac{U_{AB}}{E} = 96\,\%.$$

[4] [a] *Calculer I, I_1 et I_2.*

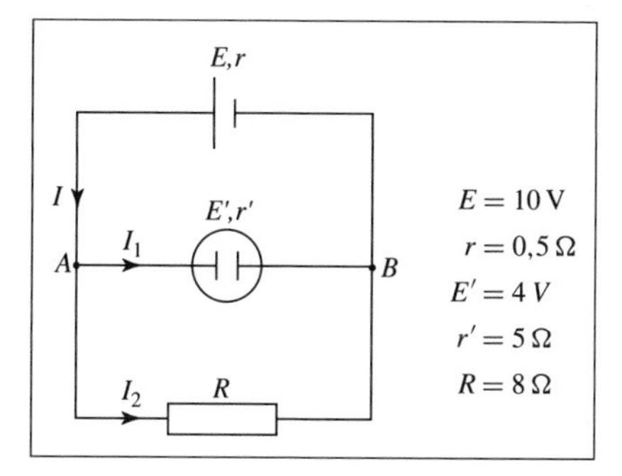

L'une des dérivations contient un électrolyseur (récepteur) ; on ne peut pas calculer la « résistance équivalente ». On obtiendra un système de quatre équations à quatre inconnues en écrivant la loi d'Ohm aux bornes de chacun des dipôles et la loi d'addition des intensités (1,8), soit :

$$\begin{cases} U_{AB} = E - rI \\ U_{AB} = E' + r'I_1 \\ U_{AB} = RI_2 \\ I = I_1 + I_2. \end{cases}$$

Numériquement :

$$\begin{cases} U_{AB} = 10 - 0{,}5I \\ U_{AB} = 4 + 5I_1 \\ U_{AB} = 8I_2 \\ I = I_1 + I_2. \end{cases}$$

On élimine U_{AB} et I :

$$\begin{cases} 4 + 5I_1 = 10 - 0{,}5(I_1 + I_2) \\ 4 + 5I_1 = 8I_2, \end{cases}$$

soit :

$$\begin{cases} 5{,}5I_1 + 0{,}5I_2 = 6 \\ I_1 - 8I_2 = -4, \end{cases}$$

ou :

$$\begin{cases} 11I_1 + I_2 = 12 \\ \frac{5}{8}I_1 - I_2 = -\frac{1}{2}. \end{cases}$$

D'où l'on tire :

$$I_1 = 0{,}99\,\text{A}\,; \qquad I_2 = 1{,}12\,\text{A}\,; \qquad I = 2{,}11\,\text{A}.$$

[b] *Calculer l'énergie fournie par le générateur pendant 5 minutes.*

$P_{él} = U_{AB}I$ et $W_{él} = U_{AB}I\,\Delta t = RI_2I\,\Delta t$ soit $W_{él} = 8 \times 1{,}12 \times 2{,}11 \times 300$ soit $W_{él} = 5{,}66\,\text{kJ}$.

[c] *Calculer les quantités de chaleur dissipées par la résistance R et par l'électrolyseur ainsi que l'énergie électrique transformée en énergie chimique pendant 5 minutes.*

Dans la résistance :

$$W_R = RI^2\Delta t = 3{,}01\,\text{kJ}. \qquad \text{(énergie thermique)}$$

Dans l'électrolyseur :

$$W_{r'} = r'I_1^2\Delta t = 1{,}47\,\text{kJ} \qquad \text{(énergie thermique)}$$

$$W_u = E'I_1\Delta t = 1{,}18\,\text{kJ}. \qquad \text{(énergie chimique)}$$

[d] *Faire un bilan énergétique du circuit.*

On constate que $W_R + W_{r'} + W_u = W_{él}$.

Remarquons que l'énergie *totale* engendrée par le générateur est $W_t = EI\Delta t = 6{,}33\,\text{kJ}$, mais le générateur dissipe $W_r = rI^2\Delta t = 0{,}67\,\text{kJ}$; il reste donc pour l'énergie fournie au circuit $W_{él} = 6{,}33 - 0{,}67 = 5{,}66\,\text{kJ}$, ce qui est la valeur trouvée au **[b]** : la loi de conservation de l'énergie est vérifiée.

[exercices]

[1] [a] On dispose de douze piles identiques dont chacune a une force électromotrice de 1,5 V et une résistance interne de 0,5 Ω. Elles sont montées en série et, entre les bornes A et B de la batterie ainsi constituée, on introduit une résistance R de 12 ohms. Calculer l'intensité du courant et la différence de potentiel aux bornes de la batterie.

[b] On remplace la résistance R par un moteur, de résistance interne $0{,}5\,\Omega$ fonctionnant de manière que l'intensité reste la même que précédemment. Déterminer la différence de potentiel aux bornes du moteur, la puissance électrique totale qu'il consomme et la puissance utile qu'il restitue. Quelle est sa force contre-électromotrice ?

[c] Comment varie la puissance P consommée entre A et B, dans le circuit extérieur à la pile, en fonction de l'intensité I du courant ? Faire les calculs numériques sans tenir compte de la nature de la portion de circuit extérieur AB. Construire la courbe donnant P en fonction de I. En déduire la valeur de I correspondant à la puissance maximale consommée par le moteur, que l'on comparera à la puissance totale fournie par la batterie.

[d] Quelles sont les valeurs trouvées pour I lorsque la puissance disponible aux bornes est 12 watts ? Quelle est la valeur la plus favorable ?

[2] Une pompe, dont le débit est 60 litres par minutes, élève l'eau d'un puit à une hauteur de 7 mètres. La masse volumique de l'eau est $\rho = 10^3\,\mathrm{kg.m^{-3}}$ et $g = 9{,}81\,\mathrm{m.s^{-2}}$.

[a] Quelle est la puissance de la pompe ?

[b] Elle est mue par un moteur électrique alimenté sous une tension de 110 volts. À cause des frottements, la puissance de la pompe ne vaut que 90 % de celle du moteur. Quelle est la puissance fournie par le moteur et quelle est sa vitesse de rotation en tours par minute s'il exerce un couple dont le moment est $0{,}5\,\mathrm{N.m}$?

[c] Le courant qui alimente le moteur a une intensité de $0{,}75\,\mathrm{A}$. Calculer la force contre-électromotrice et la résistance interne du moteur.

[d] Quel est le rendement η de l'installation électrique ? Noter que :

$$\eta = \frac{\text{puissance fournie par le moteur}}{\text{puissance fournie par le secteur}}.$$

[e] La pompe est désamorcée et le moteur tourne à vide. Les frottements sont les mêmes que précédemment. Montrer qu'il y a deux régimes possibles de fonctionnement pour le moteur. Calculer pour chaque régime l'intensité du courant et la force contre-électromotrice du moteur.

[3] Un circuit électrique comporte les appareils suivants montés en série : un générateur G, un ampèremètre de résistance 0,9 ohm, un solénoïde S de résistance 10 ohms, un moteur de force contre-électromotrice E' et de résistance r'. Le générateur G est composé de 20 éléments d'accumulateur montés en série, chaque élément a une force électromotrice de 2 volts et une résistance interne de 0,05 ohm. On place en dérivation aux bornes du solénoïde un fil conducteur F dont la résistance est 99 fois plus petite que celle du solénoïde.

[a] Le moteur étant calé, l'ampèremètre marque 10 ampères. Lorsque le moteur tourne, l'ampèremètre marque 0,5 ampère.

Trouver E' et r'. Quelle est la puissance du moteur ? Quel est son rendement ?

[b] Quelle est la quantité de chaleur dégagée en 6 minutes 58 secondes dans l'ensemble SF lorsque le moteur tourne ?

[4] Un générateur de courant continu G, de résistance interne $r = 0{,}5$ ohm alimente un circuit comprenant un radiateur R et trois lampe L_1, L_2, L_3 montées en parallèle.

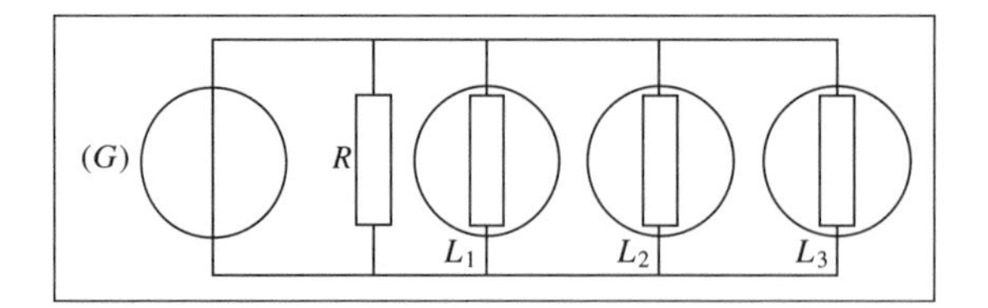

La résistance des fils de connexion est supposée négligeable.

Dans ces conditions :

- la différence de potentiel aux bornes du générateur est 120 volts ;
- le radiateur absorbe une puissance de 1 200 watts ;
- la lampe L_1 est parcourue par un courant dont l'intensité est 1,25 ampère ;
- les lampes L_2 et L_3 qui sont identiques, ont chacune une résistance de 192 ohms à leur température de fonctionnement.

Calculer :

[a] L'intensité du courant qui passe dans le radiateur et la résistance de celui-ci.

[b] La résistance de la lampe L_1 et la puissance qu'elle consomme.

[c] Les intensités des courants dans les lampes L_2 et L_3 ainsi que la puissance de ces lampes.

[d] La force électromotrice de ces lampes.

[e] La différence de potentiel aux bornes de ce générateur dans le cas où les lampes étant éteintes, le radiateur demeure seul en fonctionnement (on suppose que la résistance du radiateur a conservé la valeur calculée à la question **[a]**).

[réponses]

[1] **[a]** Les f.é.m. et les résistances internes s'ajoutent : $E = 18\,\text{V}$; $r = 6\,\Omega$; $I = 1\,\text{A}$; $U_{AB} = 12\,\text{V}$. **[b]** $U_{AB} = 12\,\text{V}$; $P_{\text{él}} = 12\,\text{W}$; $P_{\text{u}} = 11{,}5\,\text{W}$; $E' = 11{,}5\,\text{V}$.

[c] $P = -6I^2 + 18I$; $I' = 1{,}5\,\text{A}$; $P_{\text{m}} = 13{,}5\,\text{W}$; la puissance *totale* fournie par les piles est 27 W.

[d] $I_1 = 2\,\text{A}$; $I_2 = 1\,\text{A}$; la valeur la plus favorable est I_2 (limite les pertes par effet Joule).

[2] **[a]** $P = \rho g h D/\Delta t = 68{,}6\,\text{W}$. **[b]** $P_{\text{M}} = 76{,}2\,\text{W}$; $P_M = \mathcal{M} 2\pi N$ (voir vol. I (6,8)) et $N = 1\,456\,\text{tr.mn}^{-1}$. **[c]** $E' = 101{,}6\,\text{V}$; $r' = 11{,}2\,\Omega$. **[d]** $\rho = 0{,}92$.

[e] Voir exercice **[1]** : $I_1 = 9{,}75\,\text{A}$; $E_1 = 0{,}78\,\text{V}$ ou $I_2 = 0{,}07\,\text{A}$; $E_1 = 109\,\text{V}$.

[3] **[a]** $E' = 38\,\text{V}$; $r' = 2\,\Omega$; $P_{\text{u}} = 19\,\text{W}$; $\rho = 0{,}98$. **[b]** $W = 10{,}45\,\text{J}$.

[4] **[a]** $\mathcal{P} = UI$ donne $I = 10\,\text{A}$; $R = 12\,\Omega$. **[b]** $R_1 = 96\,\Omega$; $P_1 = 150\,\text{W}$.

[c] $I_2 = 0{,}63\,\text{A}$; $P_2 = 75\,\text{W}$. **[d]** $E = 126\,\text{V}$. **[e]** 121 V.

CIRCUITS À PLUSIEURS MAILLES

CHAPITRE 3

Une des difficultés majeure dans l'étude des circuits à plusieurs mailles, appelés également **réseaux**, provient du fait que l'on ne connaît pas le sens du courant dans les différentes branches du circuit. Nous limiterons notre étude à des circuits comportant des accumulateurs (c'est-à-dire des générateurs réversibles pouvant se comporter comme des récepteurs) et des résistors.

[1] Définitions

La **maille** $ABCDEA$ est reliée à un circuit complexe par les points B, D et E qui sont appelés **nœuds**. Les portions de circuit entre deux nœuds successifs sont appelés **branches** : EAB, BCD et DE sont des exemples de branches.

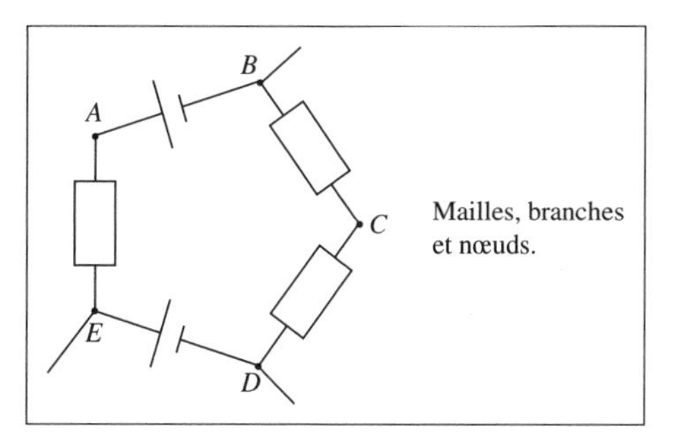

Mailles, branches et nœuds.

[2] Flèches de tension et flèches de courant

Les flèches de tension donnent une visualisation commode des tensions sur le schéma d'un circuit, tout en permettant de simplifier les notations : la flèche dont la pointe est en A représente la tension $U = U_{AB}$, qui peut être *positive ou négative*. La flèche dont la pointe est en B représente $U' = U_{BA}$, et l'on a :

$$U_{AB} = -U_{BA}.$$

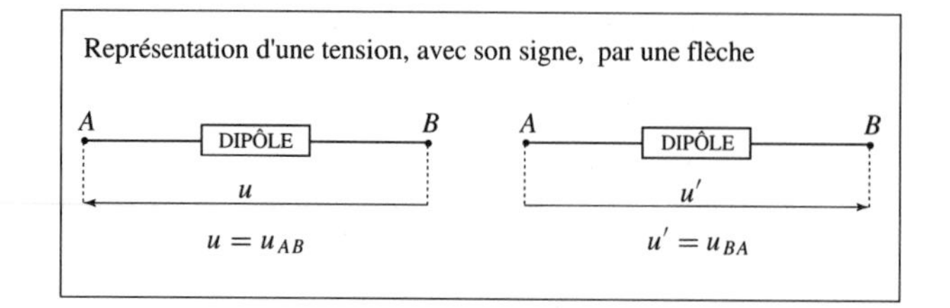

Une flèche de courant indique le *sens positif* choisi pour le courant et *non pas le sens du courant*. Si le courant circule de A vers B (dans le sens positif), alors $i > 0$. Dans le cas contraire $i < 0$.

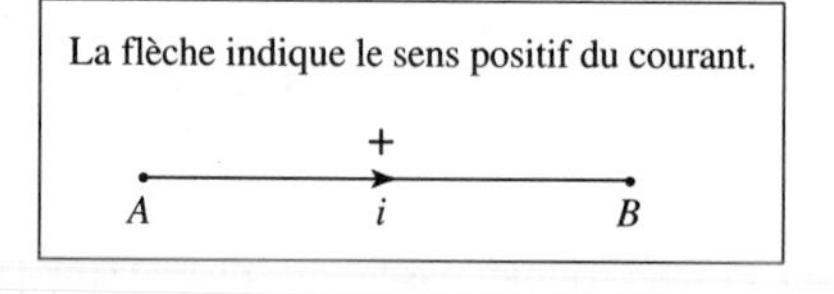

✘ Pour un conducteur ohmique, la flèche tension est en général opposée à la flèche courant (*convention récepteur*).

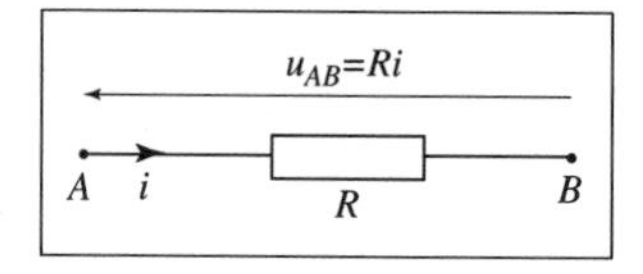

Le générateur réel sera remplacé par un « générateur idéal » de f.é.m. E et de résistance interne nulle en série avec un résitor de résistance r.

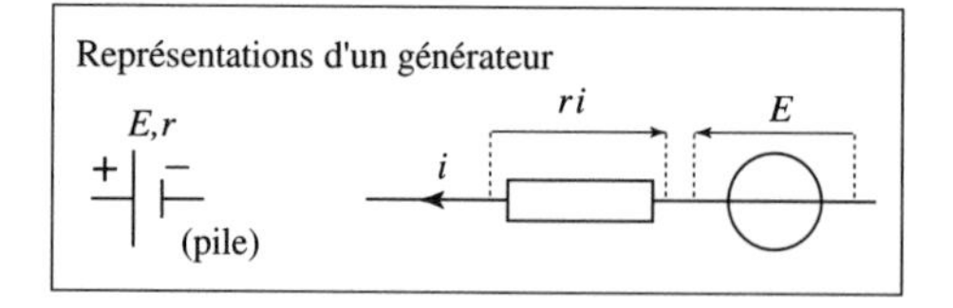

✘ La flèche f.é.m. est toujours orientée du pôle $-$ vers le pôle $+$.

[3] Loi des mailles et loi des nœuds

[a] Loi des mailles

• Sans se préoccuper des flèches de tension, la loi des mailles s'écrit :

$$\boxed{U_{AB} + U_{BC} + U_{CD} + U_{DE} + U_{EA} = 0.} \quad (3,1)$$

La loi des mailles exprime simplement la loi d'addition (1,5) sur un parcours *fermé*.

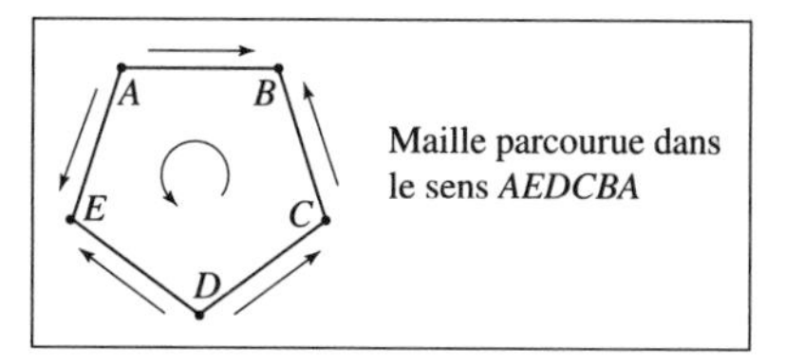

• Avec les flèches de tension, il suffit de tourner sur la maille dans un sens arbitraire. Lorsque l'on rencontre *en premier* la pointe de la flèche, la tension correspondante est précédée du signe + conformément à la convention énoncée au **3.[2]** (dans le cas contraire, du signe −).

Ainsi, en partant de B :

$$U_{BA} - U_{EA} + U_{ED} - U_{CD} - U_{BC} = 0.$$

Comme $U_{BA} = -U_{AB}$ et $U_{ED} = -U_{DE}$, on retrouve (3,1).

[b] Loi des nœuds

On oriente *arbitrairement* tous les conducteurs qui aboutissent au nœud N.

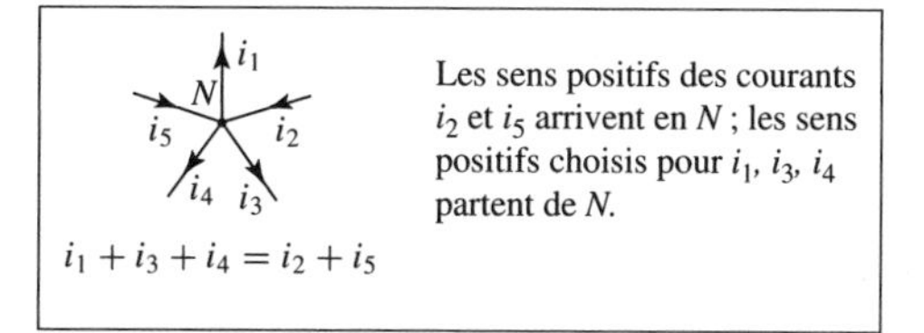

La loi des nœuds s'énonce de façon suivante : la somme des intensités convergeant vers un nœud est égale à la somme des intensités qui en repartent :

$$\boxed{\sum_{\text{arrivant}} i_k = \sum_{\text{partant}} i_n.} \quad (3,2)$$

✗ **La relation traduisant la loi des nœuds reste vraie algébriquement, c'est-à-dire même si les sens indiqués ne correspondent pas aux sens réels des courants.**

[de l'essentiel à la pratique]

[1] *Calculer la tension U_{CD}.*

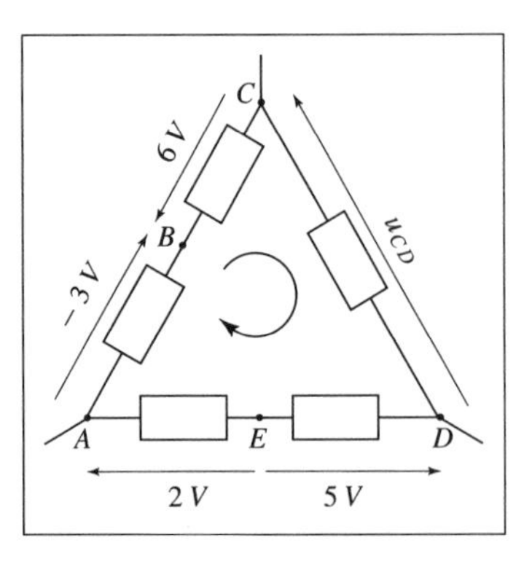

En partant de A, dans le sens $ABCDEA$:

$$-U_{BA} + U_{BC} + U_{CD} + U_{DE} - U_{AE} = 0,$$

soit :

$$3 + 6 + U_{CD} + 5 - 2 = 0$$
$$U_{CD} = -12\,\mathrm{V}$$

[2] *En utilisant les flèches de courant, les flèches de tension et la loi des mailles, calculer l'intensité du courant dans le circuit de la figure.*

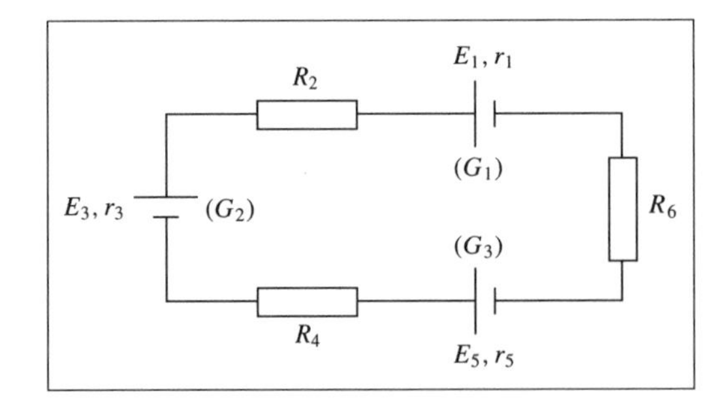

Pour un circuit aussi simple, la méthode que nous utiliserons n'est pas adaptée ; l'intérêt de cet exercice est de montrer la mise en application d'une méthode utile pour les circuits à plusieurs mailles.

Remplaçons le schéma du circuit par le *schéma opérationnel* correspondant.

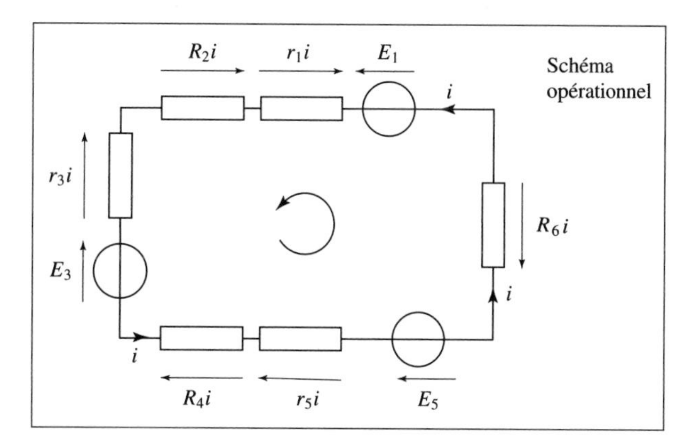

La loi des mailles s'écrit :

$$0 = -E_1 + r_1i + R_2i + r_3i + E_3 + R_4i + r_5i + E_5$$
$$i = \frac{E_1 - E_3 - E_5}{r_1 + R_2 + r_3 + R_4 + r_5}.$$

Numériquement, avec $E_1 = 20\,\text{V}$; $E_3 = 15\,\text{V}$, $E_5 = 15\,\text{V}$, $r_1 = 1\,\Omega$, $R_2 = 4\,\Omega$, $r_3 = 1\,\Omega$, $R_4 = 2\,\Omega$, $r_5 = 1\,\Omega$, $R_6 = 1\,\Omega$, on trouve :

$$i = -1\,\text{A}.$$

Le courant circule en sens inverse du sens positif choisi. Cela signifie que (G_1) est récepteur, $G_2)$ et (G_3) sont des générateurs (ils imposent le sens du courant).

[3] *La méthode de Kirchoff*

Déterminer les intensités et le sens des courants dans toutes les branches du circuit.

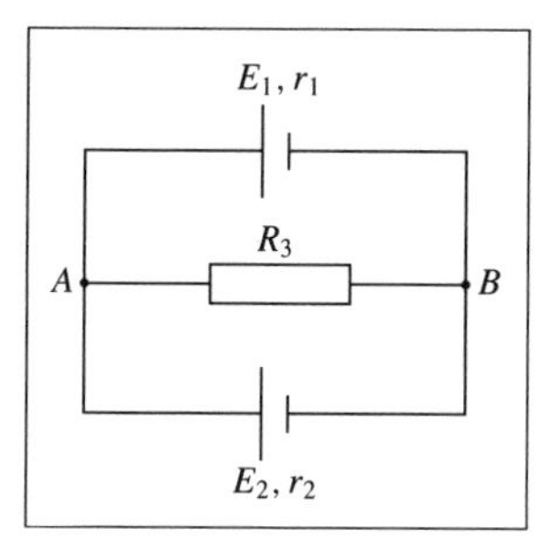

Remplaçons d'abord le circuit par le schéma opérationnel correspondant :

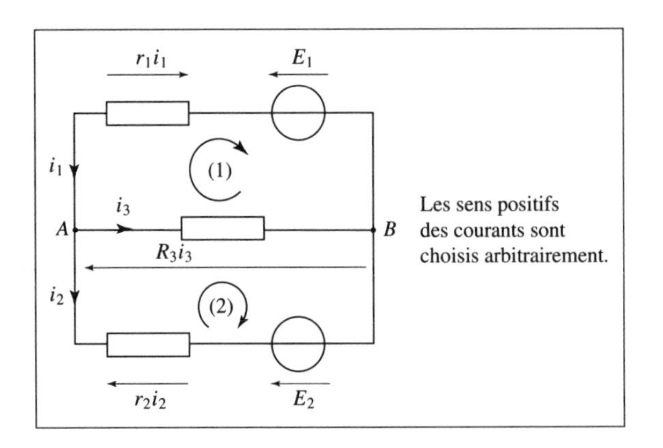

Pour déterminer le sens et les intensités des courants dans un circuit à plusieurs mailles :

✘ **[i] Appliquer la loi des mailles aux différentes mailles du circuit : toute nouvelle équation est indépendante des précédentes si la maille considérée comporte au moins une branche *non encore utilisée*.**

[ii] Appliquer la loi des nœuds : s'il y a n nœuds, on peut écrire $n - 1$ équations indépendantes.

Le circuit étudié comporte trois mailles (les mailles (1), (2) et E_1AE_2B) et deux nœuds.

Maille (1) :

$$E_1 - R_3 i_3 - r_1 i_1 = 0. \tag{1}$$

Maille (2) :

$$R_3 i_3 - E_2 - r_2 i_2 = 0. \tag{2}$$

On ne peut utiliser la grande maille car les deux branches ont déjà été utilisées. Il y a deux nœuds, A et B, donc une seule équation (nœud A) :

$$i_1 = i_2 + i_3. \tag{3}$$

Nous avons un système de trois équations linéaires à trois inconnues.

En prenant $E_1 = 20\,\text{V}$; $E_2 = 10\,\text{V}$; $r_1 = r_2 = 1\,\Omega$; $R_3 = 10\,\Omega$, les équations (1), (2) et (3) s'écrivent, en remplaçant E_1, E_2, r_1, r_2, R_3 par leurs valeurs numériques :

$$\begin{cases} i_1 \phantom{{}+i_2} + 10i_3 = 20 & (1') \\ -i_2 + 10i_3 = 10 & (2') \\ -i_1 + i_2 + i_3 = 0 & (3') \end{cases}$$

On élimine i_1 en ajoutant $(1')$ et $(3')$ membre à membre et on garde $(2')$:

$$\begin{cases} i_2 + 11i_3 = 20 & \\ -i_2 + 10i_3 = 10 & (2') \end{cases}$$

D'où en additionnant de nouveau membre à membre :

$$21i_3 = 30,$$

soit $i_3 = 1{,}43\,\text{A}$; $i_2 = 4{,}29\,\text{A}$; $i_1 = 5{,}73\,\text{A}$.

Toutes les intensités sont positives : les courants circulent donc dans les sens positifs choisis. Il en résulte que G_2 est un récepteur. On peut vérifier l'exactitude des calculs, en déterminant U_{AB} de trois façons :

$$U_{AB} = E_1 - r_1 i_1 = 14{,}3\,\text{V}$$
$$U_{AB} = R_3 i_3 = 14{,}3\,\text{V}$$
$$U_{AB} = E_2 + r_2 i_2 = 14{,}3\,\text{V}.$$

[4] [a] *Calculer les intensités* i_1, i_2, i_3.

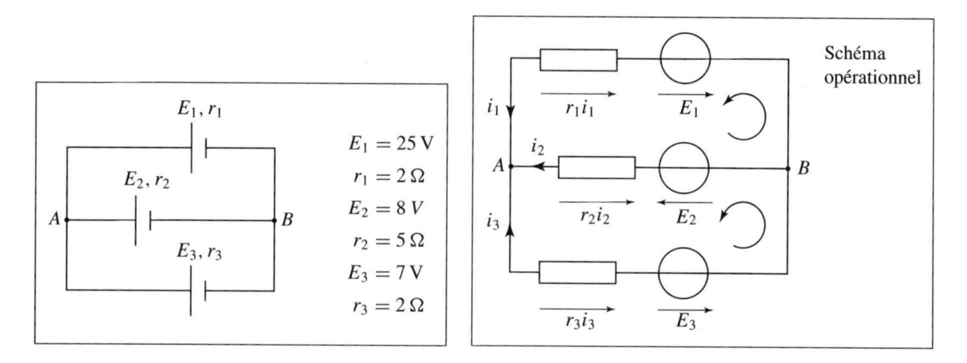

Maille AG_1B :

$$-E_1 - r_1 i_1 + r_2 i_2 - E_2 = 0. \quad (1)$$

Maille AG_3B :

$$E_2 - r_2 i_2 + r_3 i_3 + E_3 = 0. \quad (2)$$

Nœud A :

$$i_1 + i_2 + i_3 = 0. \quad (3)$$

Numériquement :

$$-25 - 2i_1 + 5i_2 - 8 = 0$$
$$8 - 5i_2 + 2i_3 + 7 = 0$$
$$i_1 + i_2 + i_3 = 0.$$

On élimine d'abord i_1, puis on calcule i_2 et i_3. On trouve :

$$i_1 = -6{,}5\,\text{A}\ ;\ i_2 = 4\,\text{A}\ ;\ i_3 = 2{,}5\,\text{A}.$$

G_1 et G_2 sont des générateurs, G_3 est un récepteur.

[b] *Calculer la tension U_{AB} de trois manières différentes.*

Maille AG_1B :

$$U_{AB} + r_1 i_1 + E_1 = 0,$$

soit $U_{AB} = -r_1 i_1 - E_1 = -12\,\text{V}$.

Maille AG_3B :

$$U_{AB} + r_3 i_3 + E_3 = 0,$$

soit $U_{AB} = -r_3 i_3 - E_3 = -12\,\text{V}$.

Sur AG_2B (considérée comme maille BAB) :

$$U_{AB} + r_2 i_2 - E_2 = 0,$$

soit $U_{AB} = -r_2 i_2 + E_2 = -12\,\text{V}$.

[exercices]

[1] Calculer les intensités i_1, i_2, i_3.

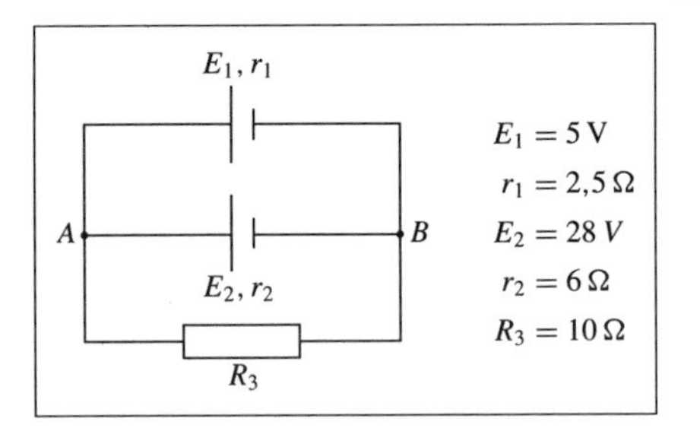

[2] La pile (P) a une f.é.m. $E = 2\,\text{V}$ et une résistance interne de $r = 1\,\Omega$.
La pile (P') a une f.é.m. E' et une résistance interne négligeable.

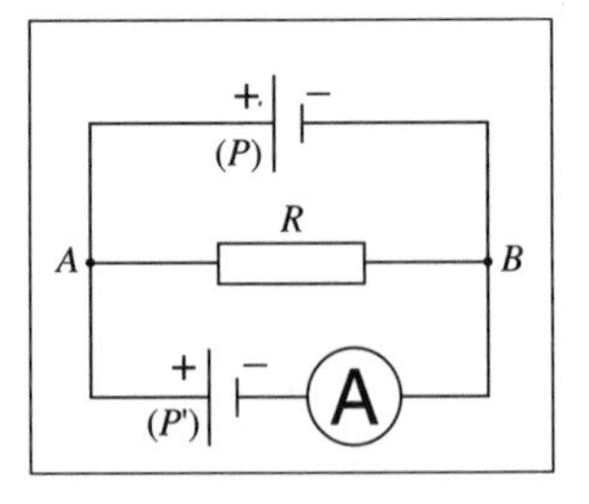

Calculer E' pour que l'ampèremètre indique une intensité nulle. On donne $R = 1\,\Omega$. La résistance de l'ampèremètre est négligeable.

[réponses]

[1] $|i_1| = 2\,\text{A}$; $|i_2| = 3\,\text{A}$; $|i_3| = 1\,\text{A}$. Le générateur se comporte comme un récepteur.

[2] Écrire la loi des mailles et la loi des nœuds avec la condition $i_2 = 0$:

$$E' = \frac{E}{1 + \frac{r}{R}} = 1\,\text{V}.$$

LES CONDENSATEURS

CHAPITRE 4

[l'essentiel]

[1] Description et représentation schématique

Un **condensateur** est l'ensemble formé par deux conducteurs, les **armatures**, séparés par un isolant (appelé également **diélectrique**).

Le **condensateur plan** est un condensateur dont les armatures sont planes et parallèles de surfaces (S), distantes de d. Souvent l'isolant est une couche d'air.

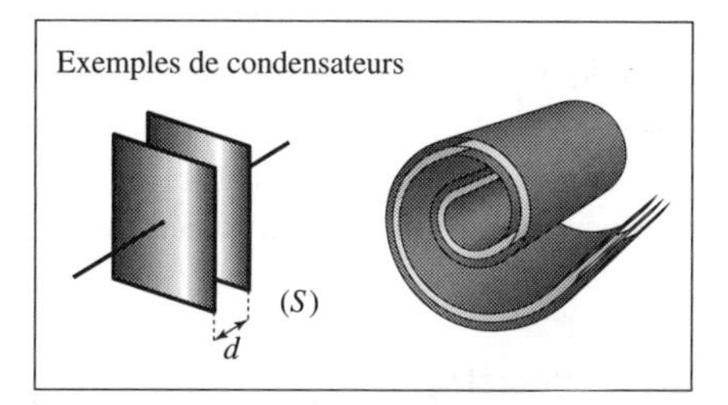

Il existe bien d'autres types de condensateurs : chimiques, à céramique, à polyesters,...

Par exemple deux feuilles fines en aluminium séparées par une feuille isolante de papier paraffiné, enroulées sur elles-mêmes, constituent un condensateur.

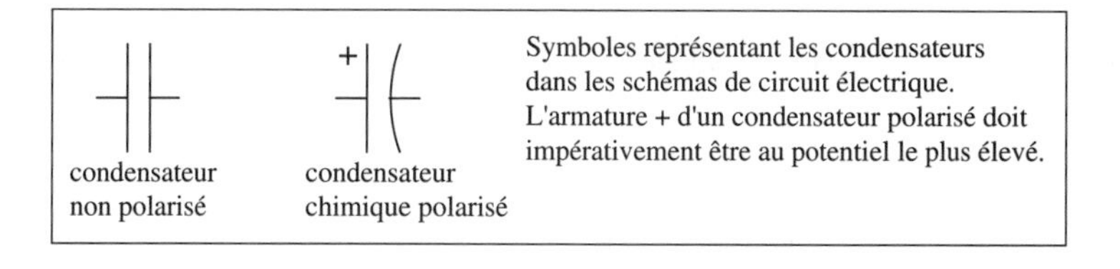

[2] Charges sur les armatures d'un condensateur. Capacité

Lorsque l'on applique aux bornes du condensateur une tension U, celui-ci se charge : l'armature reliée au pôle positif du générateur prend la charge positive $+Q$, l'autre la charge $-Q$.

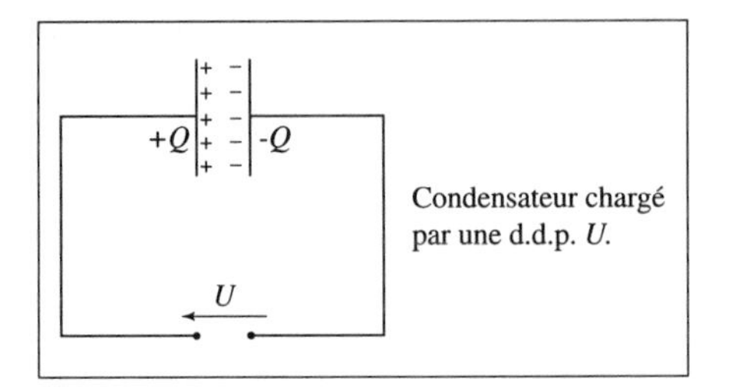

Condensateur chargé par une d.d.p. U.

On constate que la charge Q est proportionnelle à la tension appliquée :

$$\boxed{Q = CU} \quad (4, 1)$$

avec Q en **coulomb** (**C**), C en **farad** (**F**) et U en **volt** (**V**).

C est une constante caractéristique du condensateur appelée **capacité**. C s'exprime en **farad** (**F**) dans le système international. La capacité d'un **condensateur plan** est donné par :

$$\boxed{C = \frac{\varepsilon_0 \varepsilon_r S}{d}} \quad (4, 2)$$

avec C en **farad** (**F**), S en m^2 et d en m ;

$\varepsilon_0 = 8{,}85.10^{-12}\ F.m^{-1}$ est une constante universelle appelée **permittivité du vide** et reliée à la constante de Coulomb K (voir volume **I** chapitre **10.[1]**).

ε_r est appelée **constante diélectrique**. Cette grandeur sans dimension caractérise le diélectrique. Pour le vide, et en pratique pour l'air[1], $\varepsilon_r = 1$.

Lorsque l'on *court-circuite* le condensateur au préalable isolé du générateur, c'est-à-dire lorsqu'on réunit ses armatures par un fil conducteur, il se décharge.

[3] Énergie électrostatique d'un condensateur

On démontre qu'un condensateur chargé possède l'énergie potentielle électrostatique :

$$\boxed{E_p = \frac{1}{2}\frac{Q^2}{C} = \frac{1}{2}CU^2 = \frac{1}{2}QU.} \quad (4, 3)$$

Le condensateur inséré dans un circuit électrique peut restituer cette énergie au reste du circuit en se déchargeant.

[1] La valeur exacte pour l'air est 1,000 6.

[4] Associations de condensateurs

On peut associer des condensateurs en *série* ou en *parallèle*. Nous allons chercher le condensateur équivalent à ces associations, c'est-à-dire le condensateur qui pourrait remplacer les condensateurs associés.

[a] Condensateurs en série

Tous les condensateurs ont la même charge car la charge totale des armatures connectées reste nulle (voir figure). Le condensateur équivalent de capacité C doit acquérir la charge q lorsqu'il est soumis à la tension U. Or :

$$q = C_1U_1 = C_2U_2 = C_3U_3 = CU$$

et

$$U = U_1 + U_2 + U_3.$$

D'où :

$$\frac{q}{C} = \frac{q}{C_1} = \frac{q}{C_2} = \frac{q}{C_3}$$

et

$$\boxed{\frac{1}{C} = \frac{1}{C_1} + \frac{1}{C_2} + \frac{1}{C_3}.} \qquad (4, 4)$$

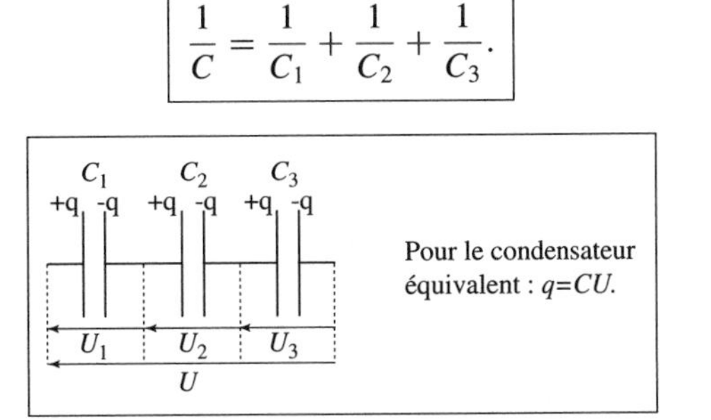

Pour le condensateur équivalent : $q=CU$.

[b] Condensateurs en parallèle

La condensateur équivalent de capacité C doit acquérir une charge $q = q_1 + q_2 + q_3$ lorsqu'il est soumis à la tension U :

$$CU = C_1U + C_2U + C_3U$$

et

$$\boxed{C = C_1 + C_2 + C_3.} \qquad (4, 5)$$

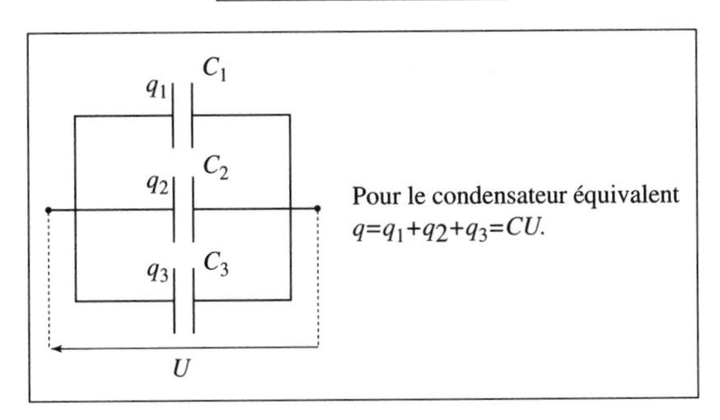

Pour le condensateur équivalent $q=q_1+q_2+q_3=CU$.

[de l'essentiel à la pratique]

Mots-clés

- condensateurs
- capacité
- charge
- décharge
- énergie électrostatique
- association en série, en parallèle

[1] *Les armatures d'un condensateur plan sont des demi-disques de rayon $r = 5\,\text{cm}$ placés dans l'air à la distance $d = 5\,\text{mm}$ l'une de l'autre. L'armature (B) peut tourner par rapport à (A) autour de l'axe (Δ). La position de (A) par rapport à (B) est définie par l'angle α.*

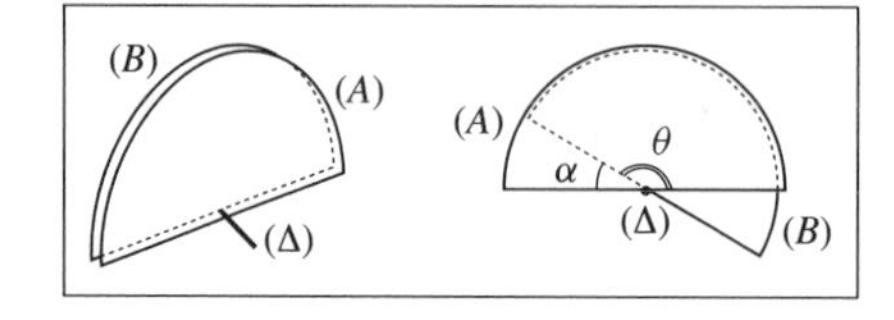

[a] *Calculer la capacité C_0 de ce condensateur lorsque $\alpha = 0$.*

Selon (4,2), où $S = \dfrac{\pi r^2}{2}$ est la surface de l'une des armatures :

$$C_0 = \varepsilon_0 \frac{\pi r^2}{2d}$$

soit :

$$C_0 = \frac{8{,}85.10^{-12} \times \pi \times (5.10^{-2})^2}{2 \times 5.10^{-3}} = 6{,}9\,\text{pF}.$$

[b] *On charge le condensateur sous une tension $U = 100\,\text{V}$ et on l'isole électriquement. On tourne ensuite l'armature (B) d'un angle $\alpha = 30^\circ$. La charge, la capacité et la tension sont-elles modifiées ? Déterminer leurs valeurs.*

D'une manière générale, la charge électrique d'un système isolé se conserve (voir volume **I** chapitre **10.[2]**).

Le condensateur étant isolé électriquement, les charges des armatures ne sont pas modifiées par la rotation de (B) et l'on a, suivant (4,1) :

$$Q = C_0 U = 6{,}9.10^{-12} \times 10^2 = 0{,}69\,\text{nC}.$$

La capacité dépend de la surface *en regard* des armatures, laquelle est proportionnelle à l'angle $\theta = 180^\circ - \alpha$:

$$S' = \frac{\theta}{180} S$$

et

$$C' = \frac{S'}{S} C_0 = \frac{\theta}{180} C_0.$$

D'où, avec $\theta = 150^\circ$:

$$C' = \frac{150}{180} \times 6{,}9 = 5{,}8\,\text{pF}.$$

Toujours selon (4,1) :

$$U' = \frac{Q}{C'} = 120\,\text{V}.$$

[c] *Calculer l'énergie électrostatique du condensateur avant et après la rotation de* (B). *Conclure.*

D'après (4,3) :

$$E = \frac{1}{2}QU = 0{,}35.10^{-7}\,\text{J} \qquad \text{(avant la rotation)}$$

$$E' = \frac{1}{2}QU' = 0{,}41.10^{-7}\,\text{J}. \qquad \text{(après la rotation)}$$

$E > E'$: l'énergie $E' - E$ a été fournie par l'expérimentateur lorsqu'il tourne l'armature (B).

[2] *Deux condensateurs de capacités* $C_1 = 10\,\mu\text{F}$ *et* $C_1 = 20\,\mu\text{F}$ *sont chargés respectivement sous les tensions* $U_1 = 100\,\text{V}$ *et* $U_2 = 200\,\text{V}$.

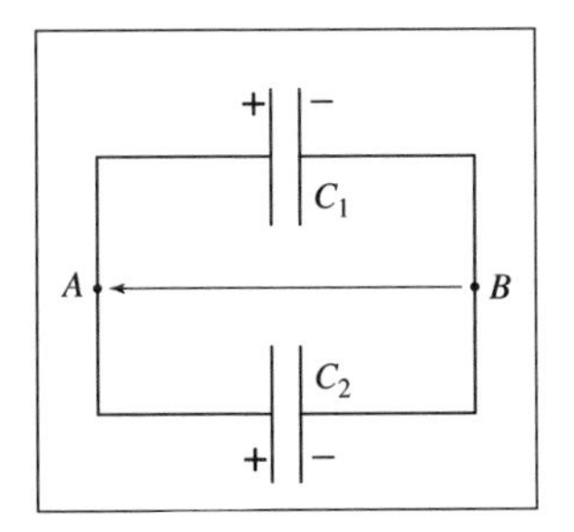

[a] *Calculer leurs charges et leurs énergies électrostatiques.*

La relation (4,1) donne :

$$Q_1 = 10^{-3}\,\text{C}\,; \qquad Q_2 = 4.10^{-3}\,\text{C}.$$

La relation (4,3) donne :

$$E_1 = 0{,}1\,\text{J}\,; \qquad E_2 = 0{,}4\,\text{J}.$$

[b] *On réunit ensuite entre elles les armatures chargées positivement d'une part, et les armatures chargées négativement d'autre part. Calculer les charges* Q'_1 *et* Q'_2 *des deux condensateurs, la tension* U_{AB} *ainsi que les énergies emmagasinées* E'_1 *et* E'_2.

La charge totale $Q_1 + Q_2 = Q = 5.10^{-3}\,\text{C}$ se conserve car les armatures positives (ou négatives) constituent un système isolé et la tension U_{AB} est la même aux bornes des deux condensateurs :

$$Q'_1 + Q'_2 = Q \qquad (1)$$

$$U_{AB} = \frac{Q'_1}{C_1} = \frac{Q'_2}{C_2}. \qquad (2)$$

En reportant dans (1) $Q'_2 = \frac{C_2}{C_1} Q'_1$, tiré de (2), on obtient :

$$\left(1 + \frac{C_2}{C_1}\right) Q'_1 = Q,$$

d'où

$$Q'_1 = \frac{Q}{1 + \frac{C_2}{C_1}} = \frac{5.10^{-3}}{1+2} = 1{,}67.10^{-3}\,\mathrm{C}$$
$$Q'_2 = Q - Q'_1 = 3{,}33.10^{-3}\,\mathrm{C}$$
$$U_{AB} = \frac{Q'_1}{C_1} = \frac{1{,}67.10^{-3}}{10^{-5}} = 167\,\mathrm{V}.$$

Les énergies emmagasinées sont :

$$E'_1 = \frac{1}{2} Q'_1 U_{AB} = 0{,}14\,\mathrm{J}$$
$$E'_2 = 0{,}28\,\mathrm{J}.$$

[c] *Comparer $E_1 + E_2$ à $E'_1 + E'_2$ et conclure.*

$E'_1 + E'_2 < E_1 + E_2$. L'énergie $(E_1 + E_2) - (E'_1 + E'_2) = 0{,}08\,\mathrm{J}$ est perdue par effet Joule dans les fils de connexion lorsqu'on réunit les armatures : il est curieux de remarquer que cette dissipation d'énergie ne dépend pas de la résistance des fils de connexion.

[3] *On associe en série trois condensateurs de capacités $C_1 = 2\,\mu\mathrm{F}$, $C_2 = 3\,\mu\mathrm{F}$ et $C_3 = 6\,\mu\mathrm{F}$. On charge l'ensemble sous une différence de potentiel $U = 1\,000\,\mathrm{V}$.*

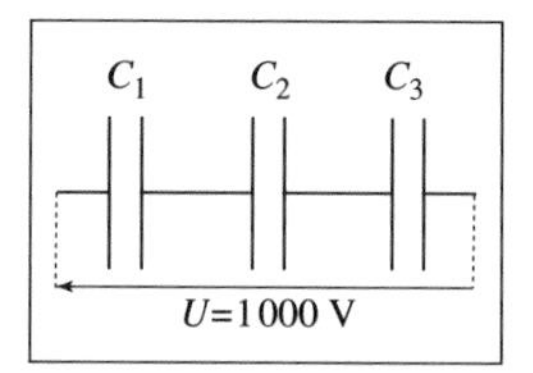

[a] *Calculer la capacité C du condensateur équivalent.*

La relation (4,4) s'écrit :

$$\frac{1}{C} = \frac{1}{2} + \frac{1}{3} + \frac{1}{6},$$

soit $C = 1\,\mu\mathrm{F}$.

[b] *Calculer la charge commune aux trois condensateurs.*

Le condensateur équivalent, chargé sous la tension U prend la même charge Q que chacun des trois condensateurs en série. Donc :

$$Q = CU = 10^{-6} \times 10^{3} = 10^{-3}\,\mathrm{C}.$$

[c] *Calculer la tension aux bornes de chacun des trois condensateurs.*

$$U_1 = \frac{Q}{C_1} = 500\,\mathrm{V}\,; \quad U_2 = \frac{Q}{C_2} = 333\,\mathrm{V}\,; \quad U_3 = \frac{Q}{C_3} = 167\,\mathrm{V}.$$

[d] *Calculer les énergies électrostatiques de chacun des trois condensateurs et du condensateur équivalent. Commenter le résultat.*

$$E_1 = \frac{1}{2}\frac{Q_1^2}{C_1} = 0{,}250\,\text{J}\,; \quad E_2 = 0{,}167\,\text{J}\,; \quad E_3 = 0{,}083\,\text{J}\,; \quad E = 0{,}50\,\text{J}.$$

On constate que $E = E_1 + E_2 + E_3$. Le condensateur équivalent emmagasine la même énergie que l'ensemble des condensateurs en série.

[4] *Les armatures d'un condensateurs plan ont une surface* $S = 900\,\text{cm}^2$ *et sont séparés par de l'air. L'épaisseur de ce condensateur est* $e = 1{,}0\,\text{mm}$. *Le condensateur est connecté à un générateur de f.é.m.* $E = 50\,\text{V}$ *et de résistance interne négligeable.*

[a] *Calculer la capacité, la charge et l'énergie potentielle électrostatique du condensateur.*

$$\begin{aligned} C &= \varepsilon_0 \frac{S}{e} = \frac{8{,}85.10^{-12} \times 900.10^{-4}}{10^{-3}} = 8{,}0.10^{-10}\,\text{F} \\ Q &= CE = 4{,}0.10^{-8}\,\text{C} \\ E_p &= \frac{1}{2} QE = 1{,}0.10^{-6}\,\text{J}. \end{aligned}$$

[b] *On écarte les armatures du condensateur de* $0{,}5\,\text{mm}$, *tout en le laissant connecté au générateur. Calculer les nouvelles valeurs de sa capacité, de sa charge et de son énergie.*

La tension aux bornes du condensateur, imposée par le générateur, reste égale à E :

$$\begin{aligned} C' &= \varepsilon_0 \frac{S}{e'} = \frac{e}{e'} C \\ Q' &= C'E = \frac{e}{e'} Q \\ E'_p &= \frac{1}{2} Q'E = \frac{e}{e'} E_p, \end{aligned}$$

soit :

$$C' = 5{,}3.10^{-10}\,\text{F}\,; \quad Q' = 2{,}7.10^{-8}\,\text{C}\,; \quad E'_p = 0{,}66.10^{-6}\,\text{J}.$$

[c] *Comparer l'énergie reçue par le générateur avec l'énergie perdue par le condensateur.*

Le condensateur a perdu la charge $q = Q - Q'$. Le générateur s'est comporté comme un récepteur et a emmagasiné la charge q. Il a donc reçu selon (2,1) l'énergie :

$$W = qE = (Q - Q')E.$$

Le condensateur a perdu l'énergie :

$$E_p - E'_p = \frac{1}{2} QE - \frac{1}{2} Q'E,$$

soit :

$$E_p - E'_p = \frac{1}{2} W.$$

La différence $\frac{1}{2} W$ a été fournie par l'opérateur pour écarter les armatures.

[d] *Le condensateur est plongé dans de l'eau distillée de permittivité relative $\varepsilon_r = 81$, toujours dans les mêmes conditions. Que deviennent sa charge et sa capacité, si $e = 1{,}0\,\text{mm}$?*

$$C'' = \varepsilon_r C = 6{,}5.10^{-8}\,\text{F}$$

et

$$Q'' = C''E = \varepsilon_r Q = 3{,}2.10^{-6}\,\text{C}.$$

La capacité et la charge sont multipliés par $\varepsilon_r = 81$ tandis que la tension, imposée par le générateur, ne change pas.

[5] *Étude de la décharge d'un condensateur à travers une résistance sous tension constante. Le condensateur, après avoir été chargé par un générateur de f.é.m. E (inverseur en position 1), est déchargé dans le résistor (inverseur basculé en 2) à partir de l'instant $t = 0$.*

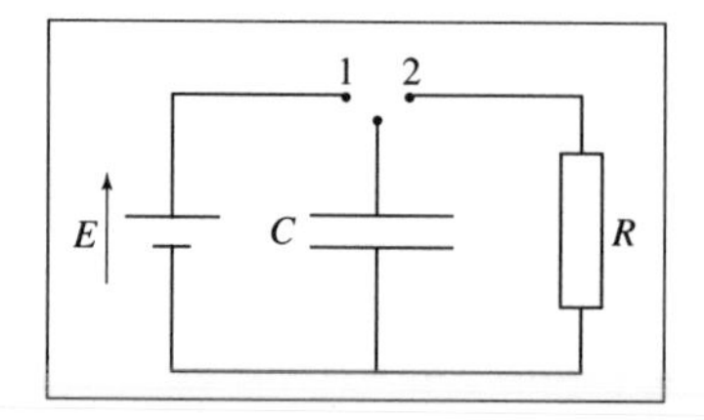

[a] *Écrire la relation entre la charge q du condensateur et l'intensité i dans le résistor à chaque instant.*

La relation cherchée est donnée par la loi d'Ohm (1,1) et par (4,1) :

$$u = \frac{q}{C} \quad \text{et} \quad u = Ri,$$

d'où :

$$\frac{q}{C} = Ri. \tag{1}$$

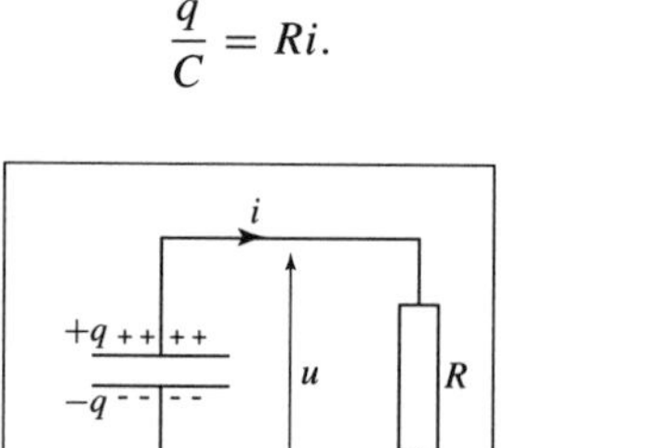

[b] *En déduire la relation entre q et sa dérivée $\dfrac{\mathrm{d}q}{\mathrm{d}t}$.*

Pendant un petit intervalle de temps $\mathrm{d}t$, la charge q du condensateur s'accroît de $\mathrm{d}q$ *négative* car q diminue avec le temps. Par conséquent, l'intensité de décharge i, qui est *positive*, est :

$$i = -\frac{\mathrm{d}q}{\mathrm{d}t}.$$

La relation (1) s'écrit donc :

$$\frac{q}{C} = -R\frac{\mathrm{d}q}{\mathrm{d}t},$$

soit :

$$\frac{\mathrm{d}q}{\mathrm{d}t} = -\frac{q}{RC}. \qquad (2)$$

[c] *Vérifier que* $q = Q\exp\left(-\frac{t}{RC}\right)$ *est solution de l'équation obtenue où* Q *est une constante ; déterminer cette constante et tracer le graphe de* $q(t)$.

La relation (2) montre que la dérivée de q lui est proportionnelle ; seules les fonctions exponentielles possèdent cette propriété ; par conséquent q est de la forme :

$$q = Q\exp\left(-\frac{t}{RC}\right),$$

où Q est une constante. En effet :

$$\frac{\mathrm{d}q}{\mathrm{d}t} = -\frac{1}{RC}Q\exp\left(-\frac{t}{RC}\right) = -\frac{q}{RC}.$$

Par ailleurs, on sait qu'à $t = 0$, au moment où l'on bascule l'inverseur sur 2, $q = CE$. Donc $q(0) = CE$ d'une part, $q(0) = Q$ d'autre part, c'est-à-dire que finalement :

$$q = CE\exp\left(-\frac{t}{RC}\right).$$

Le coefficient directeur de la tangente en $t = 0$ est :

$$\left(\frac{\mathrm{d}q}{\mathrm{d}t}\right)_{t=0} = -\frac{q(0)}{RC} = -\frac{CE}{RC} = -\frac{E}{R}.$$

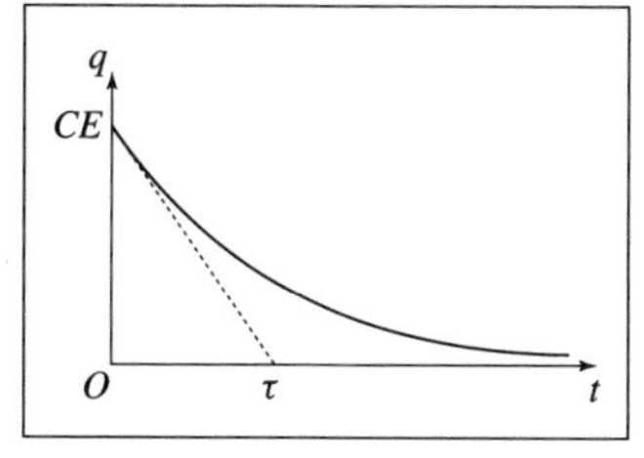

Il est aussi égal, d'après le graphe, à $-\frac{CE}{\tau}$. Donc la tangente en $t = 0$ coupe l'axe des temps en :

$$\boxed{\tau = RC.} \qquad (4, 6)$$

Cette durée s'appelle la *constante de temps* du circuit : elle caractérise la décharge du condensateur.

[exercices]

[1] **[a]** Calculer les charges Q_1 et Q_2 des deux condensateurs.

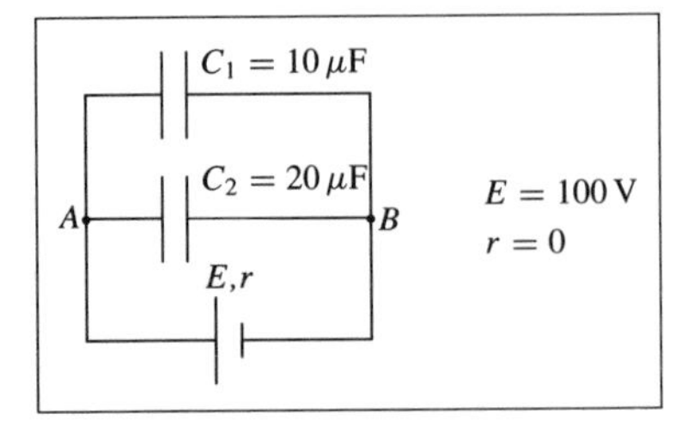

[b] Calculer leurs énergies électrostatiques E_{p1} et E_{p2}.

[c] Quelle est la capacité C du condensateur équivalent ? Calculer sa charge Q et son énergie E lorsqu'il est branché entre les points A et B. Quelle relation existe-t-il entre Q_1, Q_2 et Q d'une part, E_{p1}, E_{p2} et E d'autre part ?

[2] Les armatures du condensateur plan sont séparées par une lame d'air d'épaisseur $d = 5$ mm. Le condensateur est chargé sous une tension $U = 200$ V puis débranché de la source de tension et isolé.

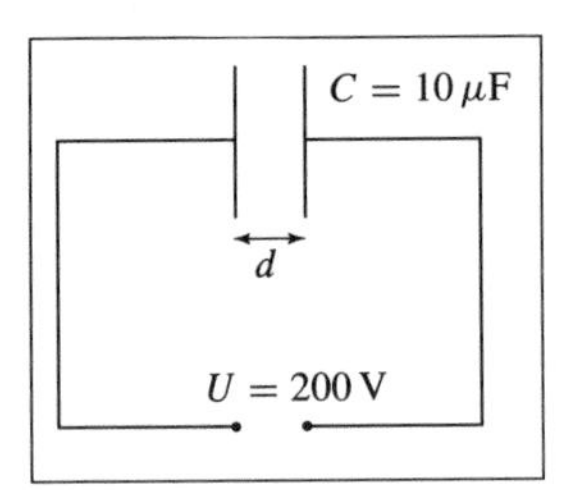

Quel est la travail W que doit fournir l'expérimentateur pour écarter les armatures à la distance $d' = 10$ mm ?

[3] Trouver la capacité du condensateur équivalent entre A et B.

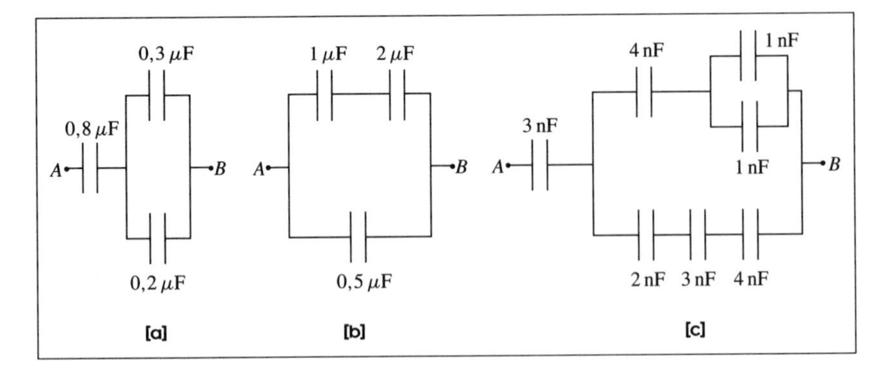

[4] Quelle tension maximale peut-on appliquer à un condensateur plan d'épaisseur $d = 0,1$ mm dont le diélectrique est du papier paraffiné, sachant qu'un champ électrique supérieur à $400\,\text{kV.cm}^{-1}$ provoque une étincelle destructrice (claquage du condensateur) ?

[5] Un condensateur de capacité $C_1 = 1,0\,\mu\text{F}$ pouvant supporter une tension maximale $U_1 = 6,0\,\text{kV}$ et un deuxième condensateur de capacité $C_2 = 2,0\,\mu\text{F}$ pouvant supporter $U_2 = 4,0\,\text{kV}$ sont associés en série.

[a] Trouver la relation entre les tensions u_1 et u_2 aux bornes du condensateur, puis la relation entre la tension u aux bornes de l'ensemble et u_1.

[b] Quelle tension maximale U l'association peut-elle supporter ?

[6] Charge d'un condensateur à travers une résistance.

On ferme l'interrupteur K à l'instant $t = 0$.

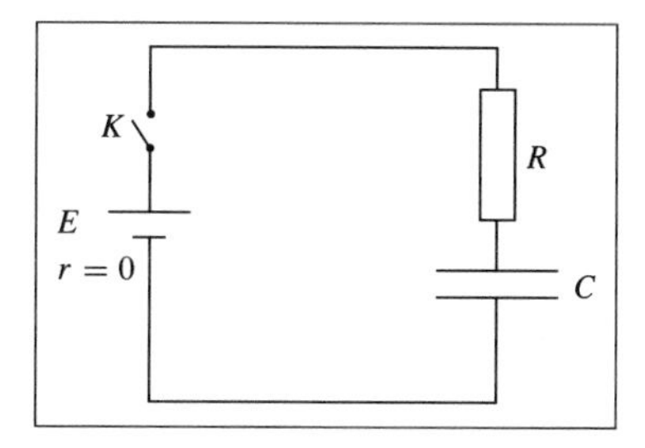

[a] Quelle est la charge du condensateur à $t = 0$? Écrire les lois des mailles et en déduire la valeur i_0 du courant de charge à l'instant $t = 0$.

[b] Quelle relation y a-t-il entre le courant de charge i et la charge q du condensateur à l'instant t ?

Écrire la loi des mailles et en déduire la relation entre q et $\dfrac{dq}{dt}$.

[c] Vérifier que q est de la forme $q = CE + A \exp\left(-\dfrac{t}{\tau}\right)$, où $\tau = RC$ et A est une constante que l'on calculera en utilisant les résultats de **[a]**.

[d] En déduire $i(t)$ et représenter les graphes de $q(t)$ et $i(t)$.

[e] Calculer le temps nécessaire pour charger le condensateur à 99 % si $R = 300\,\Omega$ et $C = 0,4\,\mu\text{F}$.

[réponses]

[1] [a] $Q_1 = 10^{-3}\,\mathrm{C}$; $Q_2 = 2.10^{-3}\,\mathrm{C}$. **[b]** $E_{p1} = 0{,}050\,\mathrm{J}$; $E_{p2} = 0{,}100\,\mathrm{J}$. **[c]** $C = 30\,\mu\mathrm{F}$; $Q = 3.10^{-3}\,\mathrm{C}$; $E = 0{,}15\,\mathrm{J}$; $Q = Q_1 + Q_2$; $E = E_{p1} + E_{p2}$.

[2] Le travail fourni est égal à la différence des énergies électrostatiques (la charge du condensateur reste constante) : $W = 0{,}2\,\mathrm{J}$.

[3] [a] Réduire d'abord l'association en parrallèle (0,2 μF ; 0,3 μF) : $C_{AB} = 0{,}31\,\mu\mathrm{F}$.

[b] Réduire d'abord l'association série (1 μF ; 2 μF) : $C_{AB} = 1{,}2\,\mu\mathrm{F}$.

[c] Commencer par l'association parallèle (1 nF ; 2 nF) puis procéder comme pour (a) et (b) : $C_{AB} = 1{,}3\,\mathrm{nF}$.

[4] $U_{\max} = E_{\max}\,d = 4\,\mathrm{kV}$.

[5] [a] $\dfrac{u_2}{u_1} = \dfrac{C_1}{C_2}$ et $\dfrac{U}{U_1} = 1 + \dfrac{C_1}{C_2}$.

[b] $u < U_1\left(1 + \dfrac{C_1}{C_2}\right)$ et $u \leqslant U_2\left(1 + \dfrac{C_2}{C_1}\right)$: en définitive $U = 9{,}0\,\mathrm{kV}$.

[6] [a] $q(0) = 0$; $i_0 = \dfrac{E}{R}$. **[b]** $i = +\dfrac{\mathrm{d}q}{\mathrm{d}t}$; $\dfrac{\mathrm{d}q}{\mathrm{d}t} + \dfrac{q}{RC} = \dfrac{E}{R}$.

[c] $q(0) = 0$ et $q(t) = CE\left(1 - \exp\left(-\dfrac{t}{\tau}\right)\right)$. **[d]** $i(t) = \dfrac{E}{R}\exp\left(-\dfrac{t}{\tau}\right)$.

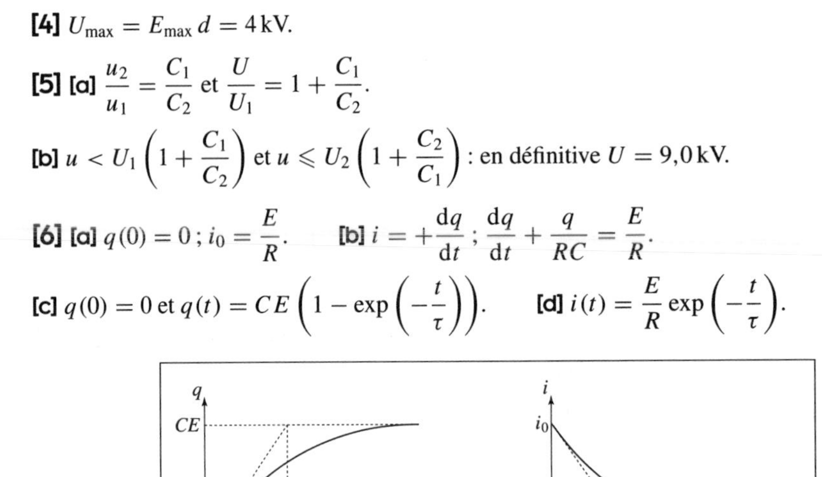

[e] $t = RC \ln 100 = 0{,}55\,\mathrm{ms}$.

NOTIONS D'ÉLECTRONIQUE. DIPÔLES PASSIFS NON LINÉAIRES

CHAPITRE 5

Dans ce chapitre et les suivants, nous rencontrerons les symboles figurant dans le tableau ci-dessous.

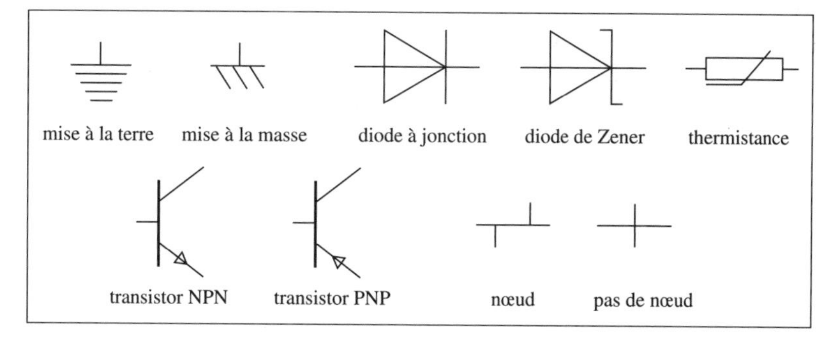

[l'essentiel]

[1] Caractéristique, point de fonctionnement

Lorsque l'on fait varier la tension u_{AB} aux bornes d'un dipôle, l'intensité qui le traverse varie.

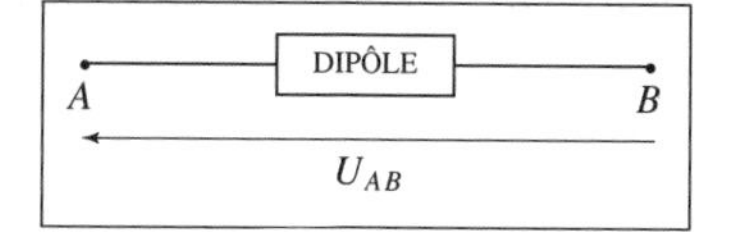

La courbe $u_{AB} = f_1(i)$, où $i = f_2(u_{AB})$ est appelée la **caractéristique** du dipôle.

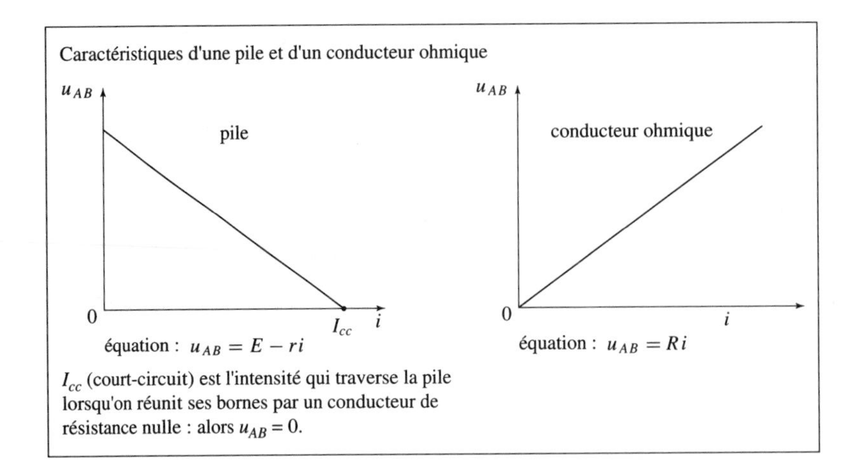

On branche le conducteur ohmique aux bornes de la pile. L'application de la loi de Pouillet (**1.[1].[b]**) permet de trouver immédiatement l'intensité i du courant.

On peut également utiliser une méthode graphique. On trace les deux caractéristiques dans un même système d'axe. Le point d'intersection F est appelé **point de fonctionnement**. Son abscisse donne la valeur de l'intensité du courant dans le circuit et son ordonnée donne la valeur de la tension aux bornes de la pile et de la résistance.

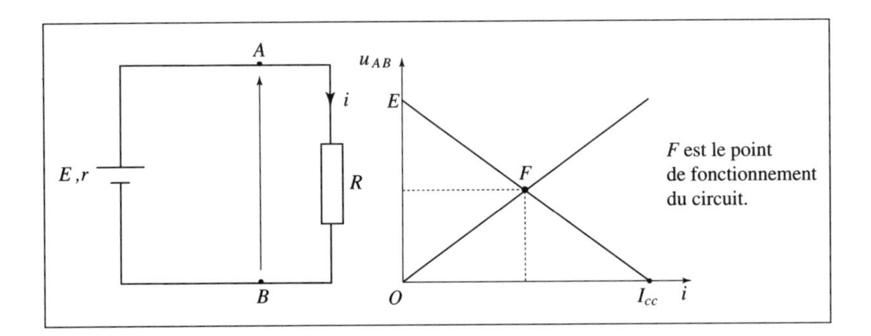

[2] Les dipôles passifs

[a] Un dipôle symétrique non linéaire : la varistance

La varistance est un dipôle semblable à un conducteur ohmique mais dont la résistance dépend de la valeur de la tension appliquée : sa caractéristique n'est pas une droite.

C'est un dipôle passif : la tension aux bornes d'une varistance prise seule est nulle.

C'est un dipôle symétrique : son comportement ne dépend pas du sens du branchement.

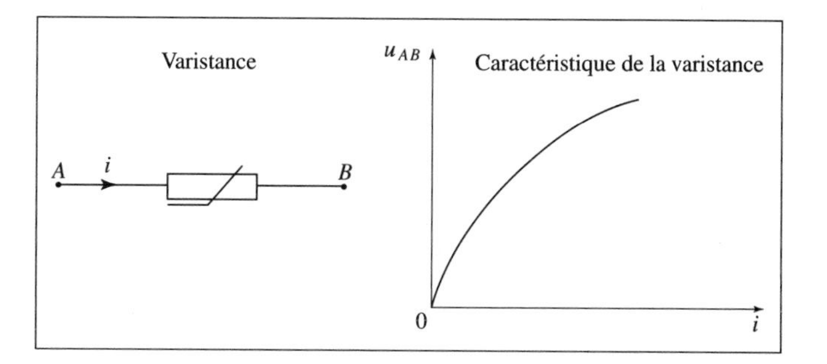

[b] Un dipôle non symétrique : la diode à jonction

La diode ne laisse passer le courant que dans un sens : de A vers B. C'est le sens de la flèche en forme d'entonnoir schématisant la diode.

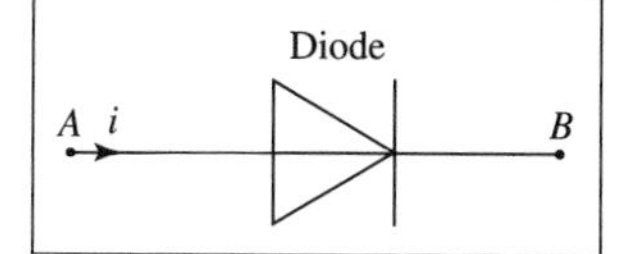

La tension U_S (voir caractéristique), appelée **seuil de tension**, est la tension à partir de laquelle la diode devient conductrice. On remarque que l'intensité augmente très vite lorsque u_{AB} est légèrement supérieure à U_S.

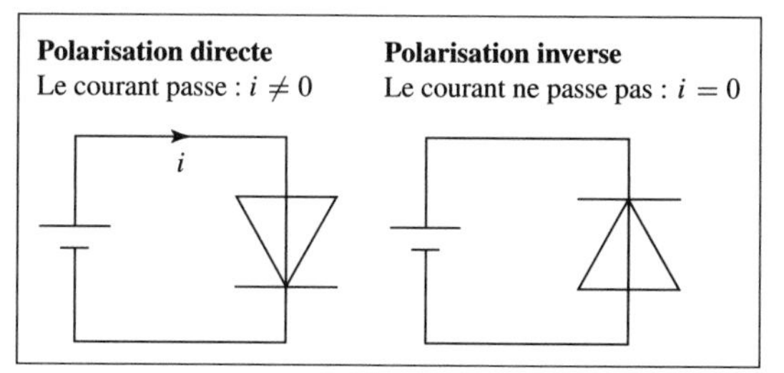

La tension U_S étant de l'ordre d'une fraction de volt, on considère souvent une diode idéale (théorique) avec $U_S = 0$.

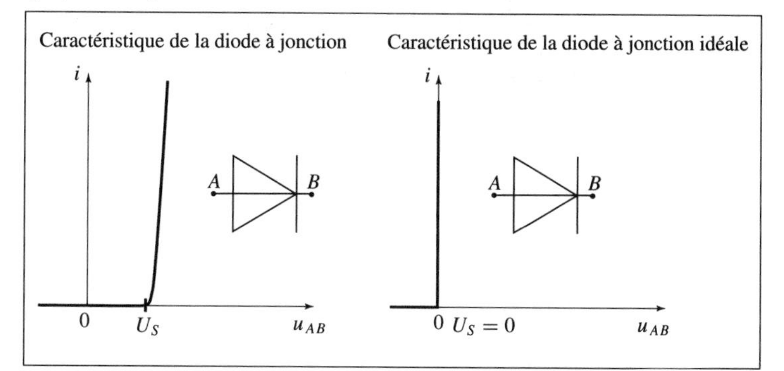

Lorsque la tension u_{AB} est négative, la diode est dite *polarisée en inverse*. Lorsque la tension u_{AB} est positive, on dit que la diode est *polarisée en direct*.

[c] La diode de Zener

C'est un dipôle passif non symétrique :

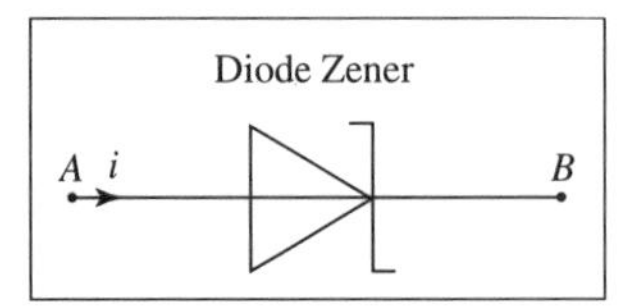

- *polarisée en direct* ($u_{AB} > 0$), elle se comporte comme une diode ;
- *polarisée en inverse* ($u_{AB} < 0$), un courant apparaît à partir d'une tension $-U_Z$.

La tension U_Z est appelée **tension de Zener**. Cette tension est le plus souvent comprise entre quelques volts et quelques dizaines de volts.

La diode de Zener idéale a la caractéristique de la figure.

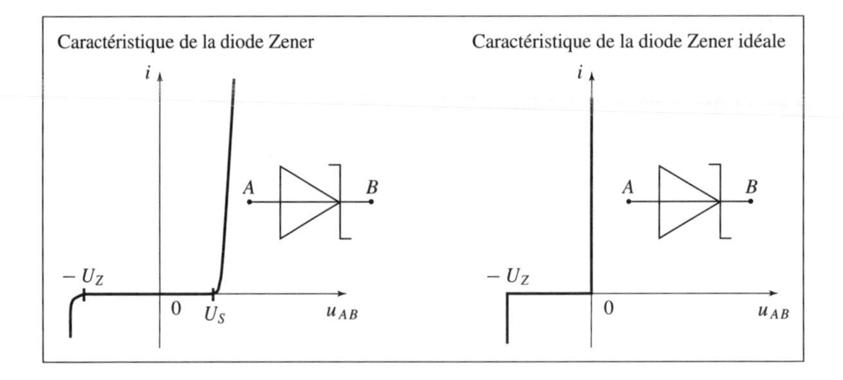

[de l'essentiel à la pratique]

Mots-clés
caractéristique
point de fonctionnement
varistance
diode

Avertissement

Dans tous les exercices d'électronique, placer toujours les flèches de courant et tension selon la méthode exposée au paragraphe **3.[2]**. Dans beaucoup de cas, le sens du courant est connu : ce sens sera pris comme sens positif.

[1] *Caractéristique de dipôles en série*

Connaissant les caractéristiques du conducteur ohmique et de la varistance, on demande de construire la caractéristique de l'association en série de ces deux dipôles.

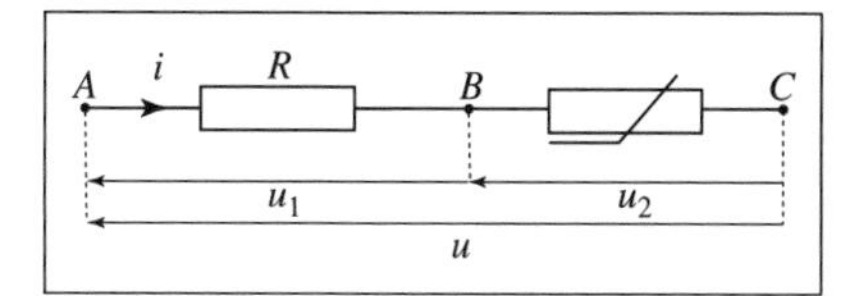

On construit la caractéristique point par point. Supposons par exemple $i = 0{,}2\,\text{A}$. On voit que $u_1 = 7{,}5\,\text{V}$ (point E) et $u_2 = 15\,\text{V}$ (point G). La tension aux bornes de l'association est $u = u_1 + u_2 = 22{,}5\,\text{V}$ (point F). Pour construire F on trace $GF = DE$. De la même manière on construit plusieurs points tels que F et on fait passer la caractéristique de l'association par tous ces points.

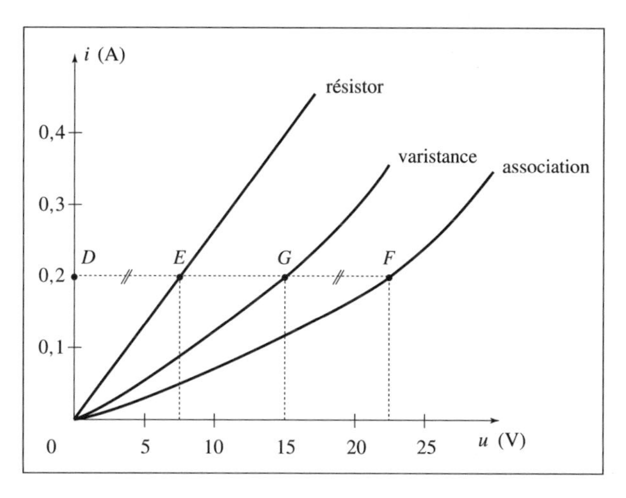

On peut maintenant déterminer graphiquement l'intensité du courant pour une tension u quelconque, dans le domaine étudié, appliquée à l'association.

[2] *Caractéristique de dipôles en parallèle*

Les deux dipôles précédents sont maintenant associés en parallèle. Construire la caractéristique de l'association.

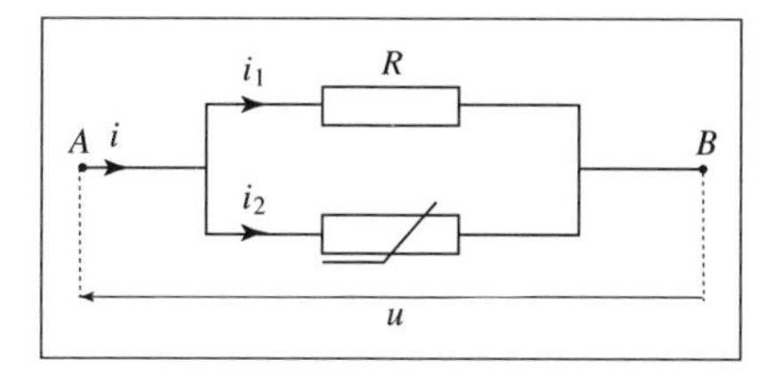

On construit la caractéristique par points. Supposons par exemple $u = 10\,\text{V}$. On voit que $i_1 = 0{,}26\,\text{A}$ (point E) et $i_2 = 0{,}12\,\text{A}$ (point G). L'intensité dans le circuit principal est $i = i_1 + i_2 = 0{,}38\,\text{A}$ (point F). Pour construire F on trace $EF = GD$. De la même manière, on construit plusieurs points tels que F et on fait passer la caractéristique de l'association par tous ces points.

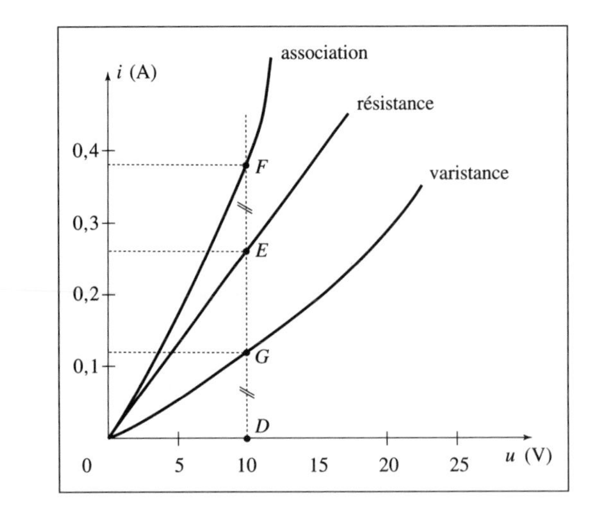

On peut maintenant déterminer graphiquement l'intensité i dans le circuit principal pour une tension u quelconque, dans le domaine étudié, appliquée à l'association.

[3] *Une diode ($U_S = 0{,}6\,\text{V}$) est associée en série avec une résistance $R = 50\,\Omega$.*

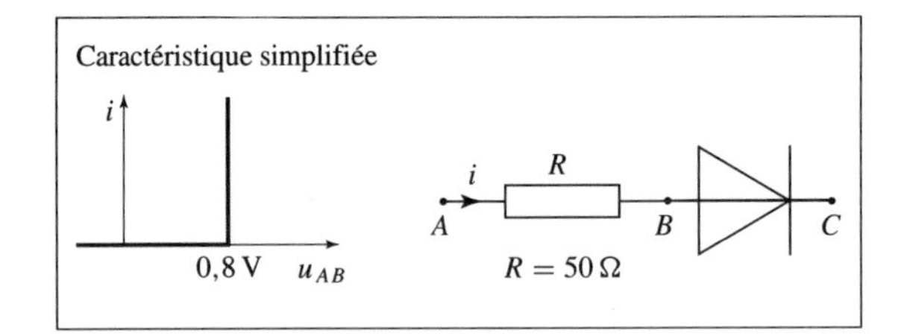

[a] *Tracer la caractéristique de l'association.*

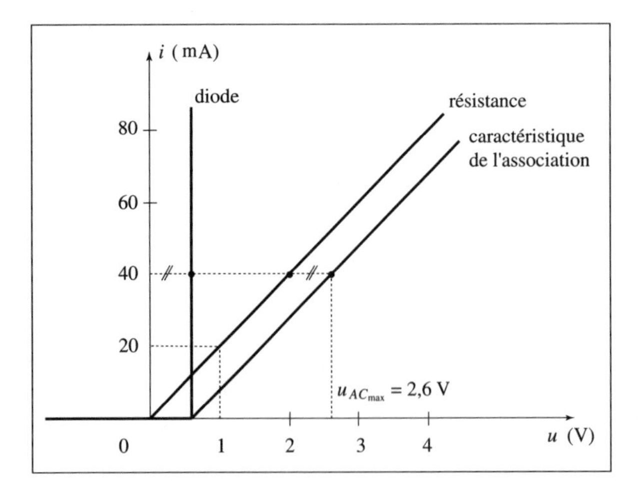

[b] *L'intensité maximale que peut supporter la diode est de* 40 mA. *Quelle est la valeur maximale de la tension* u_{AC} *?*

Graphiquement on trouve $u_{AC,\max} = 2{,}6\,\text{V}$.

[c] *On branche le dipôle* AC *aux bornes d'un dipôle* (D) *formé d'un accumulateur de f.é.m.* $E = 6\,\text{V}$ *de résistance interne négligeable, en série avec une résistance* $r = 50\,\Omega$. *Déterminer par le calcul et graphiquement la tension* u_{AB}, u_{BC}, u_{AC} *et l'intensité* i *du courant.*

• **Par le calcul**

$u_{BC} = 0{,}6\,\text{V}$ (tension constante aux bornes de la diode lorsque le courant passe).

La loi des mailles (3,1) s'écrit :

$$E - U_S - Ri - ri = 0,$$

d'où :

$$i = \frac{E - U_S}{r + R} = 54\,\text{mA} \qquad u_{AB} = Ri = 2{,}7\,\text{V} \qquad u_{AC} = E - ri = 3{,}3\,\text{V}.$$

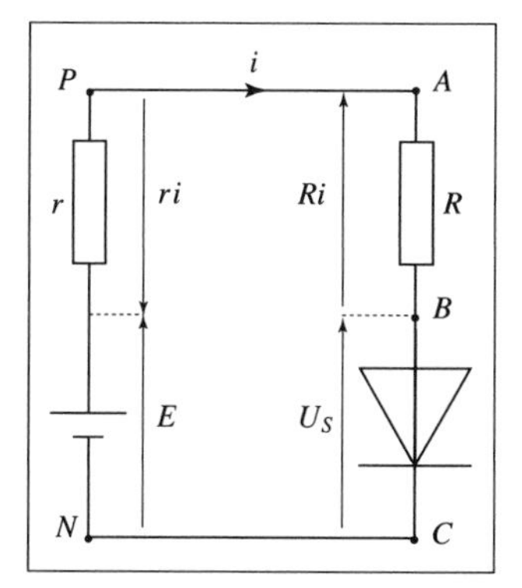

• **Graphiquement**

MN est la caractéristique du dipôle (D). Son équation est $u_{AC} = E - ri$. Pour obtenir l'ordonnée M on écrit $u_{AC} = 0$, d'où $I_{cc} = \dfrac{E}{r} = 120\,\text{mA}$.

Pour obtenir l'abscisse de N, on écrit $i = 0$ d'où $U_N = E = 6\,\text{V}$.

Le point F est le point de fonctionnement du circuit. Son abscisse est $u_{AC} = 3{,}3\,\text{V}$ et son ordonnée $i = 54\,\text{mA}$.

Le point F' d'ordonnée 54 mA est le point de fonctionnement de la résistance R ; son abscisse est $u_{AB} = 2{,}7\,\text{V}$.

Le point F'' est le point de fonctionnement de la diode.

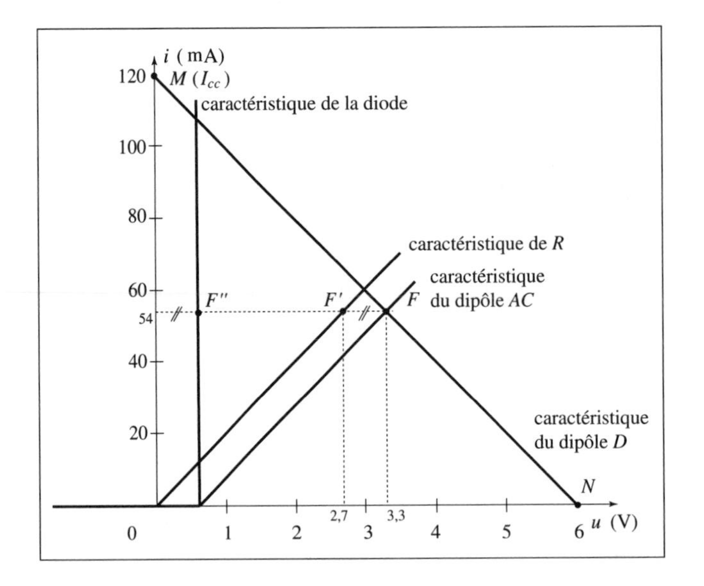

[4] *Source de tension stabilisée*

Une diode de Zener idéale ($U_Z = 9\,\text{V}$) polarisée en inverse est alimentée par un générateur de f.é.m. E variable et de résistance négligeable.

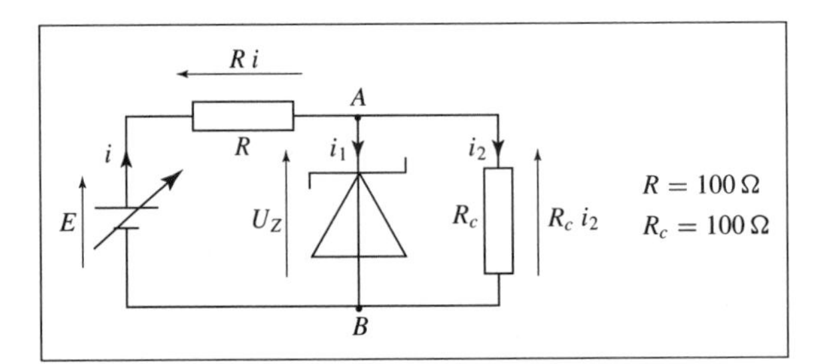

Lorsque la diode est passante, « la charge[1] », qui est ici une résistance $R_C = 100\,\Omega$, est soumise à une tension stable[2] $u_{AB} = U_Z = 9\,\text{V}$.

[a] *Quelle est la valeur minimale $E_{\min}$ que doit avoir la f.é.m. du générateur pour que la diode soit passante ?*

Lorsque la diode est passante, on a :

$$\begin{cases} i = i_1 + i_2 & (1) \\ E - Ri - U_Z = 0 & (2) \\ U_Z - R_C\, i_2 = 0. & (3) \end{cases}$$

[1] *La charge* est le dipôle qui doit être alimenté, ici sous une tension stabilisée. Pour simplifier, la charge est une résistance.

[2] Si par exemple la valeur de R_C fluctue, u_{AB} reste constante.

Puisque $i_1 > 0$, on a déduit d'après l'équation (1) que $i > i_2$; l'équation (2) donne $i = \dfrac{E - U_Z}{R}$; l'équation (3) donne $i_2 = \dfrac{U_Z}{R_C}$, d'où $\dfrac{E - U_Z}{R} > \dfrac{U_Z}{R_C}$, soit $E > \left(1 + \dfrac{R}{R_C}\right) U_Z$.
Donc :

$$E_{\text{min}} = \left(1 + \frac{R}{R_C}\right) U_Z,$$

soit $E_{\text{min}} = 18$ V.

[b] *L'intensité qui traverse la diode ne doit pas dépasser* 0,1 A. *Quelle est la valeur maximale de E ?*

L'équation (3) donne $i_2 = \dfrac{U_Z}{R_C} = 0{,}09$ A ; l'équation (1) donne $i_{\text{max}} = 0{,}1 + 0{,}09 = 0{,}19$ A et l'équation (2) donne $E_{\text{max}} = 100 \times 0{,}19 + 9 = 28$ V.

[c] *Quelle est dans ces conditions la puissance consommée par la diode ?*

$$\mathcal{P}_{\text{max}} = U_Z i_{1,\text{max}} = 9 \times 0{,}1 = 0{,}9\,\text{W}.$$

[exercices]

[1] On fait varier la tension appliquée à une lampe à incandescence et on relève les points de fonctionnement suivants pour ce dipôle :

u (V)	0	40	70	160	220	300
i (A)	0	0,11	0,16	0,24	0,27	0,30

[a] Tracer la caractéristique courant-tension du dipôle. On prendra 1 cm pour 0,02 A et 1 cm pour 50 V.

[b] La lampe est prévue pour fonctionner sous 220 V mais il se trouve que la tension qui lui est appliquée chute à 180 V. Déterminer son point de fonctionnement ainsi que la puissance électrique qu'elle consomme dans ces conditions.

[2] On relève les points de fonctionnement suivants pour un dipôle symétrique :

u (V)	0	10	15	20	25	30	32
i (A)	0	1,2	6,3	19,8	48,2	100	129

Tracer la caractéristique $u = f(i)$ en prenant 1 cm pour 5 V et 1 cm pour 10 mA. Déterminer les points de fonctionnement correspondant à des intensités de 10 mA et 108 mA respectivement. Ce dipôle est-il actif ou passif ?

[3] On obtient les mesure suivantes pour un dipôle AB donné :

u (V)	0	0,5	2	10	20	25
i (A)	0	1,5	6	38	78	98

De plus on constate que si l'on échange les bornes du dipôle, le courant ne passe pas. Dire si le dipôle est actif ou passif, symétrique ou antisymétrique et tracer sa caractéristique $i = f(u)$. Déterminer le point de fonctionnement correspondant à 12 V.

[4] On relève les deux points de fonctionnement suivants pour une batterie d'accumulateurs : (4 A ; 12,1 V), (10 A ; 11,5 V).

[a] Déterminer la f.é.m., la résistance interne et l'intensité de court-circuit de cette batterie.

[b] Tracer la caractéristique courant-tension de la batterie en prenant 1 cm pour 1 V et 1 cm pour 2 A. En déduire graphiquement le point de fonctionnement correspondant à une intensité de 20 A.

[5] La figure représente la caractéristique d'un dipôle AB.

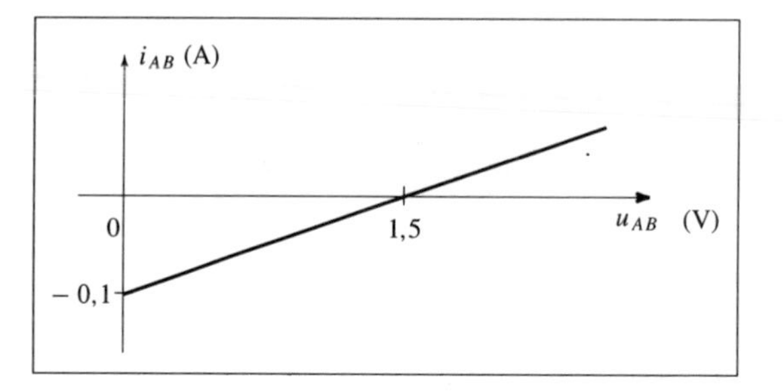

Pourquoi peut-on affirmer qu'il s'agit d'un dipôle actif ? Quel est son pôle positif ?

[6] La diode Zener est supposée idéale et $U_Z = 30$ V. L'intensité maximale inverse que peut supporter cette diode est 150 mA. On donne $R = 300\,\Omega$.

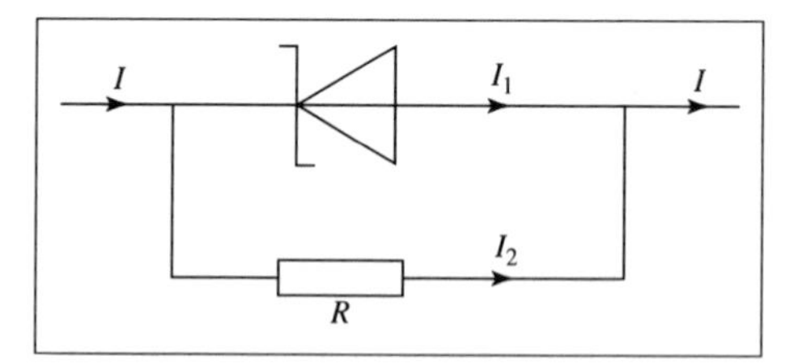

[a] À partir de quelle valeur de l'intensité du courant I la diode est-elle traversée par un courant ?

[b] Quelle est la valeur maximale que peut prendre I ?

[c] R est remplacé par un dipôle qui supporte au maximum une tension de 30 V. Montrer que la diode protège ce dipôle d'une surtension.

[7] On applique une tension alternative sinusoïdale $u = 5 \sin 100\pi t$ aux bornes d'un circuit comportant une diode et un conducteur ohmique en série. La caractéristique de la diode est donnée.

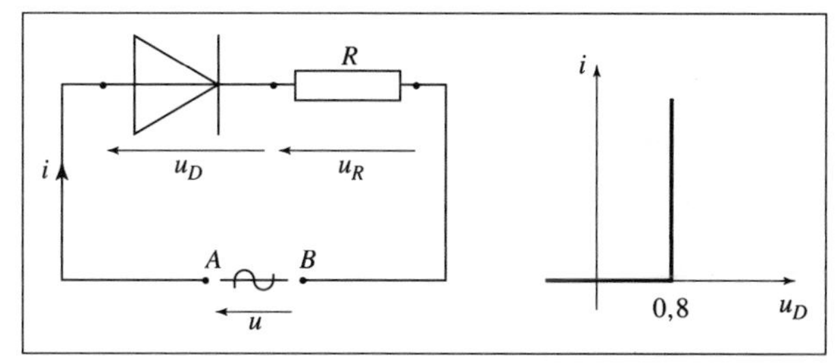

[a] Tracer les courbes $u_{AB} = f_1(t)$ et $u_R = f_2(t)$.

[b] Même question pour le circuit de la figure suivante. Les quatre diodes sont identiques.

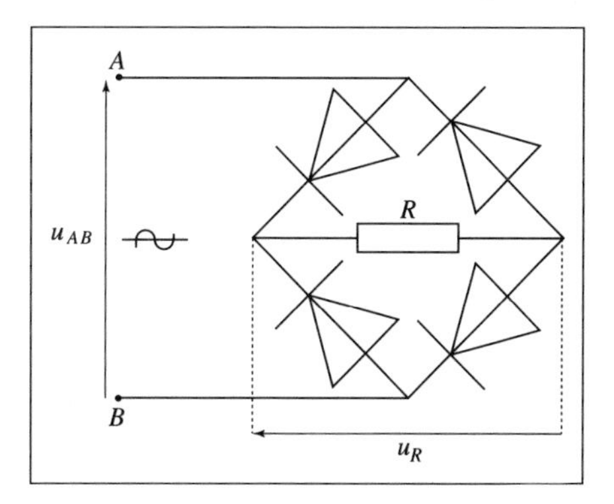

[réponses]

[1] 0,255 A ; 180 V ; 46 W.

[2] 10 mA ; 17 V et 108 mA ; 30,5 V. Dipôle passif.

[3] Dipôle passif dissymétrique : 12 V ; 46 mA.

[4] **[a]** 12,5 V ; 0,1 Ω ; 125 A. **[b]** 20 A ; 10,5 V.

[5] Parce que la caractéristique ne passe pas par l'origine. u_{AB} est toujours positif, donc A est le pôle positif.

[6] **[a]** $I_{\min} = I_{2,\min} = 100$ mA. **[b]** I ne doit pas dépasser 250 mA.

[7]

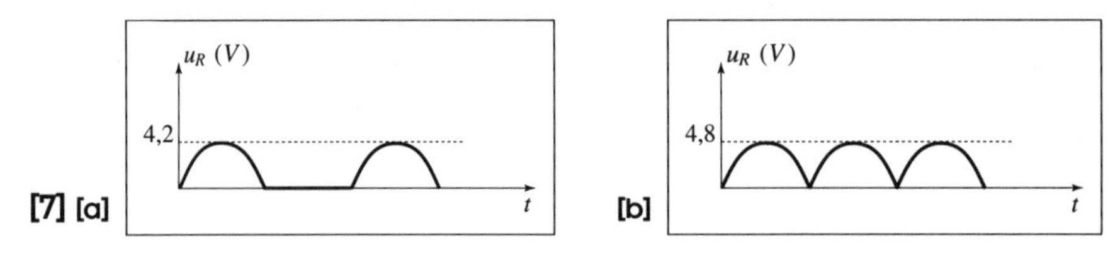

LE TRANSISTOR

CHAPITRE 6

Le transistor est l'un des composants électroniques les plus utilisés. Nous étudierons le transistor bipolaire. Il existe deux types de transistors bipolaires : « NPN » et « PNP ». Leur fonctionnement est semblable.

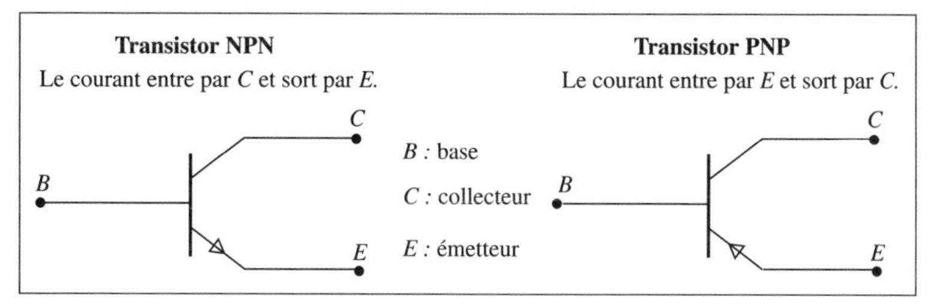

[1] Étude expérimentale du transistor bipolaire

Examinons le rôle du transistor dans le montage de la figure.

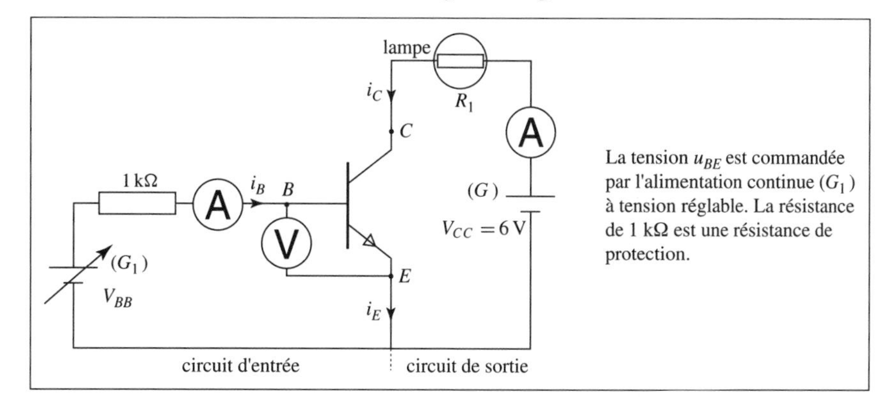

La tension u_{BE} est commandée par l'alimentation continue (G_1) à tension réglable. La résistance de 1 kΩ est une résistance de protection.

On augmente progressivement la tension continue V_{BB}, donc aussi u_{BE}. On observe trois phases successives correspondant à *trois états* (ou *régimes*) *de fonctionnement différents*.

[a] Le blocage

Si $u_{BE} < 0{,}6$ V (pour un transistor au silicium), alors $i_B = 0$, $i_C = 0$ et $i_E = 0$. Le transistor est *bloqué* : il se comporte pour le circuit de sortie comme un *interrupteur ouvert*.

[b] Le fonctionnement linéaire (amplification en courant)

u_{BE} a maintenant une valeur légèrement supérieure à 0,6 V, par exemple $u_{BE} = 0{,}65$ V ; le dipôle CE (circuit de sortie) devient conducteur : $i_B > 0$, $i_C > 0$ et $i_E > 0$. On augmente très progressivement u_{BE} : on constate alors que i_B et i_c *augmentent proportionnellement* :

$$\boxed{i_c = \beta i_B} \tag{6, 1}$$

où β est une constante caractéristique du transistor appelée **amplification statique en courant** ; β est le plus souvent compris entre 15 et 150. L'état de fonctionnement linéaire est aussi appelé *normal* ou *passant*.

Par ailleurs, on constate que u_{CE} est non nul (de l'ordre de quelques volts avec le transistor utilisé). Calculons enfin i_E :

$$i_E = i_B + i_C = i_B + \beta i_B = i_B(1+\beta) \simeq \beta i_B.$$

Donc d'après (6,1) :

$$\boxed{i_E \simeq i_C.} \tag{6, 2}$$

Dans ces conditions le transistor est *passant* et le courant base i_B, très faible[1] (quelques mA ici), provoque le passage d'un courant collecteur i_C beaucoup plus important : la lampe s'allume.

Le phénomène observé est appelé **effet transistor**.

[c] Saturation

Lorsque l'on donne à u_{BE} des valeurs plus élevées, par exemple $u_{BE} > 0{,}8$ V, on constate que $u_{CE} \simeq 0$ et donc que i_C prend une valeur constante $i_{C,\text{sat}} \simeq \dfrac{E}{R_1}$. De plus :

$$\boxed{i_{C,\text{sat}} < \beta i_B.} \tag{6, 3}$$

Tout se passe comme si il n'y avait pas de transistor dans le circuit de sortie : le transistor est *saturé ; il se comporte alors pour le circuit de sortie comme un interrupteur fermé*. Il faut prendre garde que les transistors ne sont pas tous conçus pour fonctionner à la saturation : il y a généralement destruction du transistor avant la saturation.

[1] En fait, le courant base est de l'ordre du microampère à l'ampère, selon le type de transistor et la charge considérés.

[2] Caractéristiques du transistor

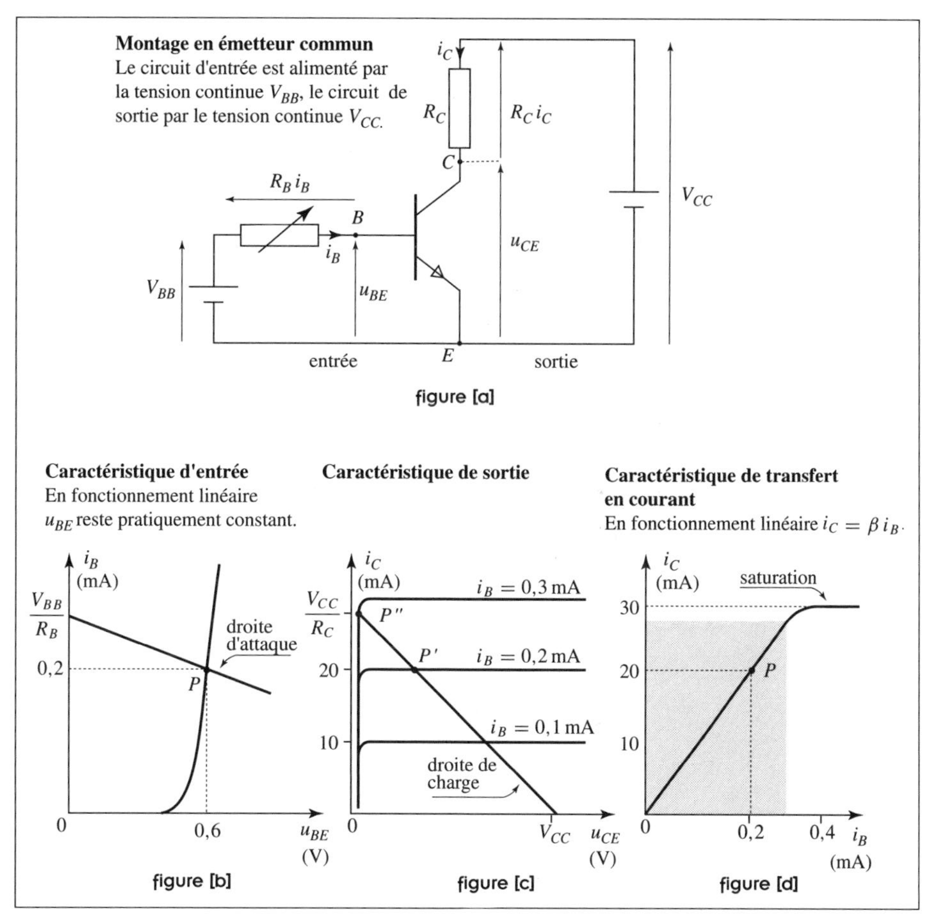

figure [a]

figure [b]

figure [c]

figure [d]

La **figure [a]** représente un montage dit *en émetteur commun.*

La **figure [b]** représente la **caractéristique d'entrée** $i_B = f(u_{BE})$ et la **droite d'attaque** dont l'équation :

$$u_{BE} = V_{BB} - R_B i_B$$

traduit la loi des mailles dans le circuit d'entrée : l'intersection de la droite d'attaque et de la caractéristique d'entrée est le point de fonctionnement P du circuit d'entrée. On lit $i_B = 0,2$ mA et $u_{BE} \simeq 0,6$ V.

La **figure [c]** représente le **réseau des caractéristiques de sortie** : à chaque valeur de i_B correspond une caractéristique de sortie $i_C = f(u_{CE})$. Sur cette figure est représentée également la **droite de charge** dont l'équation :

$$u_{CE} = V_{CC} - R_C i_C$$

traduit la loi des mailles dans le circuit de sortie : à l'intersection de la droite de charge et de la caractéristique correspondant à $i_B = 0,2$ mA se trouve le point de fonctionnement P' du circuit

de sortie lorsque $i_B = 0{,}2$ mA. On lit alors $i_C = 20$ mA, d'où $\beta = \dfrac{i_C}{i_B} = 100$: *le transistor est en régime linéaire.*

En diminuant la valeur de R_B, augmentons i_B jusqu'à 0,3 mA. Le point de fonctionnement est maintenant P'' et $u_{CE} \simeq 0$: *le transistor est saturé* (voir **6.[1]**).

Sur la **figure [d]** la **caractéristique de transfert en courant** représente $i_C = f(i_B)$. Elle est pratiquement indépendante de la tension u_{CE}.

On peut résumer les états de fonctionnement du transistor dans le tableau suivant :

Bloqué	Linéaire	Saturé
$i_B = i_C = 0$	$i_C = \beta i_B$	$i_C = \text{cte} < \beta i_B$
$u_{CE} = V_{CC}$	$u_{BE} \simeq \text{cte}$	$u_{CE} \simeq 0$

Mots-clés

transistor : blocage, fonctionnement normal, passant ou linéaire, saturation

caractéristiques d'entrée, de sortie, de transfert

[1] *Le transistor est au silicium et on suppose qu'en fonctionnement normal* $u_{BE} = 0{,}6$ V.

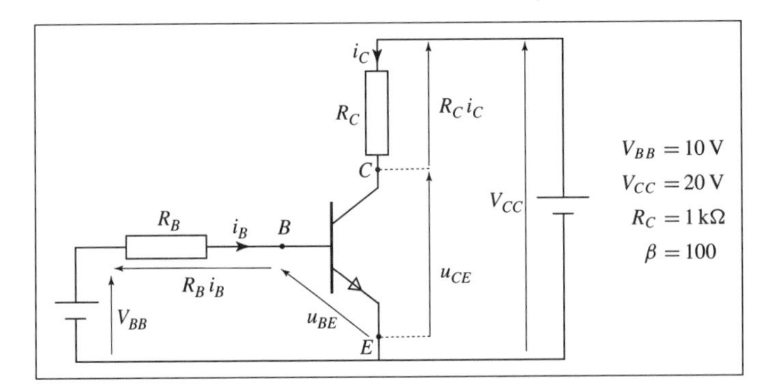

[a] *Calculer la valeur du courant de saturation de collecteur.*

Lorsque le transistor est saturé $u_{CE} \simeq 0$ et la loi des mailles appliquée au circuit de sortie donne :

$$V_{CC} - u_{CE} - R_C\, i_{C,\text{sat}} = 0,$$

d'où :

$$i_{C,\text{sat}} = \frac{V_{CC}}{R_C} = \frac{20}{1} = 20\,\text{mA}.$$

[b] *Quelle valeur minimale doit avoir R_B pour que le transistor soit en fonctionnement linéaire ?*

Pour que le transistor soit en fonctionnement linéaire il faut que la condition de saturation (6,3) ne soit pas vérifiée, c'est-à-dire que :

$$i_{C,\text{sat}} > \beta i_B. \tag{1}$$

Or la loi des mailles (3,1) appliquée au circuit d'entrée permet de déterminer $R_B i_B$:

$$V_{BB} - u_{BE} - R_B i_B = 0,$$

(où $u_{BE} = 0{,}6\,\text{V}$ en fonctionnement linéaire) soit encore :

$$R_B i_B = V_{BB} - u_{BE}.$$

La condition (1) s'écrit donc, en multipliant ses deux membres par R_B :

$$R_B i_{C,\text{sat}} > \beta R_B i_B,$$

ou :

$$R_B i_{C,\text{sat}} > \beta(V_{BB} - u_{BE}),$$

d'où :

$$R_B > \frac{\beta(V_{BB} - u_{BE})}{i_{C,\text{sat}}}.$$

Donc[1] :

$$R_{B,\min} = \frac{100(10 - 0{,}6)}{20} = 47\,\text{k}\Omega.$$

[2] *On donne $u_{BE} = 0{,}65\,\text{V}$ et $\beta = 100$.*

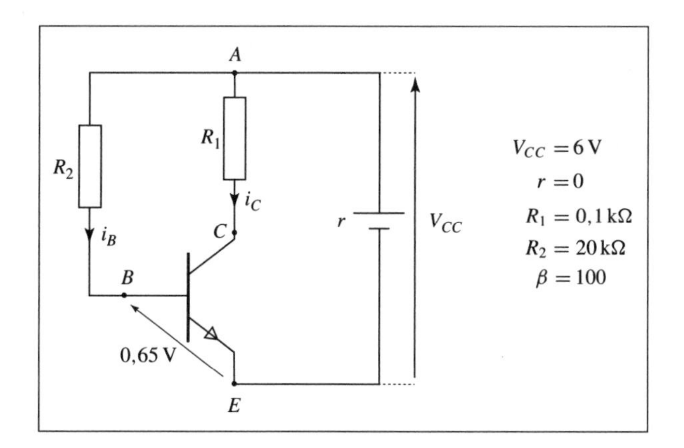

Calculer i_B, i_C et u_{CE}.

[1] Dans les calculs numériques on exprime les tensions en volts et les résistances en kiloohms : on obtient alors les intensités en milliampères.

La loi des mailles (3,1) s'écrit :

$$R_2 i_B + u_{BE} - u_{AE} = 0.$$

Comme $u_{AE} = V_{CC}$, on en déduit que :

$$i_B = \frac{V_{CC} - u_{BE}}{R_2} = 0{,}27\,\text{mA}$$
$$i_c = \beta i_B = 27\,\text{mA}.$$

Par ailleurs :

$$u_{CE} - V_{CC} + R_1 i_C = 0$$
$$u_{CE} = V_{CC} - R_1 i_C = 3{,}3\,\text{V}.$$

[3] *Le montage de la figure permet l'allumage automatique d'une lampe lorsque la nuit tombe et son extinction à la levée du jour.*

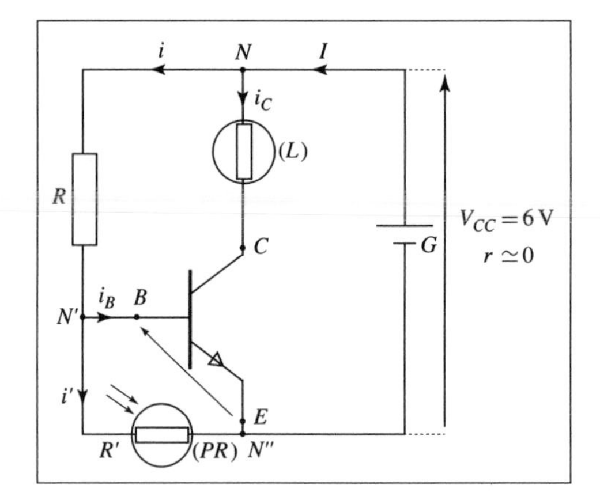

Le montage comporte un transistor NPN ($\beta = 200$) qui est bloqué si $u_{BE} < 0{,}6\,\text{V}$, et une photorésistance (PR) dont la résistance est de $600\,\Omega$ lorsqu'elle est exposée à la lumière et de $10^6\,\Omega$ dans l'obscurité.

[a] *Quelle est la valeur minimale de la résistance R pour que le transistor soit bloqué pendant la journée ?*

Si le transistor est bloqué $u_{BE} < 0{,}6\,\text{V}$ et $i_B = i_C = 0$.

Il en résulte que $I = i = i'$. La loi des mailles s'écrit pour la maille $GNN'N''G$:

$$V_{CC} - R'I - RI = O, \tag{1}$$

et pour la maille $EBN'N''E$:

$$u_{BE} - R'I = 0. \tag{2}$$

L'équation (2) donne :

$$R'I = u_{BE} < 0{,}6\,\text{V}$$

donc $I < \dfrac{0{,}6}{600}$ et $I < 1\,\text{mA}$.

L'équation (1) donne :

$$I = \frac{V_{CC}}{R + R'} < 10^{-3}$$

et $R > 1\,000 V_{CC} - R'$ soit $R > 5\,400\,\Omega$.

[b] *On choisit* $R = 6\,000\,\Omega$. *La lampe* (L) *brille normalement lorsqu'elle est traversée par un courant de* $0{,}18$ A. *Montrer que pendant la nuit la lampe brille normalement. On admettra que* $u_{BE} = 0{,}6$ V *lorsque le transistor est passant.*

En considérant la maille $EBN'N''E$:

$$u_{BE} = R'i',$$

d'où $i' = \frac{0{,}6}{10^6} = 0{,}6\,\mu$A.

En considérant la maille $GNN'N''G$:

$$V_{CC} - Ri - R'i' = 0,$$

soit $6 - 6\,000i - 0{,}6 = 0$ et $i = 0{,}9$ mA.

En considérant le nœud N' :

$$i = i_B + i'$$

et $i_B \simeq i = 0{,}9$ mA.

La lampe est parcourue par l'intensité $i_C = \beta i_B = 180$ mA.

[4] *Circuit de commande d'allumage et d'extinction d'une lampe* (L) *suivant la luminosité ambiante.*

Le montage de la figure comporte un transistor NPN *et une photorésistance, semi-conducteur dont la résistance* R' *est de* $0{,}4\,\text{k}\Omega$ *lorsqu'elle est exposée à la lumière et de* $1\,000\,\text{k}\Omega$ *dans l'obscurité.*

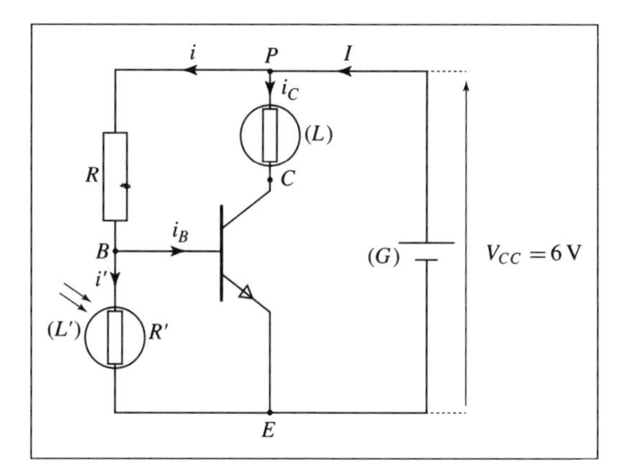

[a] *Exprimer* u_{BE} *en fonction de* R, R', V_{CC} *lorsque le transistor est bloqué.*

Dans ce cas, $i_B = i_C = 0$ de sorte que $I = i = i'$. Tout se passe donc comme s'il n'y avait que la maille principale, sans transistor ni lampe. On a alors :

$$u_{BE} = R'I.$$

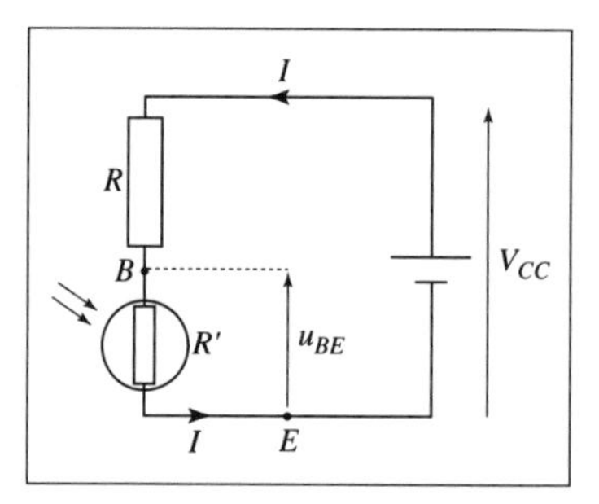

La loi de Pouillet (1,7) donne $I = \dfrac{V_{CC}}{R + R'}$ et :

$$u_{BE} = \frac{R'}{R + R'} V_{CC}. \qquad (1)$$

[b] *Le transistor est bloqué si $u_{BE} < 0{,}6\,\text{V}$. Quelle est la valeur minimale de la résistance R pour que le transistor soit bloqué pendant la journée ?*

Posons $u_0 = 0{,}6\,\text{V}$; en utilisant l'expression (1), la condition de blocage s'écrit :

$$\begin{aligned} \frac{R'}{R + R'} V_{CC} &< u_0 \\ R' V_{CC} &< u_0 R + u_0 R' \\ R'(V_{CC} - u_0) &< u_0 R. \end{aligned}$$

Finalement, la valeur minimale de R est :

$$R_{\text{min}} = R' \left(\frac{V_{CC} - u_0}{u_0} \right) = 0{,}4 \left(\frac{6 - 0{,}6}{0{,}6} \right),$$

soit :

$$R_{\text{min}} = 3{,}6\,\text{k}\Omega.$$

[c] *La lampe (L) brille normalement lorsqu'elle est parcourue par un courant de $0{,}18\,\text{A}$. Lorsque le transistor se trouve en fonctionnement linéaire, son amplification en courant est $\beta = 200$ et $u_{BE} \simeq 0{,}6\,\text{V}$. Le courant de saturation de ce transistor est supérieur à $0{,}18\,\text{A}$.*

Calculer i_B et i lorsque la lampe brille normalement la nuit.

Le courant i_C est alors de $0{,}18\,\text{A}$ et le transistor est dans l'état de fonctionnement linéaire, c'est-à-dire que (6,1) est satisfaite. Donc :

$$i_B = \frac{i_C}{\beta} = 0{,}90\,\text{mA}.$$

Par ailleurs, la photorésistance se comporte dans l'obscurité comme un conducteur ohmique de résistance $R' = 1\,000\,\text{k}\Omega$ et par conséquent :

$$i' = \frac{u_{BE}}{R'} = 0{,}6.10^{-3}\,\text{mA}.$$

[d] *En déduire la valeur qu'il faut donner à R pour obtenir ce point de fonctionnement.*

La loi des mailles appliquée à la maille principale $GPBEG$ donne :

$$V_{CC} - Ri - R'i' = 0,$$

où $i = i' + i_B \simeq i_B$ d'où :

$$R = \frac{V_{CC} - R'i'}{i} = 6{,}0\,\text{k}\Omega.$$

[exercices]

[1] Le transistor est en fonctionnement linéaire et $u_{BE} = 0{,}7\,\text{V}$.

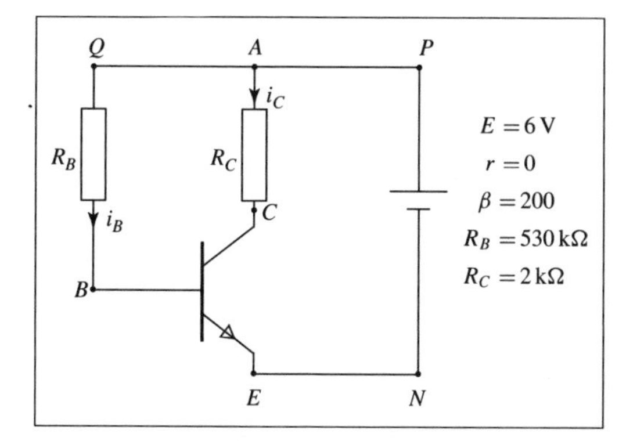

[a] Placer les flèches de tension aux bornes du générateur, de $R_C i_C$, $R_B i_B$ et u_{BE}.

[b] En appliquant la loi des mailles à la maille $PQBENP$, calculer i_B.

[c] Calculer i_C.

[d] Calculer u_{CE}.

[2] Le transistor est en régime linéaire, $u_{BE} = 0{,}6\,\text{V}$ et $i_B = 0{,}2\,\text{mA}$.

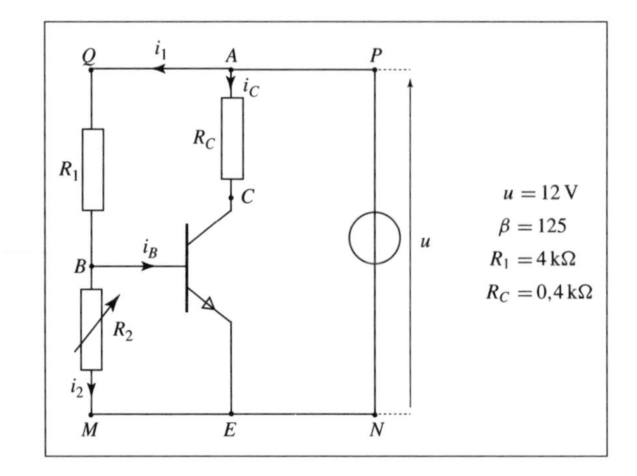

[a] Placer les flèches de tension.

[b] En appliquant la loi des mailles aux mailles $PQMNP$ et $BEMB$ et la loi des nœuds au nœud B. Calculer i_1, i_2 et R_2.

[d] En supposant le transistor bloqué, calculer la valeur maximale que peut avoir R_2 pour qu'il en soit ainsi.

[3] On donne $i_C = 200\,\text{mA}$ et $\beta = 80$. Le transistor fonctionne dans des conditions telles que $u_{BE} = 0{,}6\,\text{V}$ et $u_{CE} = 4{,}0\,\text{V}$.

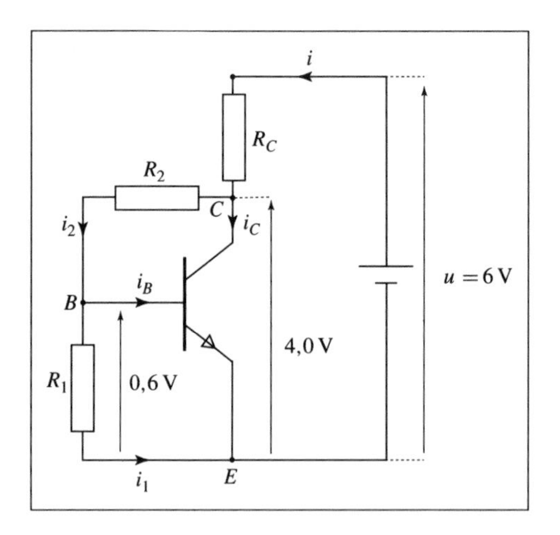

Sachant que $R_C = 8\,\Omega$, calculer i_B, i, i_1, i_2, R_1 et R_2.

[réponses]

[1] **[b]** $i_B = 10\,\mu\text{A}$. **[c]** $i_C = 2\,\text{mA}$. **[d]** $u_{CE} = 2\,\text{V}$.

[2] **[a]** $i_C = 25\,\text{mA}$. **[b]** $u_{CE} = 2{,}0\,\text{V}$. **[c]** $i_1 = 2{,}85\,\text{mA}$; $i_2 = 2{,}65\,\text{mA}$; $R_2 = 0{,}226\,\text{k}\Omega$. **[d]** Si le transistor est bloqué, $i_B = 0$ et $i_C = 0$, $i_1 = i_2$ et $u_{BE} < 0{,}6\,\text{V}$. On trouve $\dfrac{R_2 u}{R_1 + R_2} < 0{,}6\,\text{V}$ et $R_2 < 0{,}211\,\text{k}\Omega$.

[3] $i_B = 2{,}5\,\text{mA}$; $i = 250\,\text{mA}$; $i_1 = 47{,}5\,\text{mA}$; $i_2 = 50\,\text{mA}$; $R_1 = 13\,\Omega$; $R_2 = 68\,\Omega$.

L'AMPLIFICATEUR OPÉRATIONNEL

CHAPITRE 7

[l'essentiel]

[1] La masse dans un circuit électronique

La *masse* est un point particulier M du circuit, par rapport auquel on convient de mesurer toutes les tensions : tous les points connectés à la masse sont au même potentiel et il est habituel de poser $V_M = 0$, de sorte que $u_{AM} = V_A - V_M = V_A$.

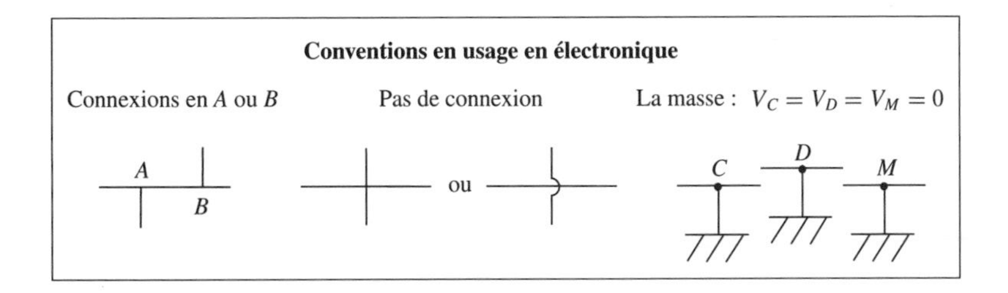

[2] Description de l'amplificateur opérationnel

L'amplificateur opérationnel (A.O.) est un dispositif électronique complexe qui se présente sous forme d'un petit boitier (*circuit intégré*) muni de huit broches. **L'A.O. nécessite une source d'énergie électrique extérieure pour fonctionner** : les bornes V_{EE} et V_{CC} doivent être connectées aux bornes N et P, respectivement, d'une alimentation continue à trois bornes : on doit toujours avoir $V_{CC} > V_{EE}$ et la différence $V_{CC} - V_{EE}$ ne doit pas excéder 6 V à 36 V, selon les A.O. La troisième borne, M, définit la masse. Celle-ci est souvent prise telle que $V_N = -V_P$, de sorte que $V_{EE} = -V_{CC}$. On impose souvent $V_{CC} \simeq 15$ V et $V_{EE} \simeq -15$ V.

Les bornes N_1 et N_2 sont utilisées dans un montage auxiliaire pour régler l'A.O. et la borne $N.C.$ n'est pas utilisée.

Seules les bornes E^+ (**entrée non inverseuse**), E^- (**entrée inverseuse**) et S (**sortie**) sont libres pour être utilisées dans un montage.

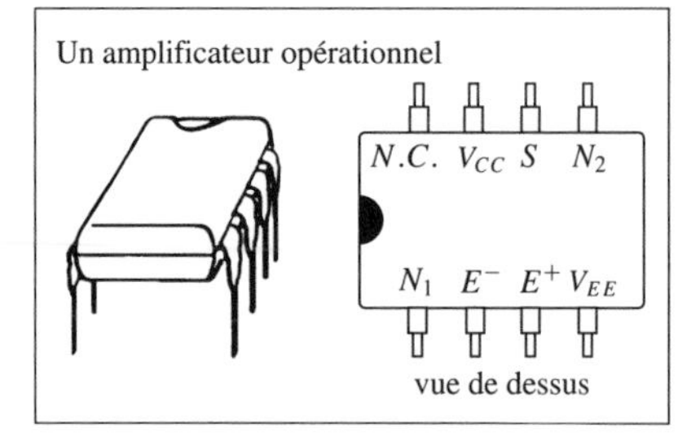

[3] Représentations et caractéristique de l'A.O.

On rencontre deux représentations de l'A.O., l'une américaine, l'autre européenne. Dans l'une comme dans l'autre *ne figurent que les bornes d'entrée et de sortie.*

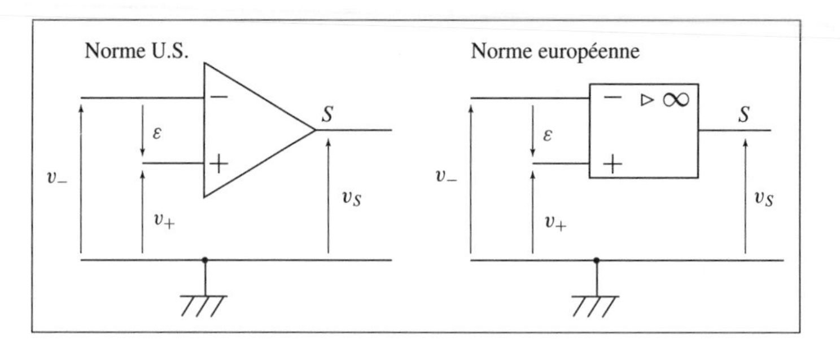

Les tensions d'entrée v_+ et v_- sont imposées par l'utilisateur et peuvent être, l'une comme l'autre, indifféremment positives ou négatives.

La tension de sortie v_S ne dépend que de la *tension différentielle* $\varepsilon = v_+ - v_-$ (elle dépend donc du montage considéré). Le graphe de $v_S = f(\varepsilon)$ est *la caractéristique de l'A.O.*

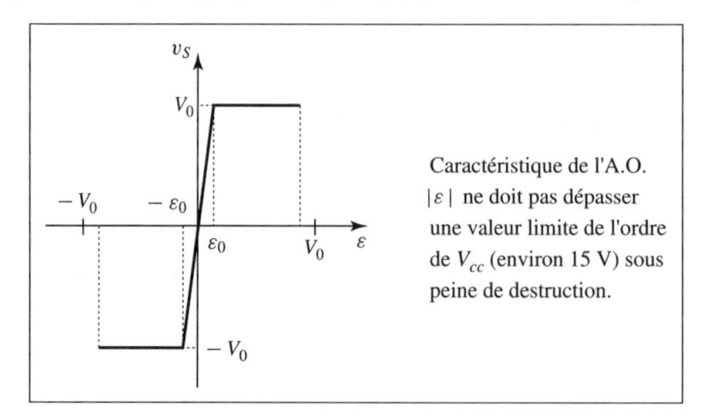

Caractéristique de l'A.O. $|\varepsilon|$ ne doit pas dépasser une valeur limite de l'ordre de V_{cc} (environ 15 V) sous peine de destruction.

On reconnaît ainsi deux régimes de fonctionnement :

– *régime linéaire* pour $|\varepsilon| < \varepsilon_0$; la tension de sortie est proportionnelle à la tension différentielle :

$$v_S = \mu\varepsilon.$$

Le gain μ est très élevé, de l'ordre de 10^5. La plage correspondante est très étroite :

$$\varepsilon_0 = \frac{V_0}{\mu} \sim 0{,}15\,\text{mV seulement} ;$$

– *régime saturé* lorsque $|\varepsilon| > \varepsilon_0$; la tension de sortie reste constante, un peu inférieure à la tension de polarisation V_{cc} ($V_0 \simeq 13$ à 14 V pour $V_{cc} = 15$ V).

[4] L'amplificateur opérationnel idéal

Tous les A.O. que nous considérerons seront supposés *idéaux*, c'est-à-dire répondront aux conditions suivantes.

(i) Les courants d'entrée i_+ et i_- sont négligeables :

$$\boxed{i_+ = i_- = 0.} \qquad (7, 1)$$

(ii) La tension différentielle d'entrée est négligeable *en régime linéaire* (où $V_{EE} < v_S < V_{CC}$) :

$$\boxed{\varepsilon = v_+ - v_- \simeq 0.} \qquad (7, 2)$$

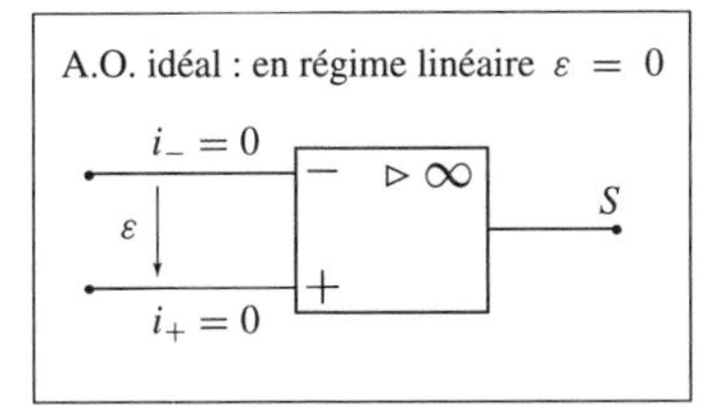

La plupart des montages que nous étudierons utilisent l'A.O. en régime linéaire : ce sont en particulier ceux qui permettent de faire des opérations mathématiques ($+$, $-$, $\times$, $\div$, ... d'où le nom d'amplificateur *opérationnel*) ; les montages qui permettent d'associer la tension de sortie à l'une des tensions d'entrée ($\tilde{v}_+$ ou v_-) sont dit *inverseurs si la tension d'entrée et la tension de sortie sont de signes contraires* ou *non inverseurs si elles sont de même signe.*

L'A.O. est utilisé en fonctionnement saturé dans la comparaison des tensions, le déclenchement, les multivibrateurs.

Signalons enfin une particularité fréquente : une partie du signal de sortie est réinjectée à l'une des entrées ; on dit que l'on a réalisé une *rétroaction*.

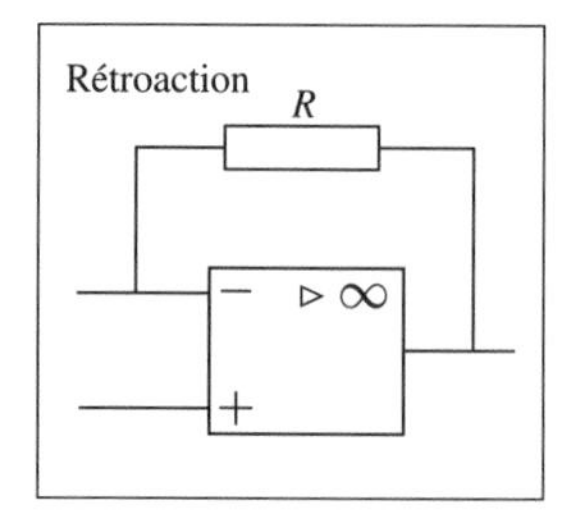

[de l'essentiel à la pratique]

Mots-clés

- amplificateur opérationnel
- caractéristique
- régime linéaire régime saturé
- A.O. idéal

L'A.O. idéal en régime linéaire

[1] *Multiplicateur inverseur de tension*

Montrer que les tensions u_S et u_E représentées sur la figure sont dans un rapport constant lorsque l'A.O. est en régime linéaire.

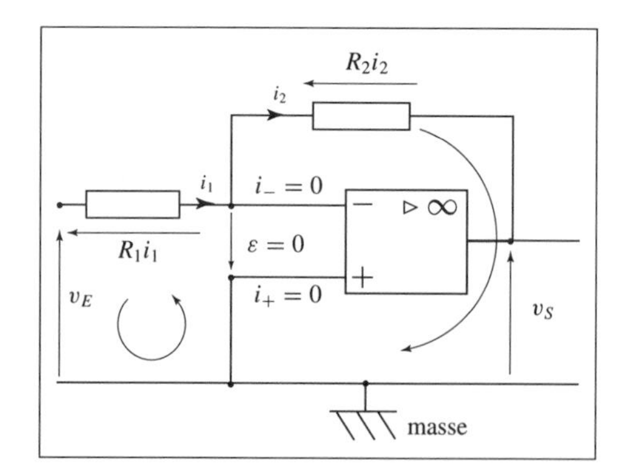

Les mailles considérées (rappelées sur le schéma) partent de la masse pour revenir à la masse et les sens positifs des courants sont choisis arbitrairement. Selon le sens de parcours choisi, la loi des mailles :

$$v_E + \varepsilon - R_1 i_1 = 0 \quad \text{donne} \quad v_E = R_1 i_1, \tag{1}$$

car $\varepsilon = 0$ pour l'A.O. en régime linéaire, et :

$$v_S + \varepsilon + R_2 i_2 = 0 \quad \text{donne} \quad v_S = -R_2 i_2. \tag{2}$$

La loi des nœuds :

$$i_1 = i_- + i_2 \quad \text{donne} \quad i_1 = i_2.$$

car $i_- = 0$ pour l'A.O. idéal.

Il en résulte, en divisant (2) par (1) membre à membre :

$$\frac{v_S}{v_E} = -\frac{R_2}{R_1}.$$

On peut donc multiplier la tension d'entrée v_E par un nombre arbitraire, avec un choix convenable de R_1 et R_2, mais v_S et v_E sont de signes contraires. Rappelons cependant que v_S ne peut dépasser la tension de saturation.

[2] *Diviseur de tension non inverseur*

Calculer v_S sachant que $v_E = 12\,\text{V}$, $R_1 = 20\,\text{k}\Omega$ et $R_2 = 10\,\text{k}\Omega$.

Les mailles considérées partent de la masse pour revenir à la masse et les sens positifs des courants sont choisis arbitrairement.

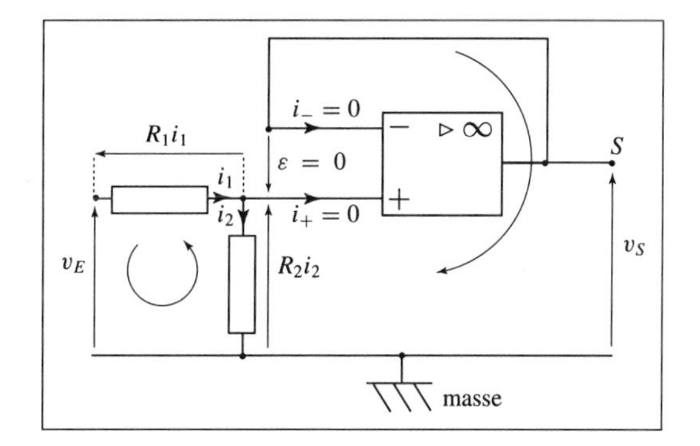

Selon l'ordre de parcours choisi, on a (loi des mailles) :

$$v_E - R_2 i_2 - R_1 i_1 = 0$$
$$v_S - R_2 i_2 + \varepsilon = 0.$$

La loi des nœuds donne, avec $i_- = 0$:

$$i_1 = i_2,$$

d'où :

$$v_E = (R_1 + R_2) i_1$$
$$v_S = R_2 i_1.$$

Finalement :

$$v_S = v_E \frac{R_2}{R_1 + R_2} = 4\,\text{V}.$$

Ce montage réalise donc une *atténuation* de la tension. De plus, il apparaît comme une source de tension idéale car la tension de sortie est indépendante de la charge.

[3] *Le montage suiveur*

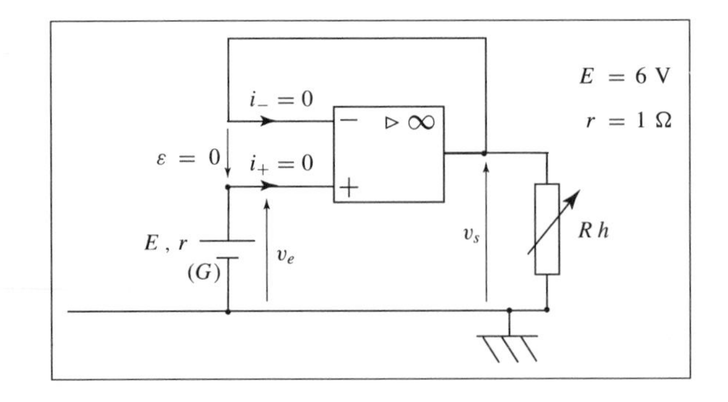

[a] *Le montage représenté sur la figure est dit « suiveur ». Montrer que $v_s = v_e = E$.*

$v_e = E$ car $i_+ = 0$; $v_s - v_e + \varepsilon = 0$ d'où $v_s = v_e$ car $\varepsilon = 0$. Finalement :

$$v_s = v_e = E = 6\,\text{V}.$$

[b] *Rh est un rhéostat qui doit être alimenté sous une tension de* 6 V *quelle que soit sa résistance. Expliquer l'intérêt qu'il y a à brancher le rhéostat à la sortie de l'A.O. plutôt que directement aux bornes de (G).*

La pile ne débite pas quel que soit le courant de sortie car $i_+ = 0$ et $v_s = v_e = E$ reste indépendant de la charge : le système réalise une *source de tension idéale*. Noter que l'énergie est entièrement fournie par l'alimentation extérieure.

[4] *Le montage dérivateur*

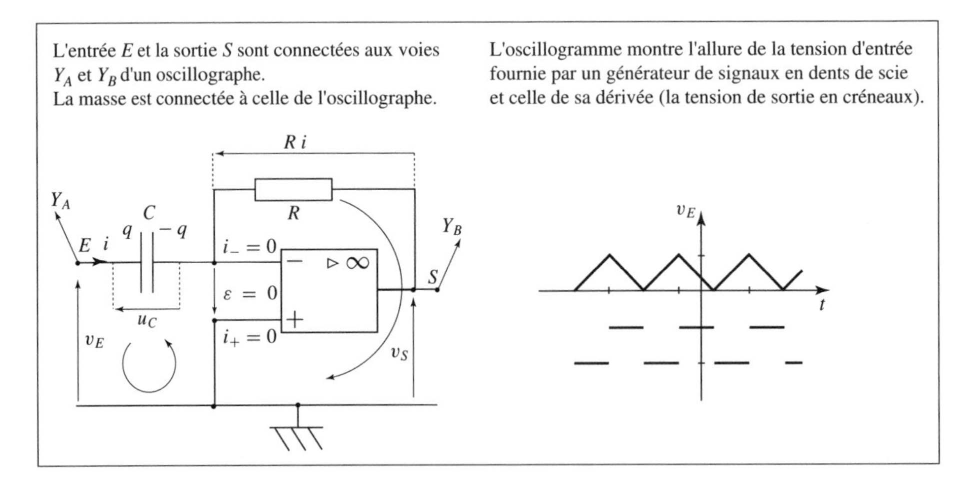

[a] *Déterminer la relation entre v_S et v_E.*

À l'entrée :

$$v_E + \varepsilon - v_C = 0 \quad \text{d'où} \quad v_E = v_C. \tag{1}$$

À la sortie :

$$v_S + \varepsilon + Ri = 0 \quad \text{d'où} \quad v_S = -Ri. \tag{2}$$

La tension aux bornes du condensateur est liée à la charge q par la relation (4,1) :

$$q = Cv_C,$$

d'où, en dérivant par rapport au temps :

$$C\frac{\mathrm{d}v_C}{\mathrm{d}t} = \frac{\mathrm{d}q}{\mathrm{d}t}.$$

Or, par définition selon (1,1), l'intensité du courant i est $i = \dfrac{\Delta q}{\Delta t}$, qui s'identifie avec la dérivée $i = \dfrac{\mathrm{d}q}{\mathrm{d}t}$ si l'on prend Δt très petit. Donc :

$$C\frac{\mathrm{d}v_C}{\mathrm{d}t} = i. \tag{3}$$

Les relations (2) et (3) donnent :

$$v_S = -RC\frac{\mathrm{d}v_C}{\mathrm{d}t}$$

et, comme $v_C = v_E$:

$$v_S = -RC\frac{\mathrm{d}v_E}{\mathrm{d}t}. \tag{7, 3}$$

La tension de sortie est proportionnelle à la dérivée de la tension d'entrée par rapport au temps.

[b] *On applique une tension u_E en dents de scie, fournie par un générateur de basses fréquences et l'on observe l'oscillogramme correspondant sur la voie A. La base de temps est réglée sur* $10\,\text{ms.div}^{-1}$ *et les sensibilités verticales des voies A et B sur* $2\,\text{ms.div}^{-1}$.

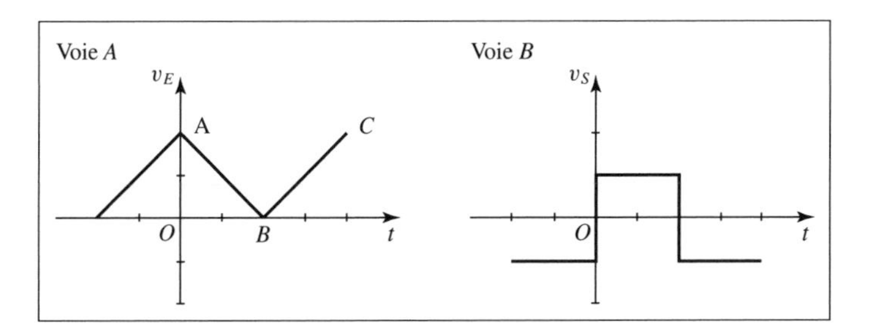

Écrire les équations $v_E = f(t)$ des segments de droite observés.

L'équation de AB est de la forme $v_{E1} = a_1 t$, avec $a_1 = -\dfrac{4}{20.10^{-3}} = -200\,\text{V.s}^{-1}$ donc :

$$v_{E1} = -200t.$$

L'équation de BC est de la forme $v_{E2} = a_2 t + b_2$, avec $a_2 = 200\,\text{V.s}^{-1}$ donc (inutile de calculer b_2) :

$$v_{E2} = 200t + b_2.$$

[c] *En déduire les équations $v_S = f(t)$ et tracer l'oscillogramme observé sur la voie B si $R = 10\,\mathrm{k}\Omega$ et $C = 1\,\mu\mathrm{F}$.*

La relation (1) donne :

$$v_{S1} = -RCa_1 \quad \text{et} \quad v_{S2} = -RCa_2,$$

donc :

$$v_{S1} = 2\,\mathrm{V} \quad \text{et} \quad v_{S2} = -2\,\mathrm{V},$$

d'où l'oscillogramme : une tension en dents de scie à l'entrée donne une tension en créneau à la sortie.

L'A.O. idéal en régime saturé

[5] *On considère le montage multiplicateur inverseur de tension étudié au* **[1]**. *Le rapport $G = \left|\dfrac{v_S}{v_E}\right|$ définit le gain du montage*[1]. *La tension de saturation de l'A.O. est $V_0 = 13{,}4\,\mathrm{V}$; $R_1 = 2\,\mathrm{k}\Omega$; $v_E = 1{,}2\,\mathrm{V}$.*

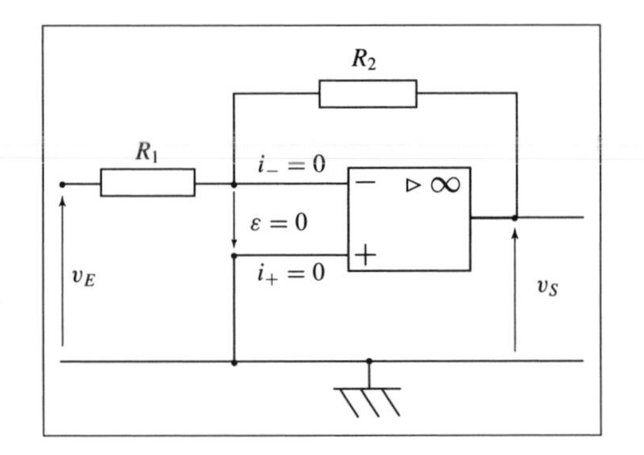

[a] *Quel est la gain maximal tel qu'il n'y ait pas de saturation ?*

En régime non saturé (linéaire), $|v_S| < V_0$. Donc :

$$G = \left|\frac{v_S}{v_E}\right| < \frac{V_0}{u_E},$$

soit $G_{\text{max}} = \dfrac{V_0}{u_E} = 11{,}2$.

[b] *Quelle est la valeur maximale que peut prendre R_2 dans ces conditions ?*

On a établi au **[1]** que :

$$G = \frac{R_2}{R_1},$$

de sorte que :

$$R_{2\text{max}} = G_{\text{max}} R_1,$$

soit $R_{2\text{max}} = 22\,\mathrm{k}\Omega$.

1 À ne pas confondre avec le gain μ de l'A.O.

[6] *Comparaison des tensions*

On utilise ici un A.O. dont la tension de saturation est $V_0 = 14\,\text{V}$.

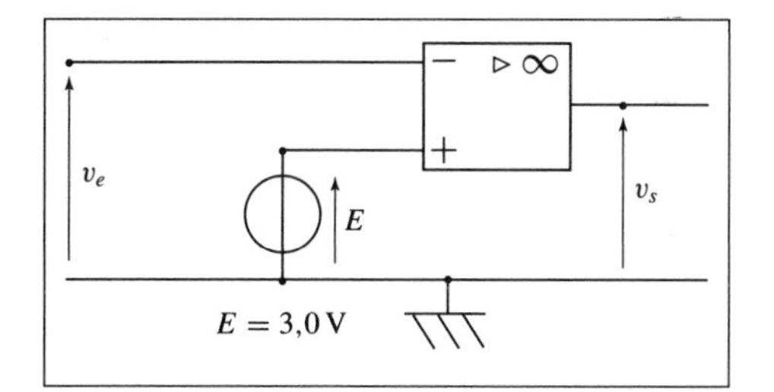

Quelle est, en fonction de la tension d'entrée v_e*, la tension de sortie* v_s *?*

La caractéristique de l'A.O. présentée au **7,3** montre que $v_s = +14\,\text{V}$ si $\varepsilon = E - v_e > 0$ (on peut négliger $\varepsilon_0 < 1\,\text{mV}$) et $v_s = -14\,\text{V}$ dans le cas contraire. En résumé :

$$v_s = +14\,\text{V} \quad \text{si} \quad v_e < 3{,}0\,\text{V}$$
$$v_s = -14\,\text{V} \quad \text{si} \quad v_e > 3{,}0\,\text{V}.$$

La mesure de v_s fournit donc un moyen très sensible pour comparer v_e et E.

[7] *Principe d'un détecteur d'incendie*

La résistance X de la thermistance du montage de la figure décroît avec la température : sa valeur est de $5\,\text{k}\Omega$ *environ à* $20\,°\text{C}$ *et de* $1{,}2\,\text{k}\Omega$ *à* $55\,°\text{C}$.

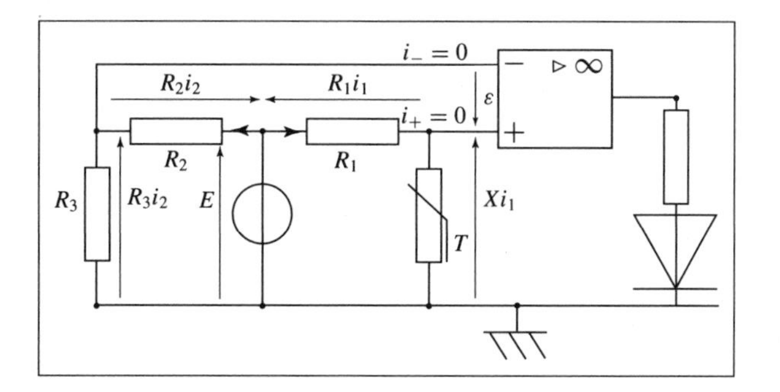

[a] *À quelle condition sur* R_1*,* R_2*,* R_3*, X la tension différentielle d'entrée* ε *est-elle nulle ? On appellera* X_0 *la valeur de X qui satisfait cette condition.*

En considérant la maille contenant X et R_3, bouclée par l'entrée + et la masse, puis la maille contenant R_1 et R_2 bouclée sur l'entrée +, on obtient :

$$\begin{cases} X i_1 - R_3 i_2 - \varepsilon = 0 & (1) \\ -R_1 i_1 + R_2 i_2 - \varepsilon = 0, & (2) \end{cases}$$

soit, si $\varepsilon = 0$:

$$\begin{cases} X_0 = R_3 i_2 & (3) \\ R_1 i_1 = R_2 i_2. & (4) \end{cases}$$

D'où, en faisant le rapport membre à membre de (3) et (4) :

$$\frac{X_0}{R_1} = \frac{R_3}{R_2}. \tag{5}$$

[b] *À quelle condition sur ε la diode électroluminescente (D.E.L.) s'allume-t-elle ?*

Il faut que la diode soit polarisée « en direct » (voir **5.[2].[b]**), autrement dit, que v_S soit positive. Par conséquent, il faut que $\varepsilon > 0$.

[c] *On pose $X = X_0 + \Delta X$. Calculer ε en fonction de i_1 et ΔX.*

En reportant dans (1) $i_2 = \dfrac{R_1 i_1}{R_2} + \dfrac{\varepsilon}{R_2}$, tiré de (2), on obtient :

$$(X_0 + \Delta X)i_1 - \left(\frac{R_3 R_1}{R_2} i_1 + \frac{R_3}{R_2}\varepsilon\right) - \varepsilon = 0$$

et, compte tenu que $X_0 = \dfrac{R_3 R_1}{R_2}$:

$$i_1 \Delta X - \left(\frac{R_3}{R_2} + 1\right)\varepsilon = 0,$$

soit :

$$\varepsilon = \frac{i_1 \Delta X}{1 + R_3/R_2}. \tag{6}$$

[d] *À quelle condition sur E la D.E.L. est-elle allumée quand la température dépasse 55 °C ? Quelle valeur faut-il donner à R_1 si $R_2 = R_3$?*

Quand la température dépasse 55 °C, la résistance X de la thermistance descend en-dessous de X_0 et ε doit alors être positif pour que la D.E.L. s'allume. Ainsi, dans la relation (6), on doit avoir à la fois $\Delta X < 0$ et $\varepsilon > 0$. De la sorte, $i_1 > 0$ et, par conséquent, $E < 0$.

La relation (5) donne, dans ces conditions, $R_1 = X_0 \dfrac{R_2}{R_3} = 1{,}2\,\text{k}\Omega$.

[8] *Multivibrateur astable*

Les multivibrateurs sont très utilisés en électronique où ils jouent le rôle d'horloge. La tension de sortie v_S de l'A.O. de la figure bascule d'une valeur de saturation à l'autre. Cet effet est obtenu par la rétroaction R qui, en provoquant la charge ou la décharge du condensateur, commande la tension différentielle d'entrée ε.

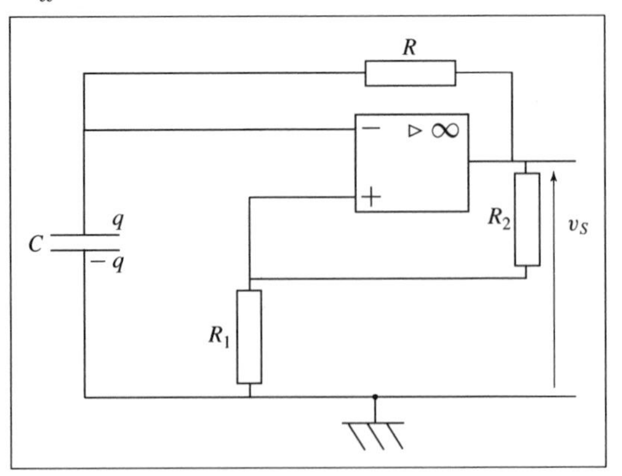

[a] *Exprimer la tension d'entrée v_+ en fonction de R_1, R_2, v_S puis v_- en fonction de q et C.*

Les sens positifs de i et i' sont arbitraires.

$$\begin{cases} v_+ = R_1 i' \\ v_S = (R_1 + R_2) i', \end{cases}$$

d'où :

$$\frac{v_+}{v_S} = \frac{R_1}{R_1 + R_2}$$

$$v_+ = \frac{R_1}{R_1 + R_2} v_S. \quad (1)$$

Par ailleurs :

$$v_- = \frac{q}{C}. \quad (2)$$

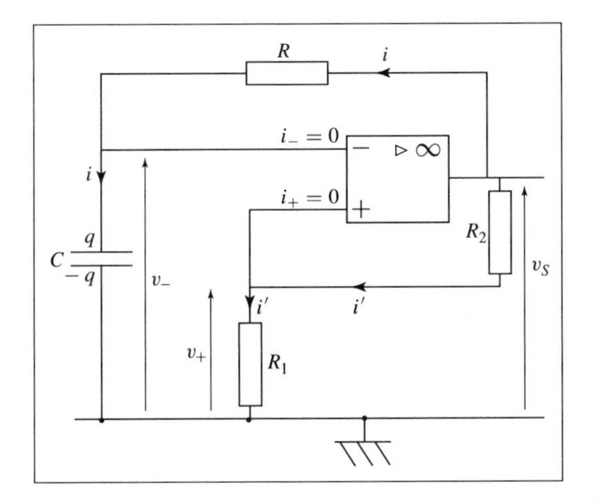

[b] *On se place à l'instant initial où le condensateur n'est pas chargé. Calculer alors $\varepsilon = v_+ - v_-$ en fonction de R_1, R_2, v_S et en déduire que, sauf si $v_S = 0$, l'A.O. est nécessairement en régime saturé.*

À l'instant initial :

$$v_- = \frac{q}{C} = 0$$

et

$$\varepsilon = v_+ - v_- = \frac{R_1}{R_1 + R_2} v_S.$$

Si $v_S \neq 0$, alors $\varepsilon \neq 0$ et l'A.O. est donc saturé : ou bien $v_S = +V_0$, ou bien $v_S = -V_0$.

[c] *Si $v_S = 0$ l'A.O. est instable et sature spontanément à la suite d'une fluctuation minime de tension. On suppose par exemple que $v_S = +V_0$ à l'instant initial où $q = 0$. Montrer que u_- croît alors jusqu'à une valeur v_1 telle que v_S bascule à la valeur $-V_0$. Qu'en résulte-t-il ?*

Au départ $v_- = 0$ et $v_s = +V_0 > v_-$; le condensateur va se charger ; le courant i circule dans le sens positif, q croît et $v_- = \dfrac{q}{C}$ croît également. D'après (1) :

$$\varepsilon = \frac{R_1}{R_1 + R_2} V_0 - v_-.$$

ε va donc décroître depuis la valeur positive $\dfrac{R_1}{R_1 + R_2} V_0$ et va changer de signe pour :

$$v_- = V_1 = \frac{R_1}{R_1 + R_2} V_0. \tag{3}$$

Dès lors, la caractéristique de l'A.O. (voir **7.[3]**) montre que v_S bascule à la valeur $-V_0$. $\left((1)\right.$ montre que ε fait alors un saut à la valeur négative $\left.-\dfrac{R_1}{R_1 + R_2} V_0 - V_1 = -2V_1\right)$. La situation intiale se trouve donc inversée : $v_S = -V_0 < 0$, le courant i change de sens, le condensateur se décharge, q et $v_- = \dfrac{q}{C}$ vont maintenant décroître.

[d] *Décrire la nouvelle expression de la tension différentielle d'entrée ε et en déduire qu'ensuite v_- croît jusqu'à la valeur $-V_1$. Que se passe-t-il ensuite ?*

$$\varepsilon = \frac{R_1}{R_1 + R_2} V_0 - v_-. \tag{4}$$

Puisque v_- décroît, ε va croître jusqu'à changer à nouveau de signe pour $v_- = -\dfrac{R_1}{R_1 + R_0} V_0$ soit $v_- = -V_1$.

Il est clair que le scénario précédent se reproduit : v_S bascule à la valeur $+V_0$, le courant s'inverse, v_- croît jusqu'à la valeur V_1 où v_S bascule de $+V_0$ à $-V_0$, etc. En bref, v_- oscille de façon symétrique entre $+V_1$ et $-V_1$ tandis que v_S bascule entre $+V_0$ et $-V_0$.

[e] *On prend pour instant $t = 0$ un instant où $v_- = -V_1$ et $v_S = +V_0$. Écrire la relation qui lie $V_0, R, C, q, \dfrac{dq}{dt}$.*

Dans la maille bouclée sur la masse, qui contient R et C :

$$V_0 - \frac{q}{C} - Ri = 0,$$

soit, puisque $i = +\,dq/dt$:

$$\frac{q}{C} + R\frac{dq}{dt} = V_0.$$

[f] *Vérifier que la solution de l'équation différentielle obtenue est $q = CV_0 + \alpha\, e^{-t/RC}$. Déterminer la constante α et en déduire la période T des oscillations.*

$$\frac{dq}{dt} = -\frac{\alpha}{RC} e^{-t/RC},$$

d'où :

$$\frac{q}{C} + R\frac{dq}{dt} = V_0 + \frac{\alpha}{C} e^{-t/RC} - R\frac{\alpha}{RC} e^{-t/RC} = V_0.$$

Pour trouver α, il faut exprimer la condition initiale $v_-(0) = -V_1$, soit $q(0) = -CV_1$. On a donc :

$$\begin{cases} q(0) = CV_0 + \alpha = -CV_1 \\ \alpha = -C(V_0 + V_1) \end{cases}$$

d'où :

$$q = CV_0 - C(V_0 + V_1)\,\mathrm{e}^{-t/RC} = Cv_-,$$

donc :

$$v_-(t) = V_0 - (V_0 + V_1)\,\mathrm{e}^{-t/RC}.$$

Le temps que met $v_-(t)$ pour croître de $-V_1$ à $+V_1$ est égal à une demi période $T/2$:

$$\begin{aligned} V_1 &= V_0 - (V_0 + V_1)\,\mathrm{e}^{-T/2RC} \\ V_1\,\mathrm{e}^{T/2RC} &= V_0\,\mathrm{e}^{T/2RC} - (V_0 + V_1) \\ V_0 + V_1 &= (V_0 - V_1)\,\mathrm{e}^{T/2RC}, \end{aligned}$$

d'où l'on tire facilement :

$$T = 2RC \ln \frac{V_0 + V_1}{V_0 - V_1}.$$

Compte tenu de (3), il vient :

$$\begin{aligned} V_0 + V_1 &= \left(1 + \frac{R_1}{R_1 + R_2}\right) V_0 = \frac{R_2 + 2R_1}{R_1 + R_2} V_0 \\ V_0 - V_1 &= \left(1 - \frac{R_1}{R_1 + R_2}\right) V_0 = \frac{R_2}{R_1 + R_2} V_0. \end{aligned}$$

Finalement :

$$T = 2RC \ln\left(1 + \frac{2R_1}{R_2}\right).$$

[g] *Représenter graphiquement $v_S(t)$ et $v_-(t)$.*

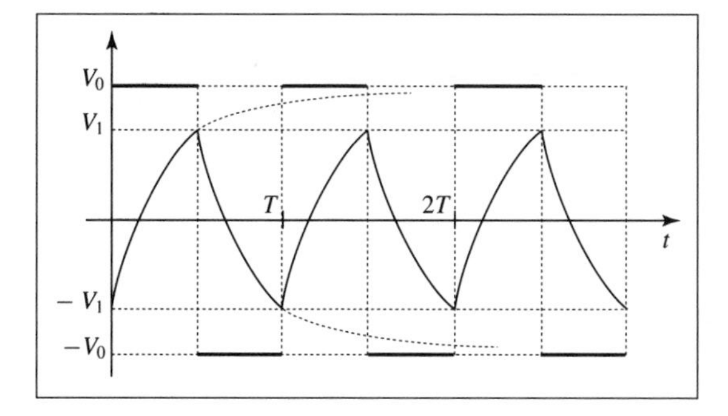

[exercices]

Les A.O. sont idéaux, et sauf indication contraire, en régime linéaire.

[1] Multiplicateur non inverseur

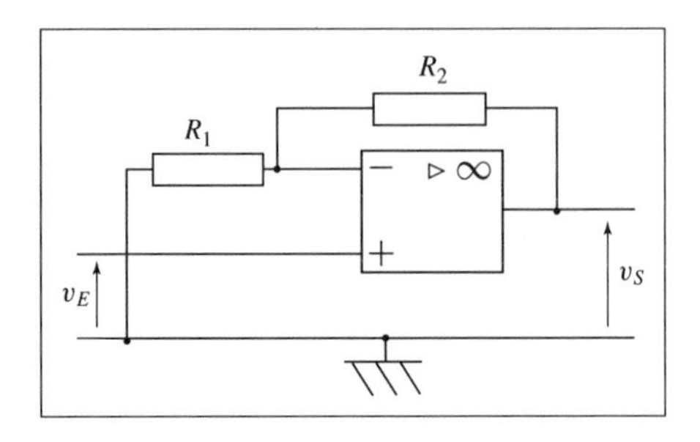

[a] Trouver v_S en fonction de v_E, en régime linéaire.

[b] Calculer le gain du montage, $G = \dfrac{v_S}{v_E}$, si $R_1 = 1\,\text{k}\Omega$; $R_2 = 10\,\text{k}\Omega$.

[c] Quelle tension maximale peut-on appliquer à l'entrée si l'on veut que $v_S = Gv_E$? La tension de saturation de l'A.O. est 13,5 V.

[2] Sommateur inverseur

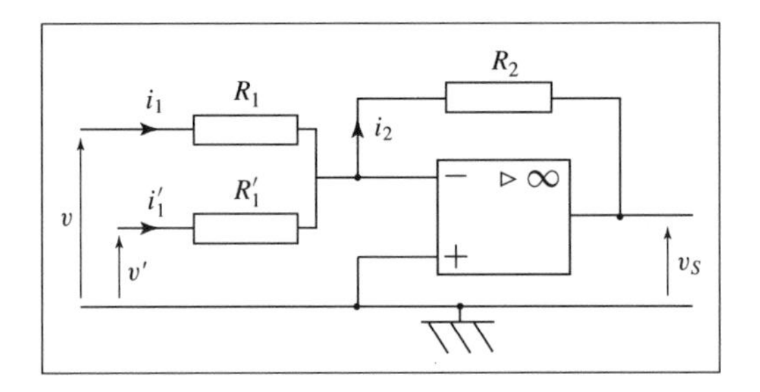

En considérant d'une part les deux mailles à l'entrée bouclées sur la masse, d'autre part la maille bouclée sur la sortie, la rétroaction et la masse, trouver la relation entre v_S, v, v'. Calculer v_S si $R_1 = R_2 = 10\,\text{k}\Omega$; $R'_1 = 5\,\text{k}\Omega$; $v = 6\,\text{V}$; $v' = 3\,\text{V}$.

[3] Sommateur non inverseur

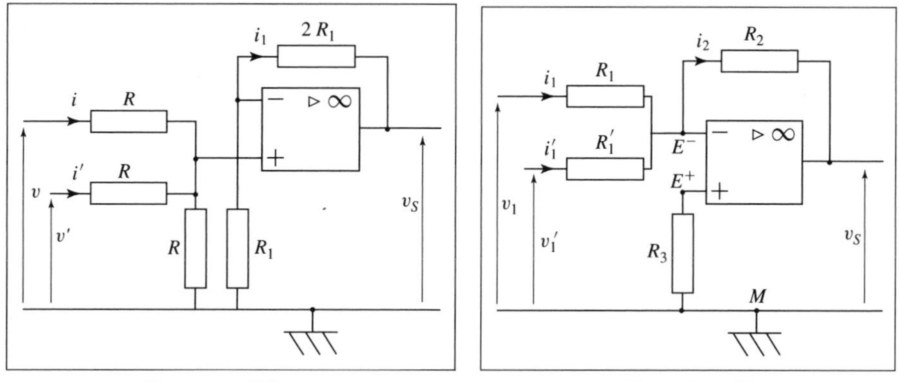

Exercice [3]

Exercice [4]

Trouver la relation entre v_S, v, v'.

[4] [a] Comparer les potentiels de M, E^+, E^-.

[b] Trouver la relation entre i_1, i'_1, i_2.

[c] Calculer v_S. On donne $R_1 = R'_1 = R_2 = 10\,\text{k}\Omega$; $v_1 = 2\,\text{V}$; $v'_1 = 3\,\text{V}$.

[d] Pour cette question voir le chapitre **15**. On impose $v_1 = 2\sin\omega t$ et $v'_1 = 3{,}5\sin\left(\omega t + \frac{\pi}{2}\right)$. Calculer v_S.

[5] On donne : $E = 1{,}2\,\text{V}$; $r = 50\,\Omega$; $R_1 = 250\,\Omega$; $R_2 = 1{,}7\,\text{k}\Omega$; $R = 100\,\Omega$.

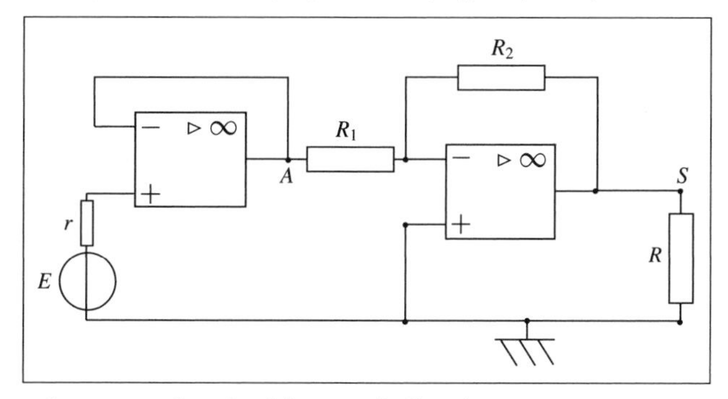

Calculer v_A, v_S et le courant dans la résistance R. Conclure.

[6] Source de courant

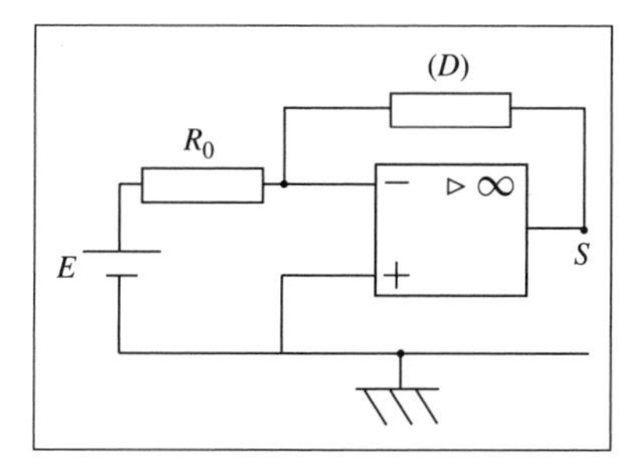

Un dipôle (D) est connecté entre l'entrée inverseuse et la sortie de l'A.O. de la figure. On donne : $R_0 = 1{,}5\,\mathrm{k}\Omega$; $E = 3{,}0\,\mathrm{V}$; la tension de saturation de l'A.O. est $V_0 = 14\,\mathrm{V}$.

[a] Quels sont, en régime linéaire, le sens et l'intensité du courant i dans R_0 ?

[b] Quels sont le sens et l'intensité du courant dans (D) ? Conclure.

[c] (D) est une résistance R. Quelle est la valeur maximale de R admissible pour que l'A.O. fonctionne en régime linéaire ?

[7] Principe de la mesure d'une tension avec un intégrateur double rampe dans un voltmètre numérique

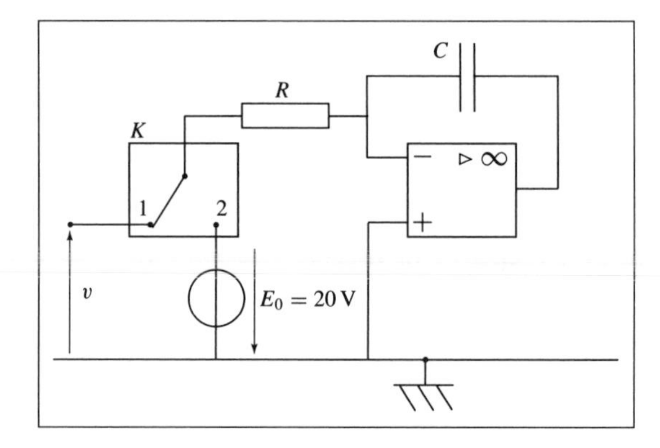

Une horloge électronique H délivrant des impulsions en créneaux de fréquence N commande le commutateur K. Celui-ci se trouve alternativement en position 1 et 2 pendant des durées égales à une demi-période τ. Pendant que K est en position 1, le condensateur se charge sous l'effet de la tension à mesurer v, supposée positive. En position 2, il se décharge ; une deuxième horloge H' de fréquence N' et un dispositif non représentés permettent de mesurer le temps τ' nécessaire pour décharger complètement le condensateur.

[a] Le commutateur est initialement sur la position 1. Montrer que le condensateur se charge à courant constant i.

[b] Exprimer la charge q du condensateur au bout du temps τ en fonction de v et R.

[c] Exprimer q en fonction de τ' et de E_0 et en déduire v en fonction de τ, τ', E_0.

[d] Le voltmètre a compté 612 impulsions de l'horloge H' pendant la décharge. Calculer v en sachant que $N = 1\,\mathrm{kHz}$ et $N' = 4\,\mathrm{MHz}$.

[e] Quelle est la tension maximale que peut mesurer le voltmètre ?

[f] Quelle est la précision de l'appareil ?

[8] Intégrateur

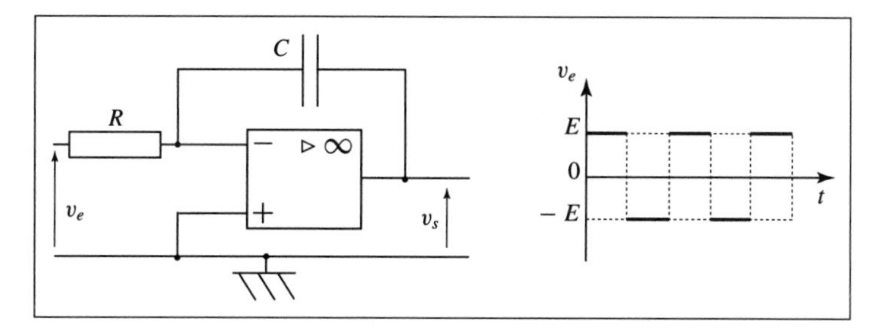

[a] Montrer que $\dfrac{\mathrm{d}v_s}{\mathrm{d}t} = -\dfrac{1}{RC}v_e$.

[b] La tension d'entrée est en créneau. Quelle est l'allure de la tension de sortie v_S ?

[réponses]

[1] **[a]** $v_S = \left(1 + \dfrac{R_1}{R_2}\right) v_E$. **[b]** $G = 11$. **[c]** $v_E < 1{,}2\,\text{V}$.

[2] $v_S = -R_2 \left(\dfrac{v}{R_1} + \dfrac{v'}{R'_1}\right) = -7{,}5\,\text{V}$.

[3] $v + v' = v_S$.

[4] **[a]** M, E^+, E^- sont au même potentiel $V = 0$ car $\varepsilon = 0$ et $i_+ = 0$.

[b] $i_2 = i_1 + i'_1$. **[c]** $v_S = -5\,\text{V}$.

[d] $v_S = 4 \sin\left(\omega t + \dfrac{\pi}{3}\right)$: utiliser la construction de Fresnel pour calculer $v_S = v_1 + v'_1$.

[5] $v_A = 1{,}2\,\text{V}$ (voir e.à.p. **[2]**) ; $v_S = -8{,}2\,\text{V}$ (voir e.à.p. **[1]**) ; $i = 82\,\text{mA}$. La tension de sortie est indépendante de la charge.

[6] **[a]** $E + \varepsilon - R_0 i = 0$ (maille contenant E et R_0, bouclée sur la masse). Régime linéaire $\varepsilon = 0$ et $i = 2\,\text{mA}$ sortant de la borne + de la pile. **[b]** Même courant i, indépendant du dipôle (D), en régime linéaire. **[c]** $v_S + \varepsilon + Ri = 0$ (maille contenant (D), bouclée sur la masse) ; $\varepsilon = 0$ si $R = -\dfrac{v_S}{i} < \dfrac{V_0}{i} = 7{,}0\,\text{k}\Omega$.

[7] **[a]** $i = v/R$ (voir ex. **[5]**.**[a]**). **[b]** $q = v\tau/R$. **[c]** $q = E\tau'/R$ d'où $v = E_0\tau'/\tau$.

[d] $\tau' = 612/N'$; $\tau = 1/2N$; $v = 6{,}12\,\text{V}$.

[e] τ' ne peut dépasser le temps où K reste en position 2, soit $\tau' \leqslant \tau$, et donc $v \leqslant 20{,}00\,\text{V}$.

[f] τ' est mesuré à une impulsion près : $\Delta v = E_0 \dfrac{\Delta\tau'}{\tau} = E_0 \dfrac{2N}{N'} = 0{,}01\,\text{V}$.

[8] **[a]** Procéder comme pour le montage dérivateur.

[b] $v_S = \pm\dfrac{1}{RC} at + b$ est en dents de scie de coefficients directeurs $\pm\dfrac{E}{RC}$.

LE CHAMP MAGNÉTIQUE

CHAPITRE 8

[l'essentiel]

[1] Les aimants

Une aiguille aimantée mobile autour d'un axe vertical s'oriente sensiblement dans la direction Nord-Sud géographique (aiguille d'une boussole). L'extrémité de l'aiguille qui indique le Nord est appelée « pôle Nord » tandis que l'autre est son « pôle Sud ».

Un aimant, quelle que soit sa forme, possède toujours deux pôles. Une propriété étonnante est que si l'on brise en deux un aimant, chacune des parties est à son tour un aimant possédant deux pôles : on ne peut jamains séparer les deux pôles.

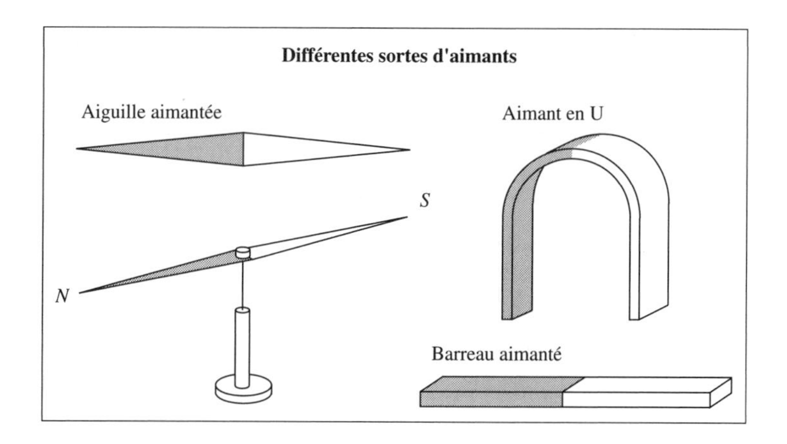

✗ **Deux pôles de même nom se repoussent, deux pôles de noms différents s'attirent.**

[2] Champs magnétiques créés par des aimants

Plaçons une petite aiguille aimantée, mobile autour d'un axe vertical, en différents points $A, B, C, \ldots$ au voisinage d'un ensemble d'aimants.

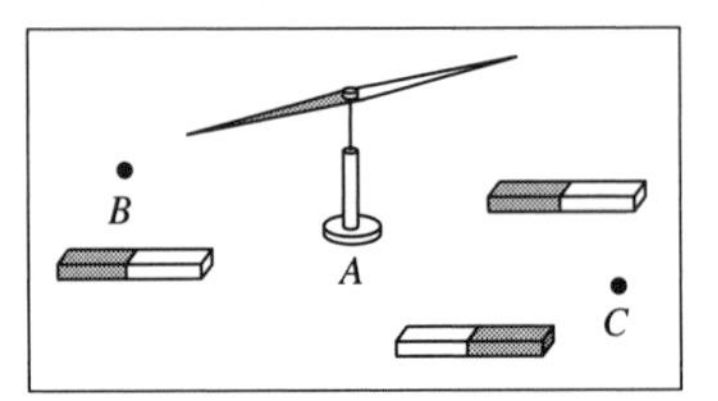

Selon sa position, l'aiguille s'oriente sous l'effet des forces magnétiques qu'elle subit dans une direction et un sens déterminés qui dépendent du point où elle est placée, et non de l'aiguille elle même : ceci caractérise donc un *champ vectoriel* $\vec{B}$ (voir volume **I**, **C**.**[3]**) que l'on appelle *champ magnétique*.

Par définition, *la direction du vecteur* $\vec{B}$ *est celle de l'aiguille aimantée et son sens indique celui indiqué par le pôle Nord de l'aiguille.*

Le sens de $\vec{B}$ est donc celui du vecteur $\overrightarrow{SN}$.

L'aiguille aimantée caractérise la direction et le sens du champ magnétique.

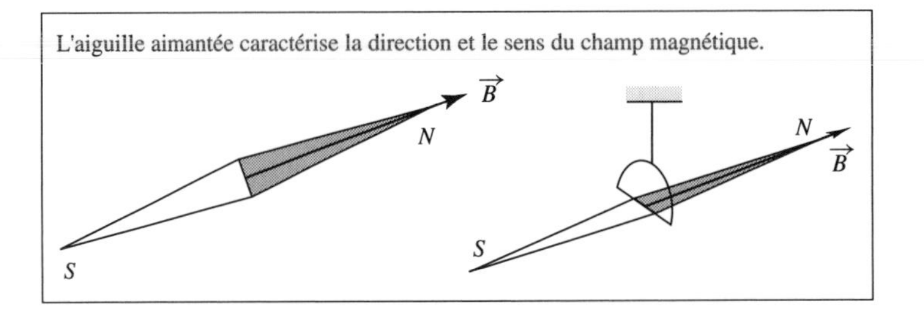

Les lignes de champ sont définies comme pour le champ électrostatique (*cf.* volume **I**, **10**.**[2]**). En ce qui concerne l'aimant en U, on remarque que les lignes de champ (au voisinage des pôles) sont droites et parallèles : nous admettrons que *le champ est uniforme*, c'est-à-dire constant dans l'espace (*cf.* volume **I**, **C**.**[4]**).

Lignes de champs magnétiques.

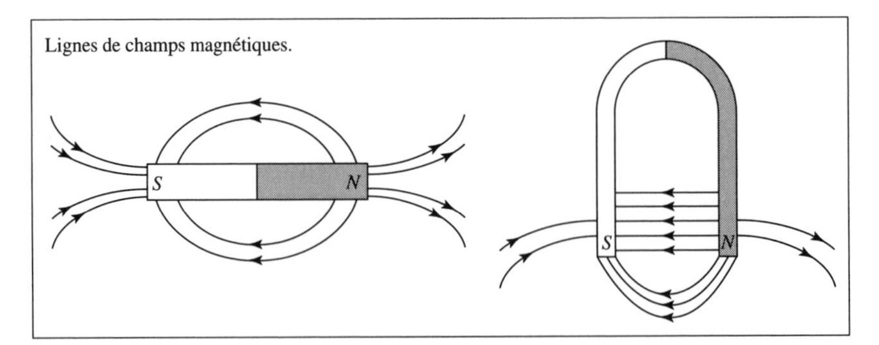

Expérimentalement, on peut « matérialiser » les lignes de champ par l'orientation que prennent des brins de limailles de fer déposés sur une feuille de papier à proximité de l'aimant.

[3] Champs magnétiques créés par des courants

L'unité S.I. d'un champ magnétique est le **tesla** (**T**).

L'expérience montre qu'au voisinage d'un conducteur traversé par un courant il y a un champ magnétique et nous admettrons que la valeur du champ magnétique est proportionnelle à l'intensité I du courant.

$$\boxed{B = kI.} \qquad (8, 1)$$

k est une constante qui dépend de la forme du conducteur.

[a] Le conducteur rectiligne «illimité»

Le fil AC est très long. On cherche les caractéristiques de $\vec{B}$ au point M à la distance $d = OM$ du fil. On constate que :

- $\vec{B}$ est dans le plan (H) passant par M et perpendiculaire au fil AC ;
- $\vec{B}$ est perpendiculaire à OM.
- Le sens de $\vec{B}$ est donné par la règle de l'observateur d'Ampère ou par celle de la main droite. On peut aussi utiliser le tire-bouchon de Maxwell (*cf.* volume **I**, **F.[2][a]**).
- Les lignes de champ sont des cercles coaxiaux centrés sur le fil.

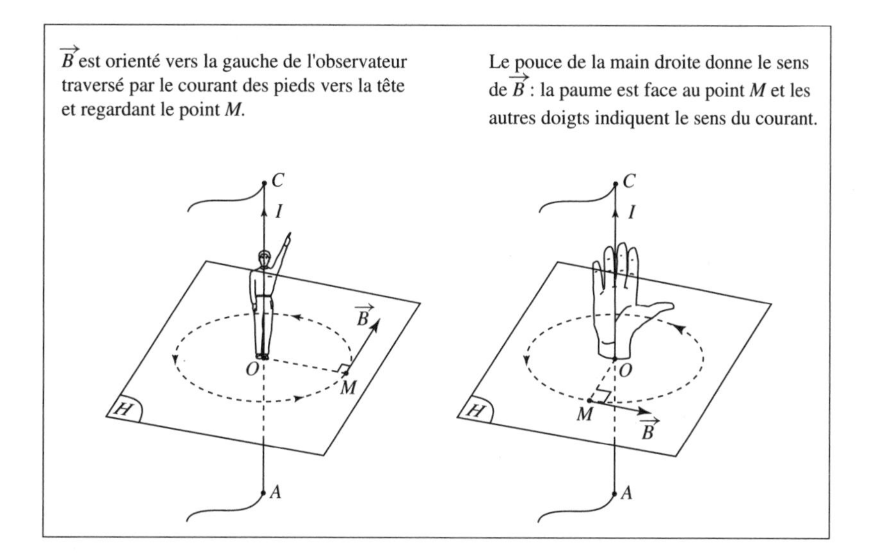

Enfin la valeur de B est donnée par la relation :

$$\boxed{B = \frac{\mu_0}{2\pi}\frac{I}{d}} \qquad (8, 2)$$

avec B exprimé en **tesla** (**T**), I en **ampère** (**A**) et d en **mètre** (**m**) ; μ_0 est une constante appelée *perméabilité du vide* : $\mu_0 = 4\pi.10^{-7}$ u.S.I.

[b] La spire circulaire

Au centre O de la spire de rayon a, $\vec{B}$ est perpendiculaire au plan de la spire, orienté vers la gauche de l'observateur d'Ampère regardant le point O. Sa valeur est donnée par la relation :

$$B = \frac{\mu_0}{2}\frac{I}{a}. \qquad (8, 3)$$

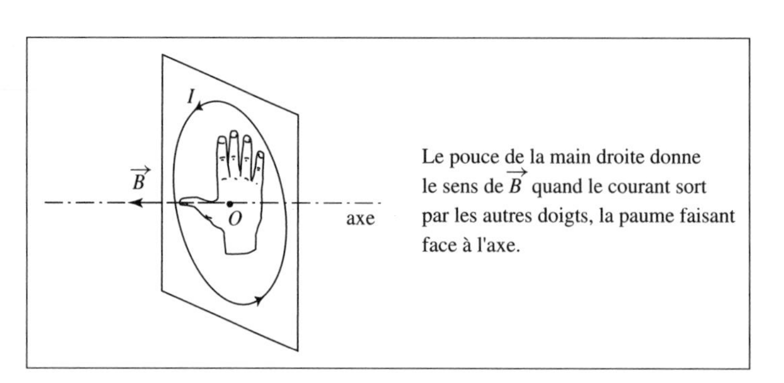

Le pouce de la main droite donne le sens de $\vec{B}$ quand le courant sort par les autres doigts, la paume faisant face à l'axe.

[c] Le solénoïde

Un solénoïde est une bobine cylindrique longue. Nous supposons la longueur du solénoïde grande devant son diamètre.

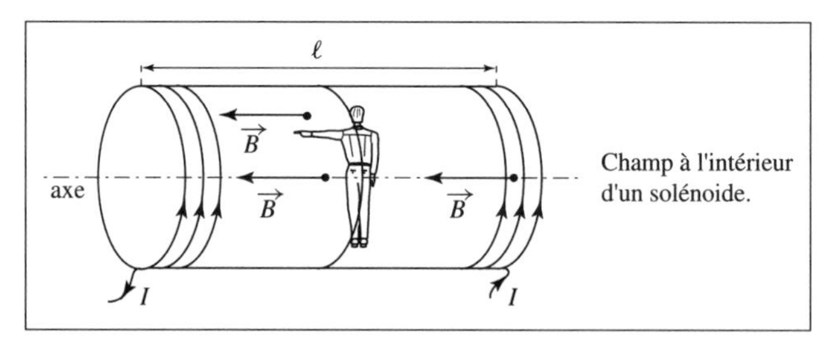

Champ à l'intérieur d'un solénoide.

On constate qu'à l'*intérieur* du solénoïde et loin des extrémités :

- le champ magnétique est uniforme et parallèle à l'axe de la bobine ;
- son sens est donné par l'observateur d'Ampère ;
- sa valeur est donnée par la relation :

$$B = \mu_0 \frac{N}{\ell} I \qquad (8, 4)$$

où N est le nombre total de spires, ℓ la longueur *de la bobine* et I l'intensité du courant. Le quotient $\frac{N}{\ell} = n$ représente le nombre de spires par mètre dans la direction de l'axe du solénoïde, de sorte que :

$$B = \mu_0 n I. \qquad (8, 5)$$

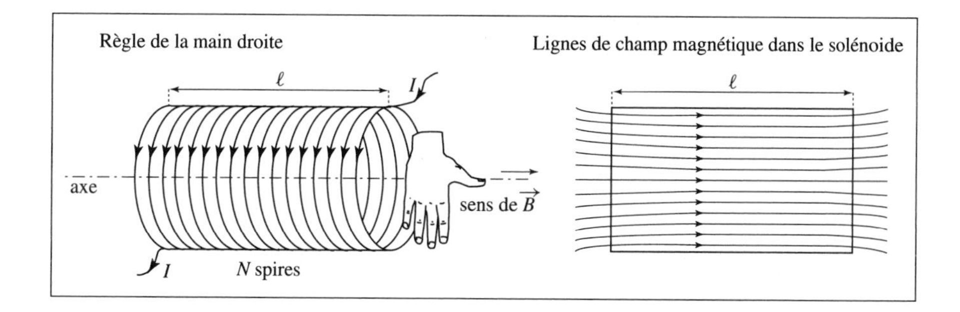

[4] Le champ magnétique terrestre

Nous avons vu qu'en tout point de la Terre il existe un champ magnétique. Considérons le vecteur champ magnétique terrestre $\overrightarrow{B_T}$ en un point A :

- $\overrightarrow{B_T}$ est contenu dans un plan vertical appelé *plan du méridien magnétique* ;
- $\overrightarrow{B_T}$ n'est pas horizontal : dans nos régions il est incliné vers la Terre d'un angle $\hat{I}$ appelé *inclinaison magnétique*.

On peut décomposer formellement $\overrightarrow{B_T}$ en une composante horizontale et une composante verticale :

$$\overrightarrow{B_T} = \overrightarrow{B_H} + \overrightarrow{B_V}.$$

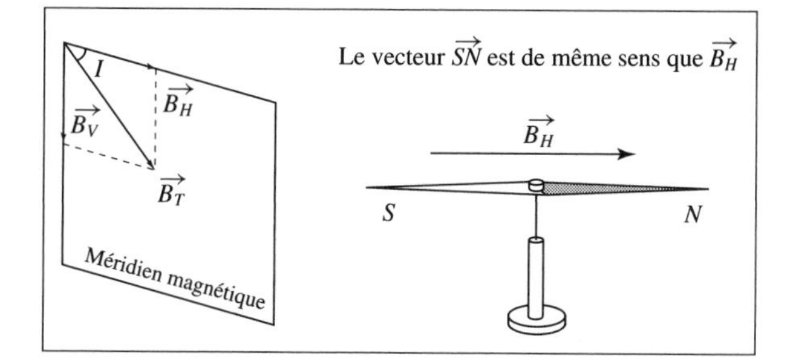

✗ **Une aiguille aimantée mobile autour d'un axe vertical s'oriente parallèlement à $\overrightarrow{B_H}$.**

[de l'essentiel à la pratique]

Mots-clés

champ magnétique

— créé par un courant

— terrestre

[1] [a] *Un solénoïde à spires jointives est fait avec un fil de cuivre de diamètre $d = 1$ mm. Sa longueur est $\ell = 400$ mm et il comporte cinq couches de fil superposées. Le diamètre moyen des spires est $D = 80$ mm. Sachant que la résistance R d'un fil de longueur L et de section S est donnée par la relation $R = \rho \frac{L}{S}$, où ρ est une constante caractéristique du métal appelée résistivité* *(voir p. 11)**, calculer la résistance du solénoïde. On donne la résistivité du cuivre : $\rho = 1{,}6.10^{-8}$ Ω.m.*

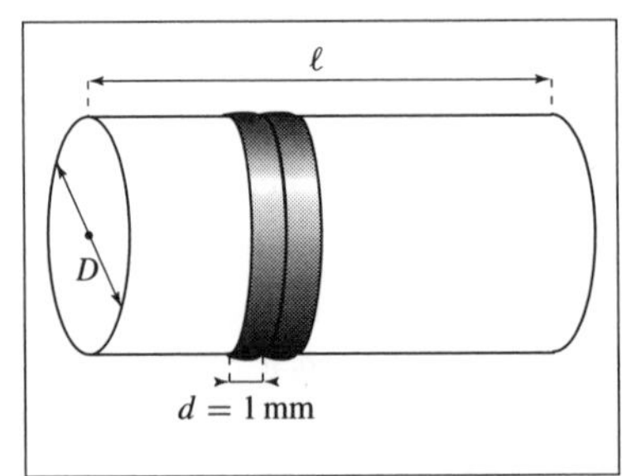

Puisque les spires sont jointives et le fil de diamètre 1 mm, il y a $N = 400$ spires par couche ($N = \ell/d = 400$) ; il y a 5 couches, donc au total $N = 5 \times 400 = 2\,000$ spires. La longueur d'une spire est $\pi D = 25{,}1.10^{-2}$ m et la longueur total du fil est $L = 25{,}1.10^{-2} \times 2\,000$ soit $L = 502$ m. La section du fil est $S = \frac{\pi d^2}{4} = 7{,}85.10^{-7}$ m² et la résistance $R = \rho \frac{L}{S} = 10{,}3$ Ω.

[b] *On monte le circuit de la figure.*

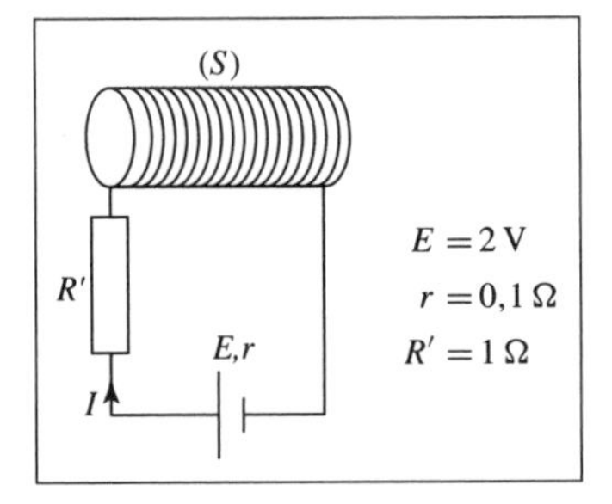

Calculer la valeur du champ magnétique uniforme à l'intérieur du solénoïde (S).

La loi de Pouillet (1,7) permet de calculer I :

$$I = \frac{E}{R + R' + r} = 175 \text{ mA},$$

d'où, d'après (8, 4) :

$$B = \mu_0 \frac{N}{\ell} I = 4\pi.10^{-7} \frac{2.10^3}{0{,}4} \times 0{,}175,$$

soit $B = 1{,}1$ mT.

[2] *Au centre d'un solénoïde comportant $n = 10^3$ spires.m^{-1} dont l'axe est perpendiculaire au plan du méridien magnétique, on place une petite aiguille aimantée mobile autour d'un axe vertical.*

[a] *Aucun courant ne passe dans le solénoïde. Faire une figure vue de dessus représentant le méridien magnétique, le solénoïde et l'aiguille aimantée.*

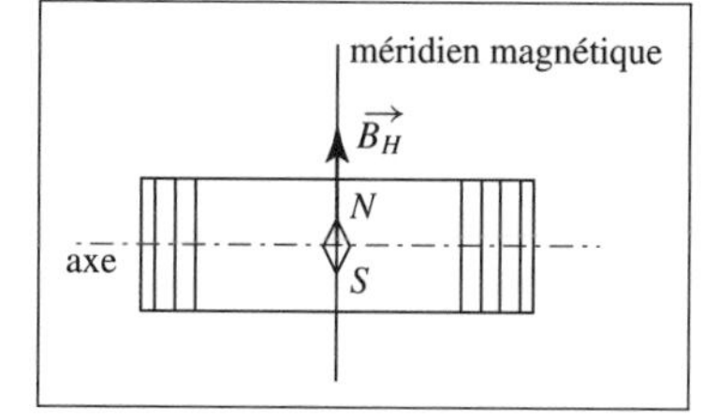

[b] *On fait passer dans le solénoïde un courant d'intensité I. On constate que l'aiguille aimantée dévie d'un angle $\alpha = 41{,}2°$. Faire une figure vue de dessus et calculer l'intensité du courant. On donne $B_H = 2.10^{-5}$ T.*

L'aiguille est maintenant soumise à la composante horizontale $\overrightarrow{B_H}$ du champ magnétique terrestre et au champ magnétique uniforme $\overrightarrow{B_S}$ crée l'intérieur du solénoïde par le courant. L'aiguille prend la direction du champ résultant $\overrightarrow{B} = \overrightarrow{B_H} + \overrightarrow{B_S}$.

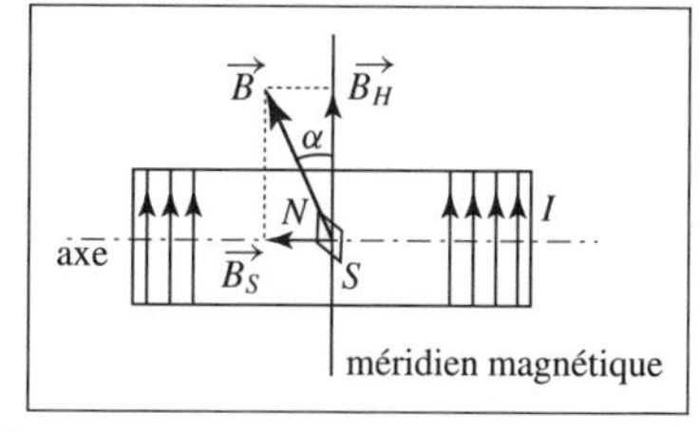

Or $B_S = \mu_0 n I$ et $\tan\alpha = \dfrac{B_S}{B_H}$, d'où :

$$\tan\alpha = \frac{\mu_0 n I}{B_H} \text{ et } I = \frac{B_H \tan\alpha}{\mu_0 n},$$

soit $I = 13{,}9$ mA.

[3] *Les deux conducteurs (C_1) et (C_2), rectilignes et parallèles sont parcourus par des courants de même intensité $I = 0{,}5$ A. On pose $O_1M = O_2M = d$ et on donne $O_1O_2 = 2d = 10$ cm.*

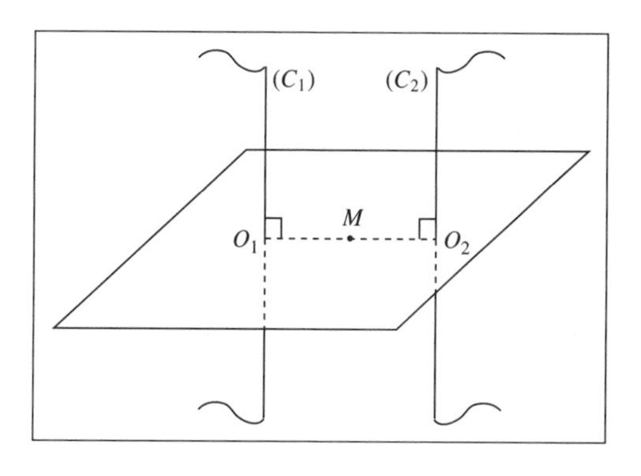

Déterminer le champ magnétique créé au point M lorsque les courants sont de mêmes sens ou de sens contraire.

Lorsque les deux courants sont de même sens, la règle de l'observateur d'Ampère montre que les deux vecteurs champ magnétique sont opposés. Comme leurs valeurs sont égales, le champ résultant est nul.

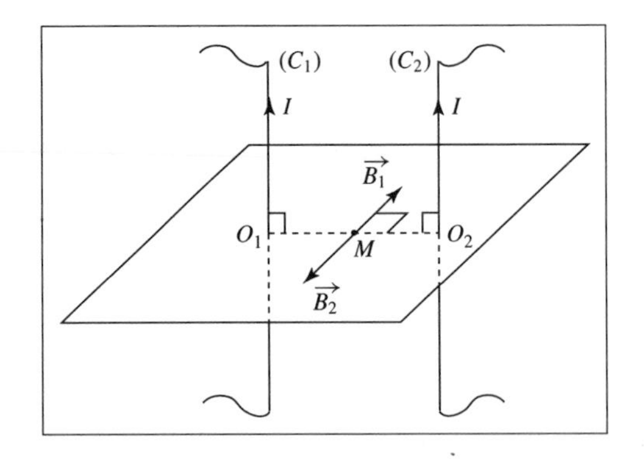

Lorsque les deux courants sont de sens contraires, $\overrightarrow{B_1}$ et $\overrightarrow{B_2}$ sont de même sens. Par ailleurs :

$$B_1 = B_2 = \frac{\mu_0}{2\pi}\frac{I}{d}$$
$$B = B_1 + B_2 = \frac{\mu_0}{\pi}\frac{I}{d},$$

soit $B = 4.10^{-6}$ T.

[4] *Une spire circulaire de rayon* $R = 5$ cm *est placée dans le plan du méridien magnétique. Une petite aiguille aimantée mobile autour d'un axe vertical est placée au centre de la spire.*

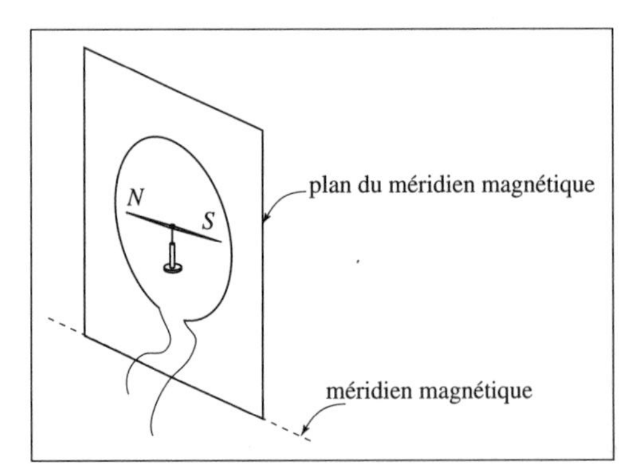

Lorsque l'on ferme le circuit la spire est parcourue par un courant d'intensité $I = 2$ A *et l'aiguille aimantée tourne d'un angle* α.

Faire une figure vue de dessus, représentant le méridien magnétique, la composante horizontale du champ magnétique terrestre $\overrightarrow{B_H}$, *le champ* $\overrightarrow{B_I}$ *créé par le courant, l'aiguille aimantée dans sa position d'équilibre. Calculer α. On donne* $B_H = 2.10^{-5}$ T.

$$\tan\alpha = \frac{B_I}{B_H} = \frac{\mu_0}{2}\frac{I}{RB_H},$$

soit $\tan\alpha = 1{,}26$ et $\alpha = 51{,}5°$.

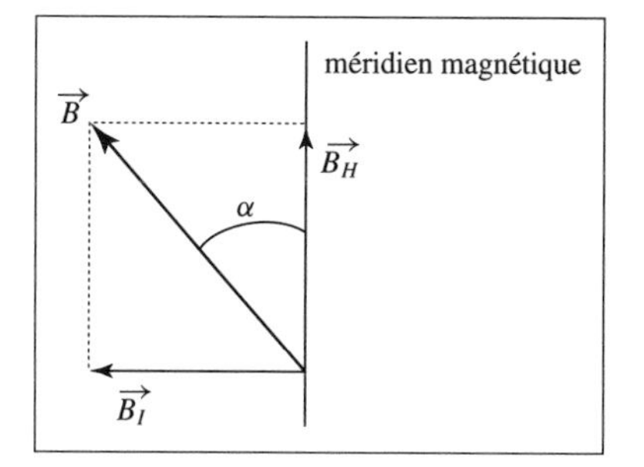

[exercices]

[1] Un fil rectiligne très long est parcouru par un courant d'intensité 20 A. Calculer la valeur du champ magnétique créé en un point situé à 2 cm du fil.

[2] **[a]** Une bobine plate de rayon $r = 10$ cm, comportant $N = 200$ spires est parcourue par un courant $I = 10$ A. Déterminer le champ magnétique créé au centre de la bobine.

[b] La bobine plate en circuit ouvert est maintenant placée dans le plan du méridien magnétique. Au centre de la bobine se trouve une petite aiguille aimantée mobile autour d'un axe vertical. On fait passer un courant d'intensité $I' = 0{,}1$ A dans la bobine. Calculer l'angle α de déviation de l'aiguille. La composante horizontale du champ magnétique terrestre est $B_H = 2.10^{-5}$ T.

[3] Les solénoïdes (S_1) et (S_2) sont identiques et équidistants du point O.

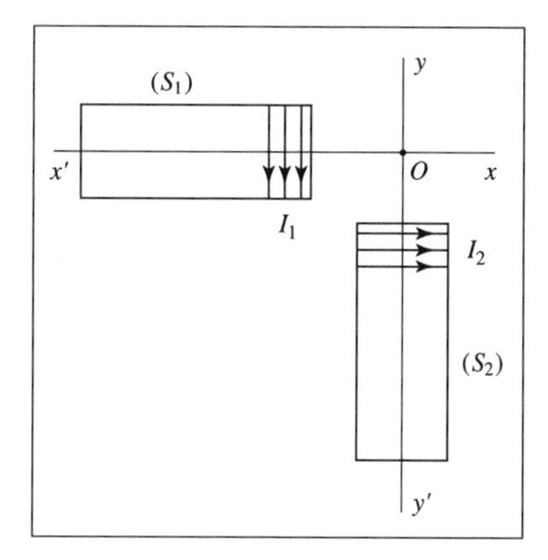

Leurs axes sont horizontaux et perpendiculaires entre eux. Au point O se trouve une petite aiguille aimantée mobile autour d'un axe vertical.

[a] Calculer l'angle α que fait l'aiguille avec l'axe $x'x$ lorsque les solénoïdes sont parcourus par des courants d'intensités $I_1 = 1$ A et $I_2 = 2$ A. Le champ magnétique terrestre est négligeable.

[b] On inverse le sens du courant I_2. De quel angle β tourne l'aiguille à partir de sa position précédente ?

[4] On dispose une bobine plate parallèlement au plan méridien magnétique. Au centre C de cette bobine une petite aiguille aimantée mobile autour d'un axe vertical se déplace devant un cadran horizontal gradué en degrés.

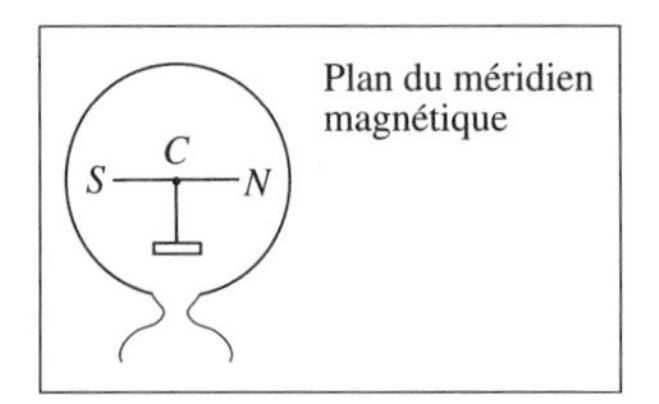

En l'absence de courant dans le circuit l'aiguille se trouve dans le plan du méridien magnétique en face de la graduation zéro. Lorsque le circuit est parcouru par un courant, il crée en son centre C un champ magnétique $\overrightarrow{B}$, perpendiculaire au plan du circuit et d'intensité B ; on observe alors une rotation de l'aiguille, qui s'immobilise devant la graduation α.

[a] Représenter les vecteurs caractérisant les champs magnétiques qui agissent sur l'aiguille (préciser le sens du courant dans la bobine, le plan de figure choisi). Indiquer sur ce schéma l'orientation de l'aiguille. Exprimer la tangente de l'angle α en fonction de B et de l'intensité B_H de la composante horizontale du champ magnétique terrestre.

[b] On fait varier l'intensité I du courant dans le circuit et on mesure α. Les résultats sont donnés dans le tableau :

I (A)	2	1,6	1,2	0,8	0,4
α (°)	70	65	58	47	28

[i] Sur papier millimétré, tracer la courbe représentant les variations de $\tan \alpha$ en fonction de l'intensité I. On prendra comme échelle 1 cm pour 0,4 A en abscisses ; 1 cm pour $\tan \alpha = 0{,}4$ en ordonnées.

[ii] En déduire la loi qui, au point C, lie B et I. Cette loi est-elle généralisable à tout autre point que C ?

[c] La bobine plate, de très faible épaisseur, est constituée de $N = 5$ spires de même rayon $R = 0{,}12$ m. Sachant que l'intensité B du champ magnétique créé par une spire circulaire en son centre C est donnée par la relation $B = \mu_0 \dfrac{I}{2R}$, déterminer la valeur de B_H.

[5] Un petit aimant rectiligne, NS, suspendu par un fil sans torsion, est placé au centre A d'un long solénoïde de cuivre dont l'axe est perpendiculaire au plan du méridien magnétique en A.

[a] Le petit aimant ayant pris sa position d'équilibre, on établit dans le solénoïde un courant d'intensité $I = 0,1$ mA. Calculer de quel angle α, exprimé en radians, l'aimant NS doit tourner pour atteindre sa nouvelle position d'équilibre, sachant que le solénoïde comporte 400 spires réparties sur une longueur de 10 cm et que la composante horizontale du champ magnétique terrestre est $B_0 = 2.10^{-5}$ T au point considéré.

[b] L'aimant NS entraîne dans son mouvement un petit miroir formant l'image nette d'une fente lumineuse sur une règle graduée située à 100 cm du miroir. Quel est le déplacement de cette image produit par le passage du courant précédent dans le solénoïde ?

[c] On admet que l'on peut observer tout déplacement de l'image supérieur à 0,25 mm. Quelle est la valeur minimale de l'intensité du courant que l'on peut ainsi déceler ?

[d] La résistance du solénoïde est 50 Ω. Quel déplacement observera-t-on si l'on établit une différence de potentiel de 0,01 V aux bornes du solénoïde ?

[6] Calculer le champ magnétique en un point O équidistant de trois fils rectilignes parallèles équidistants parcourus par des courants de même sens et de même intensité.

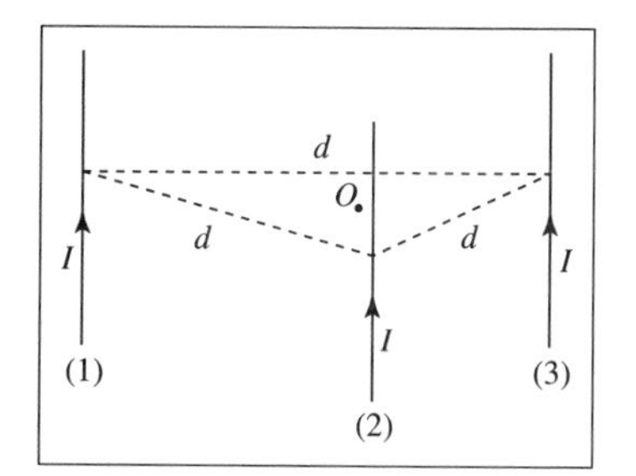

[réponses]

[1] $B = 2.10^{-4}\,\mathrm{T}$.

[2] **[a]** $B = \dfrac{\mu_0}{2}\dfrac{NI}{r} = 12{,}6\,\mathrm{mT}$. **[b]** $\alpha = 81°$.

[3] **[a]** En O les champs des deux solénoïdes sont $B_1 = kI_1$ et $B_2 = kI_2$: k est le même pour les deux solénoïdes car ils sont identiques et équidistants de O. On trouve $\tan\alpha = B_2/B_1 = I_2/I_1$ et $\alpha = 63°$. **[b]** $\beta = 2\alpha$.

[4] **[a]** $\tan\alpha = B/B_H$. **[b]** B est proportionnel à I en tout point.

[c] $B_H = \mu_0 NI/2R\tan\alpha = 1{,}95.10^{-5}\,\mathrm{T}$.

[5] **[a]** $\alpha = 2{,}5.10^{-2}\,\mathrm{rad}$. **[b]** $x = d\tan 2\alpha = 5{,}0\,\mathrm{cm}$. **[c]** $I_{\min} = 0{,}5\,\mu\mathrm{A}$.

[d] $x' = \dfrac{xU}{RI}$ soit $x' = 10{,}0\,\mathrm{cm}$.

[6] $B = 0$: les champs créés par les courants ont la même valeur et font entre eux des angles de 120 °.

LA LOI DE LAPLACE

CHAPITRE 9

[l'essentiel]

[1] Étude expérimentale

(T) et (T') sont deux conducteurs rigides, horizontaux et parallèles. La barre conductrice cylindrique CD posée perpendiculairement à (T) et (T') est soumise au champ magnétique uniforme vertical créé par l'aimant en U. Lorsqu'on fait passer un courant dans le sens de la figure, CD roule vers la gauche. La barre CD est donc soumise à une force :

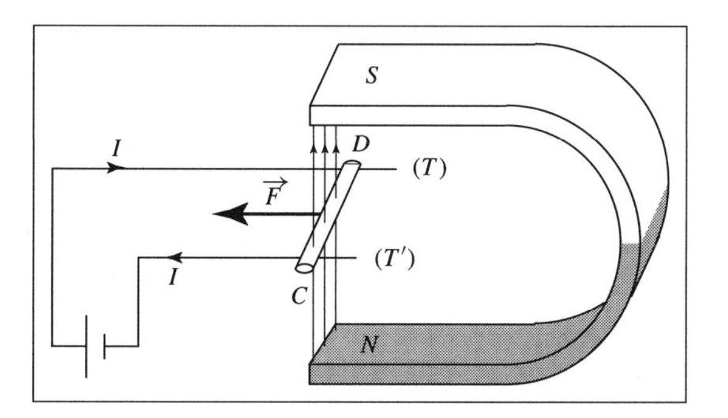

Un conducteur placé dans un champ magnétique et traversé par un courant subit une force électromagnétique appelée **force de Laplace**.

[2] Caractéristiques de la force de Laplace

Soit un conducteur CD de longueur ℓ parcouru par un courant d'intensité I et entièrement plongé dans le champ magnétique uniforme représenté par le vecteur $\overrightarrow{B}$ faisant un angle θ

avec CD. Le conducteur CD est alors soumis à la force $\vec{F}$ dont les caractéristiques sont les suivantes.

- *Point d'application* : au milieu M de CD.
- *Direction* : perpendiculaire à $\vec{B}$ et à CD.
- *Sens* : il est donné par la règle de la main droite.
- *Valeur* :

$$\boxed{F = I\ell B \sin\theta} \qquad (9, 1)$$

avec F en **newton** (**N**), I en **ampère** (**A**), ℓ en **mètre** (**m**) et B en **tesla** (**T**).

Toutes ces propriétés sont résumées par l'expression[1] :

$$\boxed{\vec{F} = I\vec{\ell} \wedge \vec{B}} \qquad (9, 2)$$

où $\vec{\ell} = \overrightarrow{CD}$ a même sens que I.

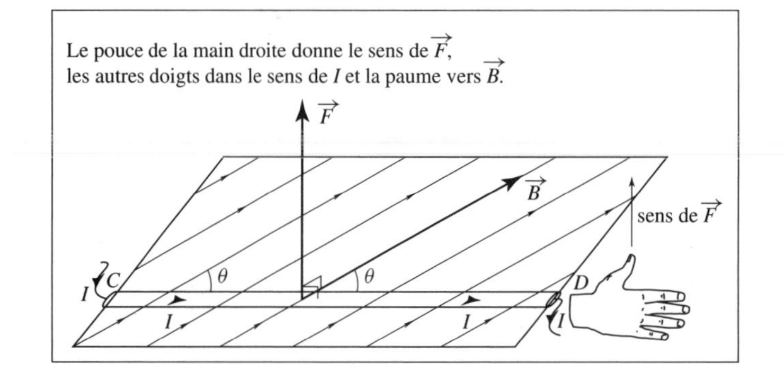

[3] Une convention très utile

On imagine le vecteur $\vec{B}$ matérialisé par une grosse flèche du type de celle représentée sur le schéma. Lorsque $\vec{B}$ est *perpendiculaire au plan de figure*, il est commode de représenter la partie « visible » de la flèche (pointe ou queue) pour indiquer le sens de $\vec{B}$.

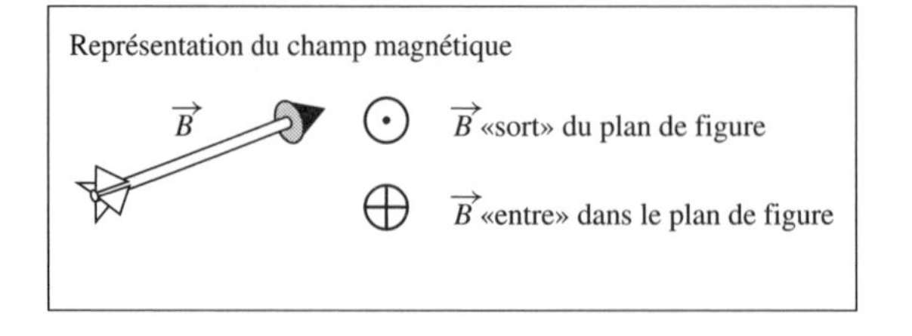

1 Voir la définition du produit vectoriel en **F.2**, volume **1**.

[1] *La barre conductrice homogène OA est mobile autour d'un axe O perpendiculaire au plan de la figure. Les fils de connexion très fins ne gênent pas le mouvement de la barre. La portion GD de la barre est plongée dans l'entrefer d'un électroaimant de hauteur a où règne un champ électromagnétique uniforme $\vec{B}$ perpendiculaire au plan de la figure, orienté vers ce plan, représenté par le symbole ⊗.*

Mot-clé

force de Laplace

On fait passer un courant d'intensité $I = 2{,}5$ A de A vers O. On constate que la barre tourne d'un angle α autour de l'axe O et prend une nouvelle position d'équilibre.

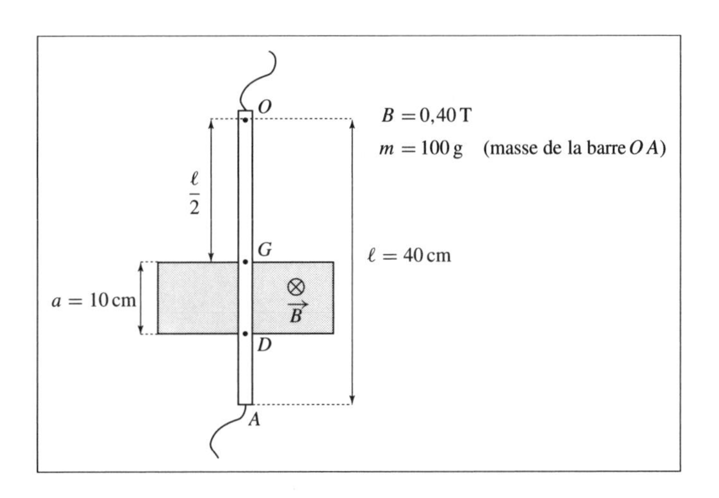

[a] *Calculer le rapport entre la force électromagnétique F et le poids P de la barre, à l'instant où l'on ferme le circuit. Est-il raisonnable de supposer que la barre tournera d'un angle α très faible sous l'effet de la force magnétique ?*

L'intensité (9,1) de la force magnétique s'écrit ici $F = IaB$ car $\vec{B}$ est perpendiculaire à la barre ($\sin\theta = 1$) et donc :

$$\frac{F}{P} = \frac{IaB}{mg} = \frac{2{,}5 \times 0{,}10 \times 0{,}40}{0{,}100 \times 9{,}8} \simeq 0{,}1.$$

Le poids étant dix fois plus important que la force magnétique, on peut supposer que α sera petit et que la longueur de la barre soumise au champ magnétique reste égale à a.

[b] *Faire l'inventaire des forces auxquelles la barre OA est soumise. La représenter dans sa position d'équilibre lorsqu'elle a tourné d'un angle α autour de O. On négligera la variation de la longueur de barre soumise au champ magnétique lorsque celle-ci a tourné.*

Il y a trois forces : le poids de la barre $\vec{P} = m\vec{g}$; la réaction $\vec{R}$ de l'axe O ; la force de Laplace $\vec{F}$ appliquée au milieu C de GD.

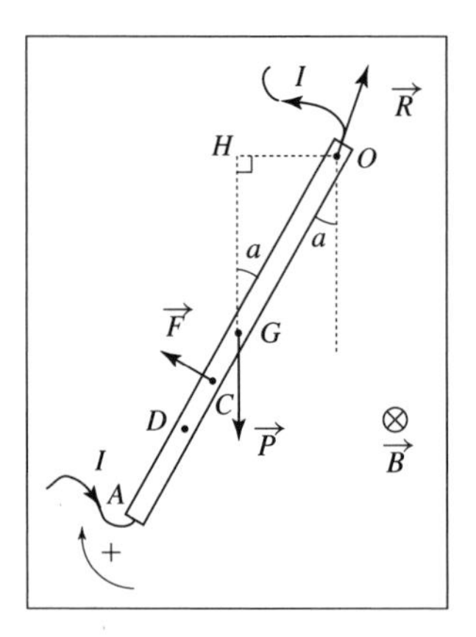

[c] *Écrire la condition d'équilibre de la barre mobile autour d'un axe O et calculer α quand $I = 2{,}5\,\text{A}$.*

À l'équilibre, la somme algébrique des moments des forces appliquées doit être nulle (voir volume **1**,**6**.**[2]**). Calculons les moments des trois forces :

- $\mathcal{M}_O(\vec{R}) = O$ car $\vec{R}$ passe par l'axe O.
- $\mathcal{M}_O(\vec{F}) = F\left(\frac{\ell}{2} + \frac{a}{2}\right)$ est positif car $\vec{F}$ fait tourner la barre dans le sens positif (remarquer que $\vec{F}$ reste perpendiculaire à OA).
- $\mathcal{M}_O(\vec{P}) = -P \cdot OH = -mg\frac{\ell}{2}\sin\alpha$.

La condition d'équilibre s'écrit :

$$F\left(\frac{\ell + a}{2}\right) - mg\frac{\ell}{2}\sin\alpha = 0$$

et finalement, compte tenu de $F = IaB$:

$$\sin\alpha = \frac{IaB(\ell + a)}{mg\ell},$$

soit $\sin\alpha = 0{,}13$ et $\alpha = 7{,}3°$.

[2] *(T) et (T') sont deux rails conducteurs parallèles distants de ℓ inclinés d'un angle α par rapport à l'horizontale. La barre cylindrique conductrice CD peut glisser sans frottements sur ces rails. Tout le système est plongé dans un champ magnétique vertical $\vec{B}$.*

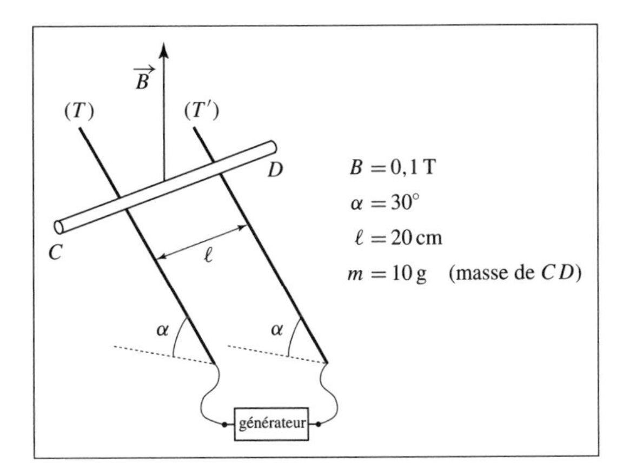

Quel doit être le sens du courant pour que l'équilibre de CD soit possible ? Dans ce cas, calculer l'intensité I du courant pour que la barre CD soit en équilibre.

Pour que l'équilibre soit possible, la force de Laplace $\vec{F}$ doit être orientée vers la gauche sur la figure. La règle de l'observateur d'Ampère montre que le sens du courant est de D vers C. La barre CD est soumises à trois forces : la force de Laplace $\vec{F}$, dont la valeur $F = I\ell B$ est donnée par (9,1) avec $\sin\theta = 1$, son poids $\vec{P} = m\vec{g}$, la réaction des rails $\vec{R}$ (normale au rails en l'absence de frottements).

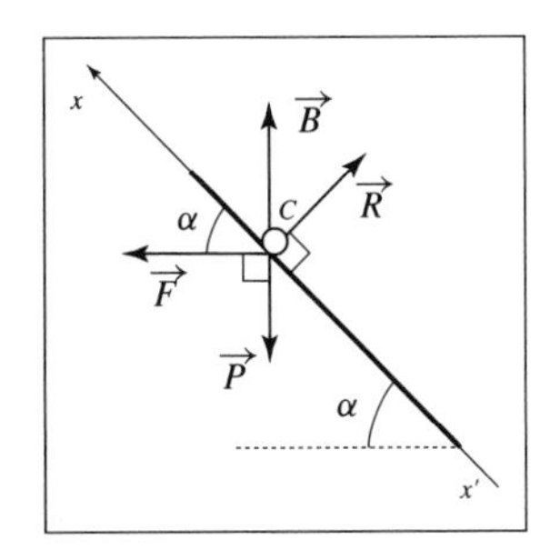

La condition d'équilibre $\vec{F} + m\vec{g} + \vec{R} = \vec{0}$ s'écrit en projection sur l'axe $x'x$:

$$I\ell B\cos\alpha - mg\sin\alpha = 0,$$

d'où :

$$I = \frac{mg}{\ell B}\tan\alpha,$$

soit $I = 2{,}8\,\mathrm{A}$.

[3] *Le cadre $ACDE$ comporte $N = 100$ spires. Il est suspendu à un dynamomètre et partiellement plongé dans un champ magnétique uniforme $\vec{B}$ perpendiculaire au plan de la figure.*

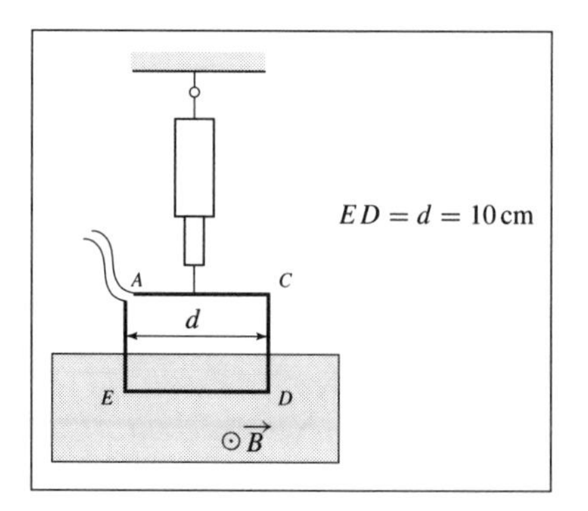

[a] *Quel doit être le sens du courant dans le cadre pour que la force de Laplace s'exerçant sur ED soit orientée vers le bas ?*

Le courant doit circuler de E vers D.

[b] *Lorsqu'on fait passer un courant d'intensité $I = 2\,\text{A}$ de E vers D l'indication du dynamomètre augmente de $1\,\text{N}$. Calculer la valeur du champ magnétique.*

La force de Laplace s'exerçant sur les N brins ED a la valeur $F = 1\,\text{N}$. Par ailleurs $F = NIdB$ d'après (9,1), car l'angle θ entre $\overrightarrow{B}$ et ED vaut $90°$.

$$B = \frac{F}{NId},$$

soit $B = 5.10^{-2}\,\text{T}$.

Les forces de Lalplace s'exerçant sur les parties verticales du cadre qui sont parcourues par des courants de sens contraires, sont sans effet sur l'équilibre : leur somme est nulle.

[4] *La roue de Barlow est une roue métallique mobile autour de l'axe O dont l'extrémité inférieure trempe dans une cuve à mercure et dont la moitié inférieure est plongé dans un champ magnétique uniforme $\overrightarrow{B}$ perpendiculaire au plan de la figure.*

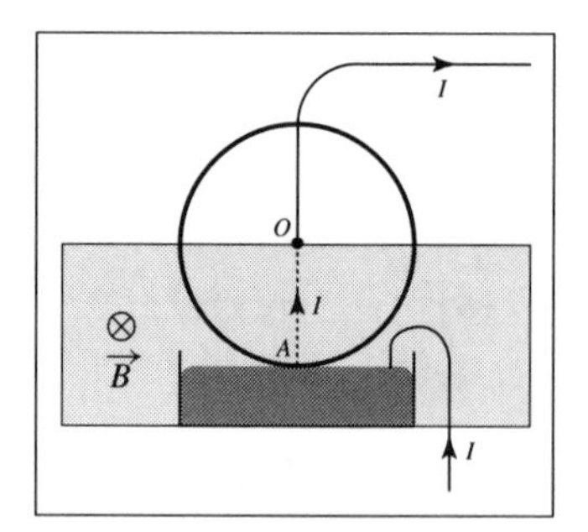

[a] *Dans quel sens tourne la roue lorsque le courant a le sens indiqué sur la figure, en supposant que le courant circule le long du rayon AO ?*

La force de Laplace est appliquée au point M, milieu de OA. Son sens est donné par la règle de l'observateur d'Ampère : la roue tourne dans le sens d'horloge.

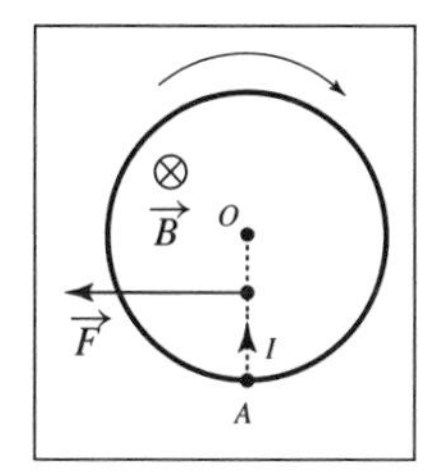

[b] *La fréquence de rotation de la roue est $N = 120\,\text{tours.min}^{-1}$. Calculer la puissance de la force de Laplace. On donne $OA = a = 10\,\text{cm}$; $B = 0{,}02\,\text{T}$; $I = 5\,\text{A}$.*

La puissance d'une force appliquée à un solide en rotation est donnée par (*cf.* volume **1**, (6,8)) :

$$P = \mathcal{M}_O(\overrightarrow{F})\omega.$$

$F = IaB$ et son moment par rapport à l'axe est :

$$\mathcal{M}_O(\overrightarrow{F}) = F\frac{a}{2}.$$

La vitesse angulaire est $\omega = 2\pi N$; d'où :

$$P = (IaB)\frac{a}{2}(2\pi N)$$
$$P = \pi I a^2 B N$$

d'où $P = \pi \times 5 \times (0{,}1)^2 \times 0{,}02 \times 2$, soit $P = 6{,}28\,\text{mW}$.

On peut procéder d'une autre manière. La force de Laplace décrit N cercle de rayon $\frac{a}{2}$ (et donc de périmètre πa) *par seconde*. Son déplacement *par seconde*, c'est-à-dire sa vitesse linéaire, est donc $v = \pi a N$ et son travail *par seconde*, c'est-à-dire sa puissance, est :

$$P = Fv = (IaB)(\pi a N)$$
$$P = N\pi I a^2 B.$$

[exercices]

[1] On utilise le dispositif représenté sur la figure. Une tige conductrice homogène de longueur $NM = D = 0{,}20\,\text{m}$ peut pivoter autour du point N, tout en restant dans un plan normal au champ magnétique produit horizontalement entre les branches de l'aimant, et s'incliner d'un angle θ par rapport à la verticale quand un courant d'intensité I le traverse. La surface libre du mercure, qui assure la continuité du circuit électrique, se trouve à la distance verticale $NM' = d$ de N. On admettra qu'une portion ℓ de la tige, centrée sur O, telle que $NO = 2D/3$, est soumise au champ magnétique $\overrightarrow{B}$ créé par l'aimant, perpendiculaire à la tige, quelle que soit son inclinaison.

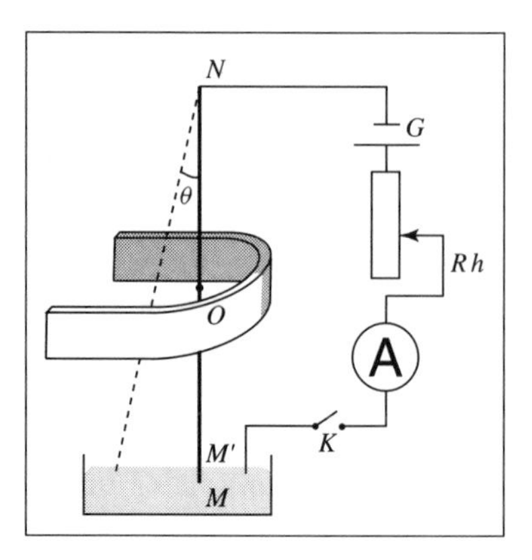

[a] Quelles forces s'exercent à l'équilibre sur le conducteur NM parcouru par un courant I ? La poussée du mercure sur la tige pourra être négligée (faire un schéma soigné).

[b] Déterminer l'angle θ dont a tourné la tige NM, dans les conditions suivantes : $I = 10\,\text{A}$; $B = 0{,}07\,\text{T}$; $\ell = 4\,\text{cm}$; sa masse par unité de longueur est $0{,}112\,\text{kg.m}^{-1}$. On prendra $g = 10\,\text{m.s}^{-2}$.

[c] Sachant que $NM' = d = 19{,}4\,\text{cm}$, quelle est la plus grande valeur θ_1 que peut prendre l'angle d'inclinaison de la barre, le circuit restant fermé. En déduire la valeur de l'intensité I_1 qui permet d'obtenir une telle déviation, les autres conditions étant celles de la question **[b]**.

[2] On néglige l'influence du champ magnétique terrestre. Un solénoïde, considéré comme infiniment long, d'axe $x'x$ horizontal, comportant n spires par unité de longueur, est traversé par un courant continu d'intensité I dans le sens indiqué sur la figure.

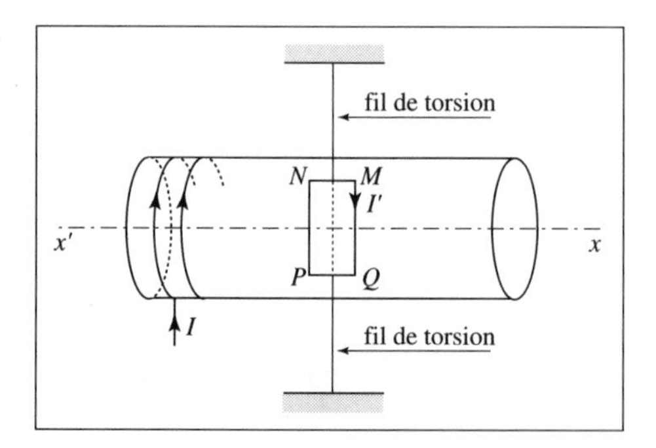

[a] Donner les caractéristiques du champ magnétique dans le solénoïde. Pour l'application numérique, on donne $n = 200$ spires par mètre ; $I = 2{,}0\,\text{A}$.

[b] On place au centre du solénoïde un petit cadre rectangulaire indéformable $MNPQ$, plat, formé de N spires identiques. Ce cadre peut tourner autour d'un axe vertical (Δ), parallèle à MQ et passant par le centre du cadre, et il est maintenu dans un plan vertical à l'aide d'un fil de torsion de constante de torsion C. Lorsque le cadre n'est traversé par aucun courant, son plan contient l'axe $x'x$, les fils ne sont pas tordus dans cette position.

[i] On fait passer dans le cadre un courant continu d'intensité I' dans le sens $MQPN$. Le cadre tourne d'un angle θ. Préciser le sens de la rotation (faire un schéma en vue de dessus en représentant les forces électromagnétiques et le champ $\overrightarrow{B}$).

[ii] Donner les expressions du moment $\Gamma(\Delta)$ des forces électromagnétiques et du moment $\mathcal{M}(\Delta)$ du couple de torsion des deux fils par rapport à (Δ).

[iii] Déterminer la valeur θ_e de l'angle de torsion lorsque le cadre est en équilibre. On admettra que θ_e n'est pas grand ; on posera alors $\cos\theta \simeq 1$.

On donne $I' = 1{,}15.10^{-3}\,\text{A}$; $MN = a = 1\,\text{cm}$; $MQ = b = 2\,\text{cm}$; $N = 50$; $C = 2.10^{-8}\,\text{N.m.rad}^{-1}$.

[3] Un cadre rectangulaire horizontal formé de N spires ayant chacune une surface S est fixé à l'extrémité du fléau rectiligne d'une balance, mobile autour d'un axe O fixe et horizontal. L'autre extrémité A du fléau supporte un plateau. Le cadre est placé dans un champ magnétique uniforme de vecteur champ $\overrightarrow{B}$ horizontal, parallèle au fléau dont le sens est indiqué sur la figure. En l'absence de courant dans le cadre, le fléau est donc horizontal. On néglige l'action du champ magnétique terrestre. Un courant électrique continu d'intensité I parcours le cadre.

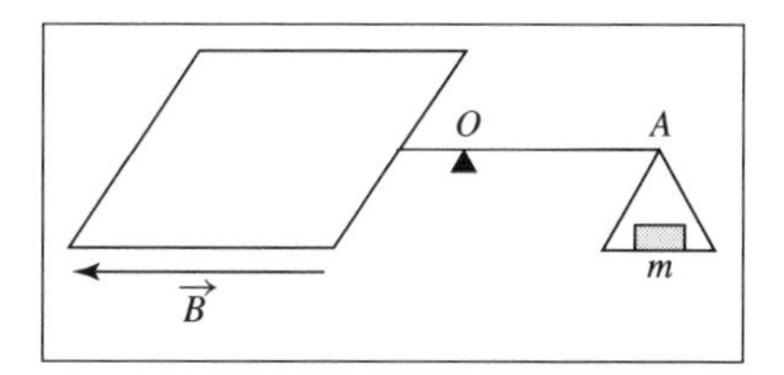

[a] Indiquer sur un schéma le sens que doit avoir le courant pour que le cadre soit entraîné vers le bas.

[b] Sachant que le fléau de la balance est ramené à sa position initiale grâce à une masse m placée dans le plateau, calculer l'intensité I.

On donne $N = 20$ spires ; $OA = d = 10{,}0\,\text{cm}$; $S = 100\,\text{cm}^2$; $g = 9{,}81\,\text{m.s}^{-2}$; $m = 1{,}28\,\text{g}$; $B = 4.10^{-3}\,\text{T}$.

[4] Dans cet exercice, on néglige le champ magnétique terrestre. Deux rails isolants parallèles AA' et CC', distant de $\ell = 8\,\text{cm}$, sont incliné d'un angle $\alpha = 30°$ par rapport au plan horizontal. Partant de la position M_0N_0, une tige conductrice T, de masse $m = 10\,\text{g}$, parcourue par un courant d'intensité constante $I = 10\,\text{A}$, peut glisser sans frottement sur les rails en leur restant perpendiculaire (les fils souples d'alimentation de la tige ne gênent pas le mouvement et ne sont pas représentés). Un champ magnétique uniforme $\overrightarrow{B}$, vertical ascendant, d'intensité $B = 0{,}1\,\text{T}$, règne uniquement dans la région hachurée limitée par le contour $M_0N_0C'A'$. Les rails sont assez longs pour que T n'atteigne jamais leurs extrémités. On lance T vers le bas avec une vitesse $v_0 = 1\,\text{m.s}^{-1}$, $\overrightarrow{v_0}$ étant dans le plan des rails et parallèles à ces derniers. Le phénomène d'induction peut être négligé.

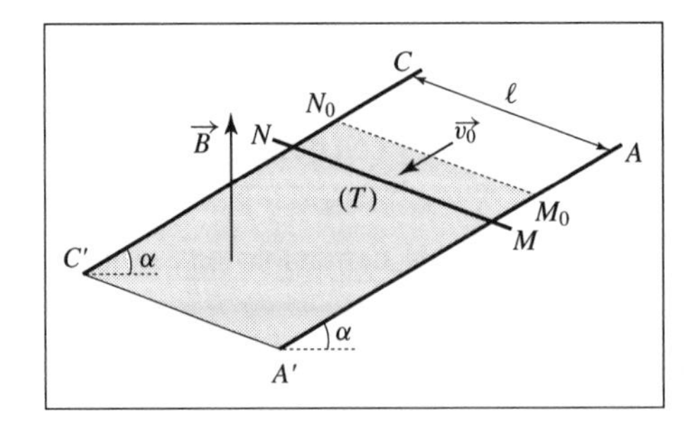

[a] Indiquer, en le justifiant, le sens que doit avoir le courant dansla tige pour que celle-ci soit freinée dans son mouvement descendant. Le sens du courant ne change pas dans la suite de l'exercice.

[b] Quelle distance d va parcourir la tige avant de s'arrêter dans son mouvement descendant ?

[c] Montrer que le mouvement ultérieur de la tige est périodique. On prendra $g = 9{,}8\,\text{m.s}^{-2}$.

[5] Deux barres conductrices rigides (M) et (N) toujours horizontales sont suspendues à deux points fixes O et O' par deux fils souples isolants de longueurs $\ell = 5\,\text{cm}$. Les extrémités M_1 et N_1 des barres sont reliées aux bornes d'un générateur, à l'aide de fils conducteurs souples de résistance négligeable. Les extrémités M_2 et N_2 sont reliées entre elles à l'aide d'un fil conducteur souple. On admettra qu'après un régime transitoire les deux barres (M) et (N) sont écartées tout en demeurant parallèles et qu'un courant continu d'intensité I les parcourt. La longueur L des barres est suffisamment grande pour que les deux barres soient assimilées à des fils conducteurs de longueur infinie. Les interactions électromagnétiques entre fils de connexion sont négligeables.

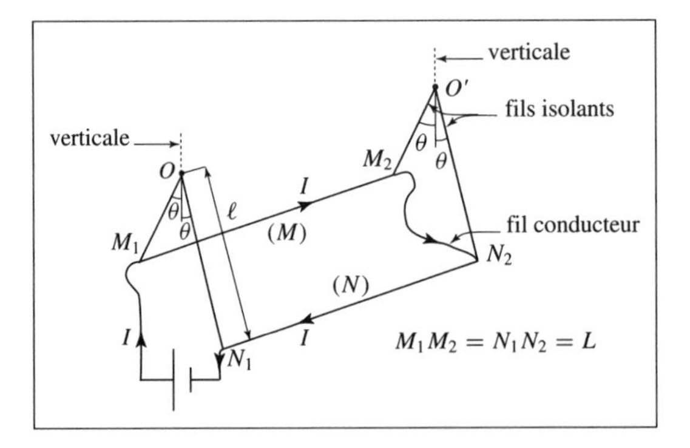

[a] Donner la direction et le sens du vecteur champ magnétique $\vec{B}$ créé par la barre (M) en un point quelconque de la barre (N).

[b] Caractériser la force électromagnétique exercée par la barre (M) sur la barre (N) : sa direction, son sens, son intensité.

[c] En considérant, dans la position d'équilibre des barres, uniquement la force électromagnétique entre les barres, le poids des barres et la tension des fils isolants de suspension,

exprimer l'intensité I du courant en fonction de m, g, ℓ et de l'angle θ entre la verticale et chacune des deux barres. On notera m la masse par unité de longueur des barres.
On donne $\theta = 5°$; $m = 7.10^{-2}$ kg.m^{-1}. On prendra $g = 9{,}8$ m.s^{-2}.

[réponses]

[1] **[b]** $\sin\theta = \dfrac{4}{3}\dfrac{I\ell B}{mg}$, d'où $\theta = 9{,}6°$. **[c]** $\theta_1 = 14{,}1°$; $I_1 = 14{,}6$ A.

[2] **[a]** $B = 5.10^{-4}$ T. **[b]** Rotation dans le sens inverse d'horloge, en vue de dessus : $\Gamma = NIBab\cos\theta$; $\mathcal{M} = -C\theta$; $\theta_e \simeq \dfrac{C}{NI'abB}$ en radian ; $\theta_e \simeq 17°$.

[3] **[b]** $I = 1{,}57$ A. Écrire que la somme des moments des forces de Laplace et du poids est nulle.

[4] **[b]** Utiliser le théorème de l'énergie cinétique : $mgd\sin\alpha - I\ell B\cos\alpha = -\dfrac{1}{2}mv_0^2$. On trouve $d = 0{,}247$ m.

[5] **[b]** $F = \mu_0 L I^2/2\pi a$. **[c]** $T = 51{,}1$ A.

FORCE MAGNÉTIQUE EXERCÉE SUR UNE PARTICULE CHARGÉE

CHAPITRE 10

[l'essentiel]

[1] La force de Lorentz

En présence d'un champ magnétique $\overrightarrow{B}$, un particule de charge q subit une force magnétique $\overrightarrow{F}$, appelée aussi *force de Lorentz*, donnée par le *produit vectoriel* (voir volume **I**, **F.[2]**) :

$$\boxed{\overrightarrow{F} = q\vec{v} \wedge \overrightarrow{B}.} \qquad (10, 1)$$

En particulier :

✘ **Il n'y a pas de force magnétique exercée sur une particule lorsqu'elle est immobile ou lorsqu'elle se déplace dans la direction du champ.**

✘ **La force magnétique est perpendiculaire à la fois à la direction du mouvement[1] et à la direction du champ $\overrightarrow{B}$.**

Considérons une particule de charge q se déplaçant à la vitesse $\vec{v}$ dans un champ magnétique uniforme $\overrightarrow{B}$ faisant un angle θ avec $\overrightarrow{B}$. On notera que $q\vec{v}$ et $\vec{v}$ sont de même sens ou de sens

1 C'est-à-dire à la trajectoire.

opposés selon que $q > 0$ (**figure [a]**) ou $q < 0$ (**figure [b]**).

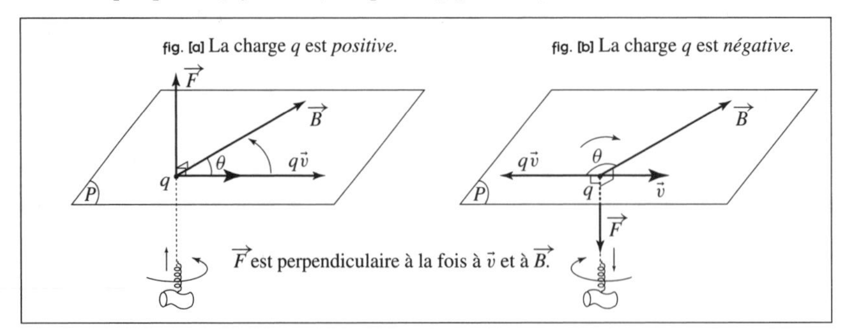

- *Direction* : $\vec{F}$ est perpendiculaire au plan (P) contenant $q\vec{v}$ et $\vec{B}$.
- *Sens* : il est donné par exemple par la *règle du tire bouchon* (voir volume **I**, **F.[2].[a]**).
- *Intensité* : si α est l'angle entre $\vec{v}$ et $\vec{B}$ dans l'intervalle $[0, \pi]$:

$$\boxed{F = |q|vB\sin\theta.} \tag{10, 2}$$

✗ Tout mouvement sous l'action de la force magnétique seule est uniforme.

En effet, le théorème de l'énergie cinétique (voir volume **I**, **8.[2]**) montre que la variation de l'énergie cinétique de la particule entre deux instants quelconques est nulle puisque $\vec{F}$, constamment perpendiculaire au déplacement, ne travaille pas.

[de l'essentiel à la pratique]

Mots-clés

- force de Lorentz
- spectrographe de masse
- filtre de vitesse
- cyclotron

[1] *Mouvement d'une particule chargée sous l'action d'un champ magnétique uniforme dans le cas où la vitesse initiale $\vec{v_0}$ est perpendiculaire à $\vec{B}$.*

On suppose pour fixer les idées que la particule est un électron de charge q ($q < 0$) pénétrant en O dans la région où règne le champ magnétique $\vec{B}$, et l'on choisit un repère xOy de sorte que $\vec{B}$ et $\vec{v_0}$ soient portés par Oz et Ox.

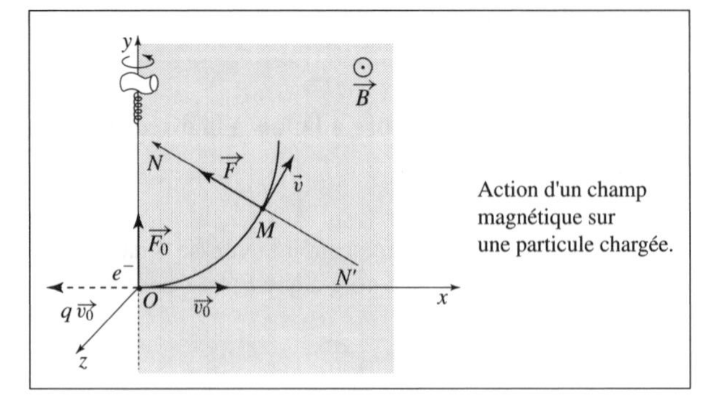

Action d'un champ magnétique sur une particule chargée.

[a] *Comment l'électron va-t-il être dévié à partir de O ?*

À l'instant où un électron pénètre dans le champ au point O, il subit une force $\overrightarrow{F_0}$ orientée dans le sens de Oy. Le faisceau sera donc dévié vers les y positifs. Pour trouver le sens de $\overrightarrow{F_0}$, on peut utiliser « la règle de la main droite » (voir volume **I**, **F.[2].[a]**) ou la règle du tire-bouchon.

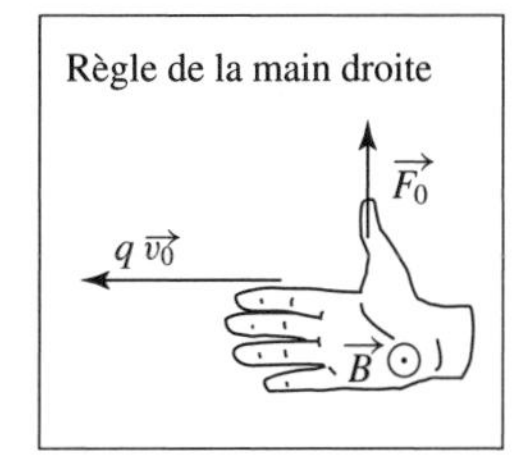

[b] *Montrer que la trajectoire de l'électron est contenu dans le plan perpendiculaire en O au champ magnétique.*

La deuxième loi de Newton (volume **I**, (11,4)) montre que $\vec{a}$ est orthogonal à $\overrightarrow{B}$ puisque $\overrightarrow{F}$ l'est. La composante de $\vec{a}$ sur Oz est donc nulle *constamment* :

$$\frac{\mathrm{d}v_z}{\mathrm{d}t} = 0,$$

d'où :

$$v_z = \text{cte}.$$

À la date $t = 0$, on a $v_{0z} = 0$ ($\overrightarrow{v_0}$ est perpendiculaire à Oz), donc $v_z = \dfrac{\mathrm{d}z}{\mathrm{d}t} = 0$ quel que soit t et alors $z = $ cte. Comme $z_0 = 0$ à $t = 0$, il en résulte que $z = 0$ *quel que soit* t et le mouvement a donc lieu dans le plan xOy.

[c] *Montrer que le mouvement est uniforme.*

Le théorème de l'énergie cinétique (volume **I**, (8,2)) appliqué entre O et M, soit :

$$\frac{1}{2}mv^2 - \frac{1}{2}mv_0^2 = W(\overrightarrow{F}),$$

montre que l'énergie cinétique ne varie pas car le travail $W(\overrightarrow{F})$ est nul puisque $\overrightarrow{F}$ est *constamment* perpendiculaire à $\vec{v}$, c'est-à-dire au déplacement. Donc la norme v de la vitesse est constante et égale à v_0.

[d] *Montrer que la trajectoire est circulaire et calculer son rayon.*

La projection de la relation $\overrightarrow{f} = m\vec{a}$ sur l'axe $N'N$ *normal à la trajectoire* donne :

$$F = ma_N,$$

où $F = |q|vB$ et où l'accélération normale a_N est donnée par (volume **I**, (5,12)) en fonction de v et du rayon de courbure r de la trajectoire ; compte tenu que $v = v_0$:

$$|q|v_0B = m\frac{v_0^2}{r} \quad \text{et} \quad r = \frac{mv_0}{|q|B}.$$

Conclusion : La trajectoire est plane et son rayon de courbure est constant puisque B est lui aussi constant. Elle est donc circulaire de rayon :

$$\boxed{r = \frac{mv_0}{|q|B}}. \tag{10, 3}$$

Le mouvement des électrons est circulaire uniforme.

[2] *Le spectrographe de masse*

Le spectrographe de masse est un appareil de laboratoire qui permet en particulier de séparer les isotopes[1].

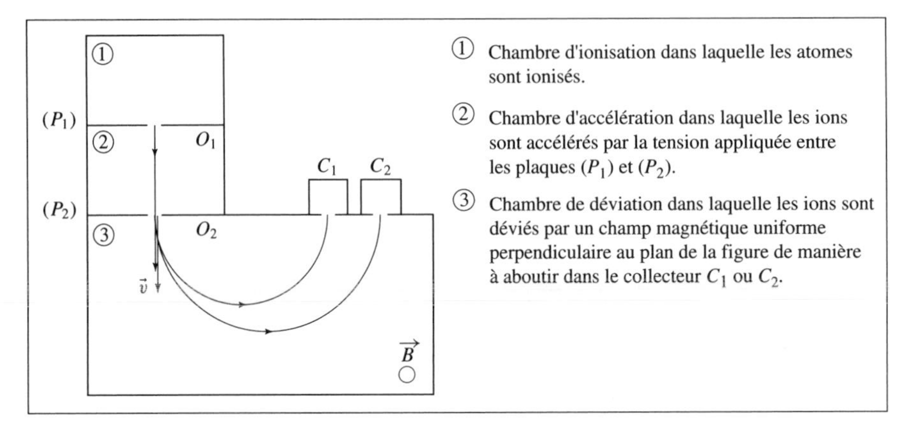

Des ions $^{79}\mathrm{Br}^-$ *et* $^{81}\mathrm{Br}^-$ *sont produits dans la chambre d'ionisation. Ils diffusent avec une vitesse négligeable dans la chambre* **2** *où ils sont accélérés.*

[a] *Quel est le signe de la tension* $U = V_{P_2} - V_{P_1}$ *qu'il faut appliquer entre* (P_1) *et* (P_2) *?*

Pour que les ions soient accélérés, la force électrostatique $\vec{F}$ doit être orientée de (P_1) vers (P_2) et le champ électrostatique de (P_2) vers (P_1), puisque $\vec{F} = q\vec{E}$ et que la charge q des ions est négative ; $\vec{E}$ étant orienté dans le sens des potentiels décroissants (voir volume **I**, **10.[4].[a]**), $V_{P_1} < V_{P_2}$ et $U > 0$.

[b] *Calculer les valeurs des vitesses* $\vec{v_1}$ *et* $\vec{v_2}$ *au point* O_2 *des ions* $^{79}\mathrm{Br}^-$ *et* $^{81}\mathrm{Br}^-$ *dont les masses sont respectivement* $m_1 = 1{,}31.10^{-25}$ kg *et* $m_2 = 1{,}34.10^{-25}$ kg *; on donne* $|U| = 4.10^3$ V *et* $q = -e$.

L'application du théorème de l'énergie cinétique donne :

$$\frac{1}{2}m_1 v_1^2 = -qU,$$

---

1 Deux atomes sont dits *isotopes* si leurs noyaux contiennent le même nombre de protons mais un nombre différent de neutrons. Par exemple :

- $^{35}_{17}\mathrm{Cl}$: 35 nucléons (particules constitutives de noyau) dont 17 protons et donc 35-17=18 neutrons ;
- $^{37}_{17}\mathrm{Cl}$: 37 nucléons dont 17 protons et 20 neutrons.

d'où :

$$v_1 = \sqrt{\frac{-2qU}{m_1}},$$

soit $v_1 = 9{,}88.10^4$ m.s^{-1}.

De même :

$$v_2 = \sqrt{\frac{-2qU}{m_2}},$$

soit $v_2 = 9{,}77.10^4$ m.s^{-1}.

[c] *Les ions pénètrent ensuite dans la chambre de déviation magnétique. Quel doit être le sens du champ magnétique $\vec{B}$ pour que les ions soient déviés vers les collecteurs C_1 et C_2 ?*

La force de Lorentz au point O_2 doit être orientée vers les collecteurs. La règle de la main droite montre que $\vec{B}$ est sortant du plan de figure.

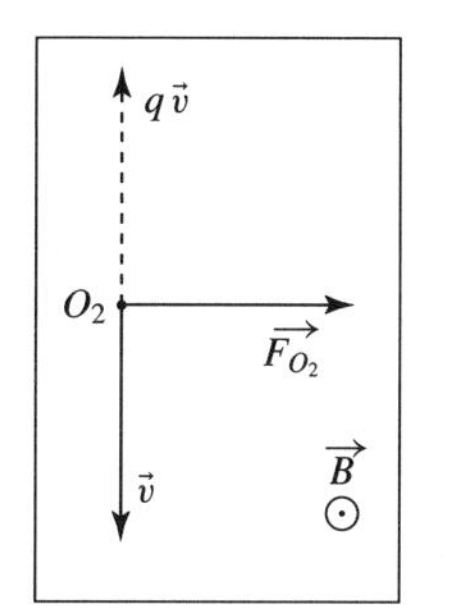

[d] *Démontrer que le mouvement des ions est circulaire uniforme.*

Voir **[1]**.

[e] *À partir des expressions $R_1 = \frac{m_1 v_1}{|q|B}$ et $R_2 = \frac{m_2 v_2}{|q|B}$, peut-on dire quel est le plus grand des deux rayons ?*

Non car $m_1 < m_2$ et $v_1 > v_2$: on ne peut pas conclure sur la valeur du produit mv.

[f] *Exprimer R_1 en fonction de m_1, q, B et U. En déduire l'expression de R_2. Dire quel est le plus grand rayon.*

Dans $R_1 = \frac{m_1 v_1}{|q|B}$ remplaçons v_1 par $\sqrt{\frac{-2qU}{m_1}}$ et $|q|$ par $-q$:

$$R_1 = \frac{1}{B}\frac{m_1}{-q}\sqrt{\frac{-2qU}{m_1}} = \frac{1}{B}\sqrt{\frac{-2qUm_1^2}{(-q)^2 m_1}}.$$

Finalement :

$$R_1 = \frac{1}{B}\sqrt{\frac{2m_1U}{-q}}$$

$$R_2 = \frac{1}{B}\sqrt{\frac{2m_2U}{-q}}$$

Comme $m_2 > m_1$, il en résulte que $R_2 > R_1$.

[g] *On veut recueillir les ions* $^{79}\text{Br}^-$ *dans le collecteur* C_1 *et* $^{81}\text{Br}^-$ *dans* C_2*. Calculer* O_2C_1, O_2C_2 *et* C_1C_2*. On donne* $B = 0{,}10\,\text{T}$.

$O_2C_1 = 2R_1 = 1{,}619\,\text{m}$; $O_2C_2 = 2R_2 = 1{,}637\,\text{m}$; $C_1C_2 = 2(R_1 - R_2) = 1{,}8\,\text{cm}$.

[h] *On voudrait déterminer le pourcentage de chacun des deux isotopes dans le mélange. Le charges recueillies par les collecteurs* C_1 *et* C_2 *créent respectivement des courants d'intensité* $I_1 = 1{,}1.10^{-9}\,\text{A}$ *et* $I_2 = 0{,}32.10^{-9}\,\text{A}$*. Calculer le pourcentage de chacun des isotopes au sein du mélange.*

Le collecteur C_1 reçoit par seconde une charge $Q_1 = I_1\Delta t = 1{,}1.10^{-9}\,\text{C}$, donc un nombre d'ions :

$$n_1 = \frac{Q_1}{q} = \frac{1{,}1.10^{-9}}{1{,}6.10^{-19}} = 6{,}9.10^9 \text{ ions } ^{79}\text{Br}^- \text{ par seconde.}$$

De même :

$$n_2 = \frac{Q_2}{q} = 2.10^9 \text{ ions } ^{81}\text{Br}^- \text{ par seconde.}$$

Le pourcentage d'ions $^{79}\text{Br}^-$ est $\dfrac{n_1}{n_1 + n_2} \times 100 = 77{,}5\,\%$. Le pourcentage d'ions $^{81}\text{Br}^-$ est par conséquent $22{,}5\,\%$.

[3] *Le filtre de vitesse*

Le filtre de vitesse ou filtre de Wien est un appareil permettant de choisir des particules chargées ayant une vitesse donnée et donc d'obtenir un faisceau homocinétique[1].

Au point O_1 *arrivent des particules de charges* q *ayant des vitesses différentes* $\vec{v_0}$, $\vec{v_1}$, $\vec{v_2}$, $\cdots$. *On voudrait que par l'ouverture* O_2 *ne sortent que des particules de même vitesse* $\vec{v_0}$.

Supposons $q > 0$*. À l'intérieur du filtre on crée un champ électrostatique uniforme* $\vec{E}$ *vertical vers le haut. Chaque particule subit la force électrostatique* $\vec{F_e} = q\,\vec{E}$.

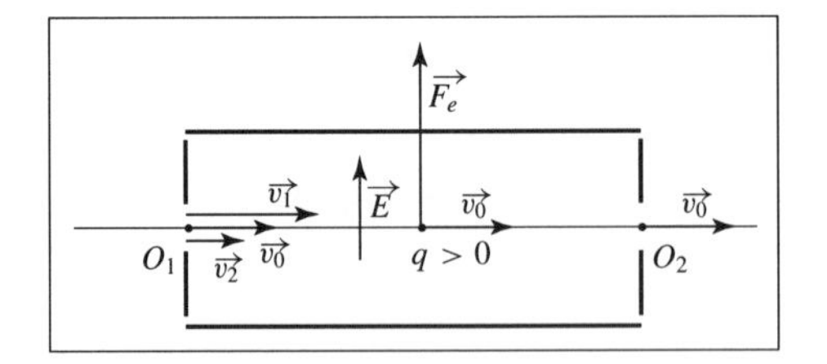

[a] *Quels sont la direction et le sens du champ magnétique uniforme* $\vec{B}$ *qu'il faut créer pour que la force de Lorentz* $\vec{F_m}$ *soit opposée à la force électrostatique ?*

L'application d'une quelconque des règles (main droite, tire-bouchon, bonhomme d'Ampère : *cf.* volume **I, F.[2].[a]**) montre que $\vec{B}$ doit sortir du plan de la figure.

1 Homocinétique signifie de même vitesse.

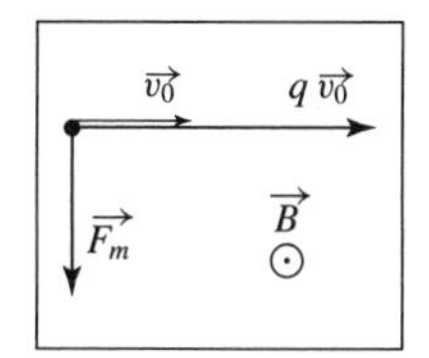

[b] *Quelle est la condition pour que les particules de vitesse $\vec{v_0}$ aient un mouvement rectiligne uniforme et puissent donc quitter le filtre par l'ouverture O_2 ?*

Pour que le mouvement soit rectiligne uniforme il faut que $\vec{F_e} + \vec{F_m} = \vec{0}$; soit en projection sur un axe vertical $F_e - F_m = 0$ ou $qE - qv_0B = 0$, soit enfin $E = v_0B$.

[c] *Que deviennent les particules de vitesse $v_1 > v_0$ et celles de vitesse $v_2 < v_0$?*

On remarque que F_e est indépendant de la vitesse et que F_m est proportionnel à la vitesse. Si $v_1 > v_0$ alors $F_m > F_e$, les particules sont déviées vers le bas et ne quittent pas le filtre de vitesse.

Si $v_2 < v_0$, les particules sont déviées vers le haut. On obtient donc finalement un *faisceau homocinétique* de vitesse $\vec{v_0}$.

[4] *On a vu au volume* **I** *p. 164 comment dévier des particules chargées à l'aide d'un champ électrique. Dans un tube de télévision, on utilise un champ magnétique pour dévier les électrons (masse m, charge $-e$), ce qui permet d'obtenir de fortes déviations sur une courte distance ℓ.*

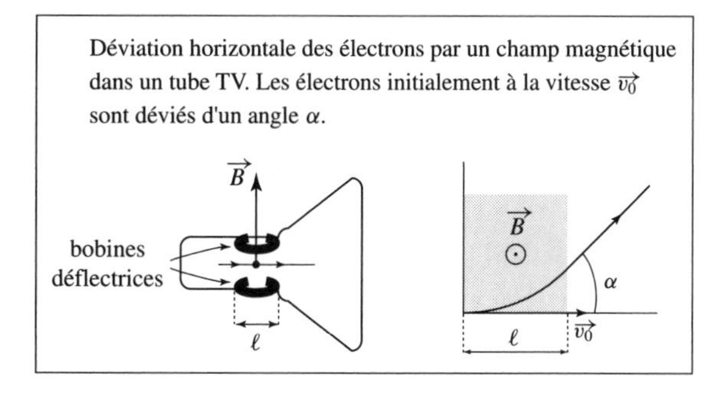

[a] *Calculer* $\sin\alpha$ *en fonction de ℓ, B, e, m, v_0 en supposant le champ magnétique $\vec{B}$ uniforme.*

La trajectoire de l'électron est un arc de cercle de centre C dont le rayon est donné par (10,3) :

$$r = \frac{mv_0}{eB}.$$

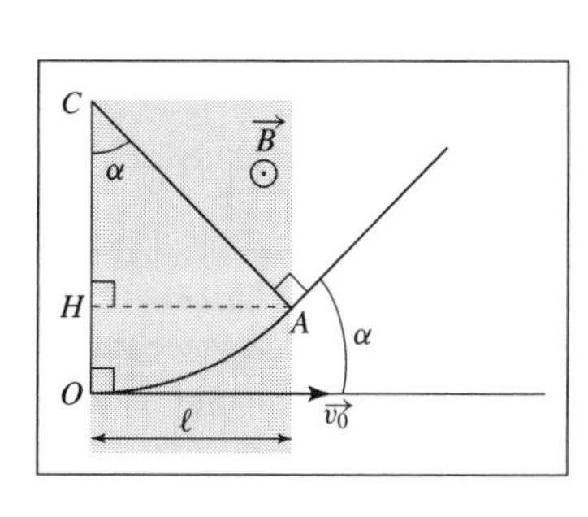

La figure montre que dans le triangle CAH :

$$\sin\alpha = \frac{HA}{CA} = \frac{\ell}{r},$$

soit :

$$\sin\alpha = \frac{e\ell B}{mv_0}.$$

[b] *Calculer numériquement* α *si* $B = 2\,mT$; $\ell = 5\,\text{cm}$; $v_0 = 2{,}4.10^7\,\text{m.s}^{-1}$. *On rappelle que* $e = 1{,}6.10^{-19}\,\text{C}$ *et* $m = 9{,}1.10^{-31}\,\text{kg}$.

$$\sin\alpha = \frac{1{,}6.10^{-19} \times 0{,}05 \times 0{,}002}{9{,}1.10^{-31} \times 2{,}4.10^7}$$

d'où $\alpha = 47°$.

[c] *Les électrons sont émis dans le tube avec une vitesse initiale négligeable et accélérés par une tension* U_0 *avant d'être soumis au champ magnétique. Exprimer* $\sin\alpha$ *en fonction de* ℓ, B, e, m, U_0.

Le théorème de l'énergie cinétique permet de calculer v_0 en fonction de U_0 :

$$\Delta E_c = \frac{1}{2}mv_0^2 = eU_0.$$

D'où $v_0 = \sqrt{\frac{2eU_0}{m}}$ que l'on remplace dans l'expression de $\sin\alpha$ obtenue au **[a]** :

$$\sin\alpha = \frac{e\ell B}{m}\sqrt{\frac{m}{2eU_0}},$$

soit enfin :

$$\sin\alpha = \ell B\sqrt{\frac{e}{2mU_0}}.$$

[d] *La composante verticale du champ magnétique terrestre est* $B_V = 3{,}5.10^{-5}\,\text{T}$. *Quelle valeur de* U_0 *faut-il prendre si l'on veut que la déviation des électrons qui en résulte ne dépasse pas* $1°$ *sur une distance de* $25\,\text{cm}$ *?*

De la dernière expression de $\sin\alpha$ on tire :

$$U_0 = \frac{e\ell^2B^2}{2m\sin^2\alpha}.$$

Avec $\ell = 0{,}25\,\text{cm}$, $B = 3{,}5.10^{-5}\,\text{T}$ et $\alpha = 1°$ on obtient $U_0 = 22{,}1\,\text{kV}$.

[5] *Le cyclotron*

Le cyclotron est un accélérateur de particules chargées. Les deux demi-boîtes cylindriques en cuivre formant le cyclotron sont légèrement écartées l'une de l'autre. Chaque demi-boîte cylindrique est appelée un dee. À l'intérieur de chaque dee règne le même champ magnétique uniforme $\vec{B}$ *perpendiculaire à la section cylindrique. La source des particules S est au centre* *du cyclotron. Les particules, ici des protons, pénètrent dans D_1 avec une vitesse $\vec{v_0}$ (faible) et décrivent un demi-cercle de rayon $R_0 = \dfrac{mv_0}{qB}$ (voir* **[1]***).*

Les protons passent ensuite dans l'espace (F) entre les dees où ils sont accélérés par un champ électrique $\vec{E}$ convenable (nous reviendrons sur le choix de $\vec{E}$). Les protons ayant maintenant une vitesse $v_1 > v_0$ décrivent dans D_2 un demi-cercle de rayon $R_1 > R_0$. Les protons passent alors de nouveau dans (F) où ils sont accélérés et ainsi de suite. Après avoir effectué un grand nombre de tours les protons quittent, avec une grande vitesse, le cyclotron en un point O et aboutissent sur des particules cibles. Par choc entre ces particules et les particules de la cible il peut y avoir création de nouvelles particules.

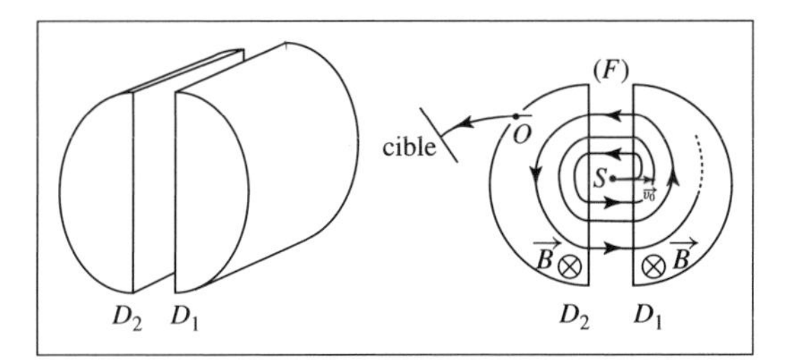

[a] *Montrer que le temps τ nécessaire pour décrire un demi-cercle est toujours le même, quel que soit son rayon.*

Le demi-cercle de rayon $R = \dfrac{mv}{qB}$ de longueur $\ell = \pi R$ est décrit à la vitesse $v = \dfrac{\pi R}{\tau}$.

Le temps nécessaire $\tau = \dfrac{\pi R}{v} = \dfrac{\pi m}{qB}$ est donc constant.

La *période cyclotron T_C*, qui est le temps nécessaire pour effectuer un tour complet, est :

$$T_C = 2\tau = \frac{2\pi m}{qB}.$$

[b] *On impose dans la région (F) le champ électrique accélérateur $E = E_m \sin 2\pi Nt$, créé en appliquant une tension alternative sinusoïdale $u = U_m \sin 2\pi Nt$ entre les dees. Quelle relation doit-il y avoir entre la fréquence cyclotron $N_C = \dfrac{1}{T_C}$ et la fréquence N de la tension alternative pour que les protons soient accélérés au maximum ?*

À chaque passage de la particule dans (F) le champ électrique doit être maximum, alternativement dans un sens et dans l'autre. Il en résulte que la période cyclotron T_C doit être égale à la période de la tension alternative qui crée le champ électrique. Donc :

$$N_C = N.$$

[c] *Calculer la fréquence de la tension accélératrice. On donne $B = 0{,}5\,\mathrm{T}$ et la masse du proton $m = 1{,}67.10^{-27}$ kg.*

$$T_C = \frac{2\pi m}{eB} = 1{,}3.10^{-7}\ \mathrm{s}$$

$$N = N_C = \frac{1}{1{,}3.10^{-7}} = 7{,}6\,\mathrm{MHz}.$$

[d] *La tension maximale est* $U_m = 3{,}00\,\text{kV}$. *Calculer l'énergie cinétique reçue par la particule lors de chaque passage dans* (F) *en* keV *et en joules.*

Le théorème de l'énergie cinétique donne :

$$\Delta E_c = eU_m,$$

soit $\Delta E_c = 3{,}00\,\text{keV} = 4{,}80.10^{-16}\,\text{J}$.

[e] *Le diamètre du cyclotron est* $d = 0{,}9\,\text{m}$. *Calculer l'énergie cinétique et la vitesse d'un proton lorsqu'il quitte le cyclotron.*

Lorsque le proton quitte le cyclotron, le rayon de sa trajectoire est :

$$R = \frac{d}{2} = \frac{mv}{eB},$$

et son énergie cinétique est :

$$E_c = \frac{1}{2}mv^2 = \frac{1}{8}\frac{(eBd)^2}{m},$$

soit :

$$E_c = 3{,}88.10^{-13}\,\text{J} = 2{,}43\,\text{MeV}.$$

Sa vitesse est :

$$v = \sqrt{\frac{2E_c}{m}} = 2{,}2.10^7\,\text{m.s}^{-1}.$$

[f] *Calculer le nombre de tours effectués par le proton.*

À chaque *demi-tour* le proton reçoit l'énergie ΔE_c calculée précédemment. Le nombre de demi-tours est égal à son énergie finale divisée par ΔE_c :

$$n_{1/2} = \frac{E_c}{\Delta E_c} = 808$$

et le nombre de tours est donc égal à 404.

[exercices]

[1] [a] Donner l'expression vectorielle de la force $\vec{F}$ à laquelle est soumise une particule de charge q en mouvement avec une vitesse $\vec{v}$ dans un champ magnétique $\vec{B}$. Préciser ses caractéristiques à l'aide d'un schéma très explicite.

[b] Étudier le mouvement de cette particule dans un champ magnétique uniforme perpendiculaire à sa vitesse initilale. Rechercher la trajectoire et calculer son rayon en fonction de la masse de la particule, de sa vitesse, de sa charge électrique et de l'intensité du champ magnétique.

[c] La particule est une particule α de charge q positive que l'on veut déterminer. Lancée dans un champ magnétique $B = 1\,\text{T}$ perpendiculaire à sa vitesse $v = 3{,}7.10^7\,\text{m.s}^{-1}$, elle décrit un cercle de rayon $R = 0{,}77\,\text{m}$. Calculer la charge de la particule.

[2] **[a]** Pourquoi peut-on dire que les atomes représentés par $^{235}_{92}$U et $^{238}_{92}$U sont des isotopes de l'élément uranium ?

[b] On veut séparer ces deux isotopes de l'uranium en utilisant un spectrographe de masse. Les ions qui pénètrent en A dans la chambre de déviation ont tous la même vitesse $\vec{v}$ et le champ magnétique qui règne dans cette chambre est uniforme et perpendiculaire à $\vec{v}$.

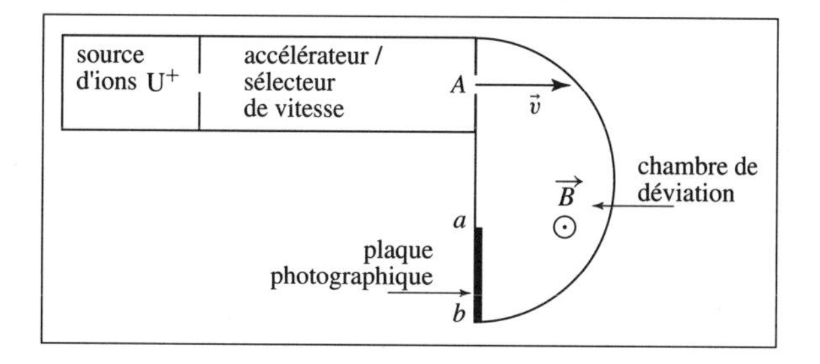

Vous accepterez ou refuserez chacune des affirmations proposées en commentant vos réponses.

[i] La valeur de la vitesse des ions reste constante dans la chambre de déviation.

[ii] La trajectoire des ions est circulaire dans la chambre de déviation.

[iii] Le rayon du cercle croît si la masse de l'ion croît.

[c] L'ion U^+ provenant de l'isotope $^{235}_{92}$U laisse une trace sur la plaque photographique ab en un point C tel que $AC = 12\,\text{cm}$. Déterminer la distance CD qui sépare les traces des ions U^+ provenant de ces deux isotopes. On confondra la masse de l'ion avec celle de l'atome.

[3] Dans tout l'exercice, on considère que les ions se déplacent dans le vide et que leur poids est négligeable devant les autres forces. À l'aide du spectrographe de masse schématisé sur la figure, on se propose de séparer les ions ^{6}Li$^+$ et ^{7}Li$^+$ de masses respectives m et m'. Les ions Li$^+$ pénètrent en O entre les deux plaques verticales P et P', où règne un champ magnétique uniforme, pour y être accélérés jusqu'en O'.

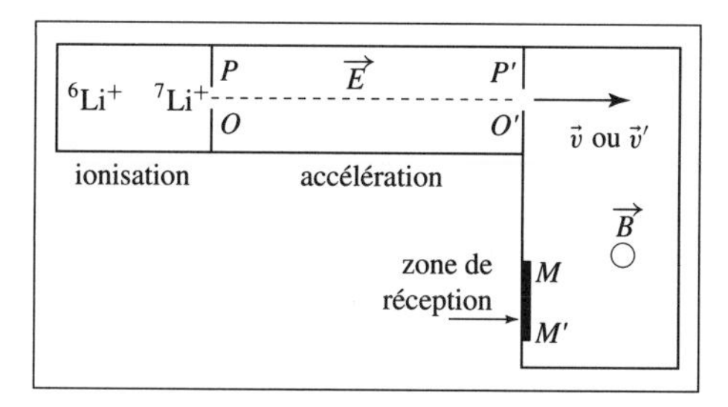

[a] **[i]** Quel est le signe de la tension électrique $U_{PP'} = V_P - V_{P'}$ que l'on établit entre P et P' ?

[ii] Les ions ^{6}Li$^+$ et ^{7}Li$^+$ sortent en O' avec des vitesses respectives v et v'. Établir la relation $v/v' = \sqrt{m'/m}$.

[b] Les ions Li$^+$ sont soumis au delà de O' à un champ magnétique uniforme $\overrightarrow{B}$ perpendiculaire au plan du schéma et parviennent dans la zone de réception indiquée sur le schéma.

[i] Préciser en le justifiant le sens du vecteur $\overrightarrow{B}$.

[ii] Montrer que le mouvement de l'ion Li^+ s'effectue dans le plan du schéma.

[iii] Montrer que la valeur de la vitesse est constante.

[iv] Montrer que la trajectoire est circulaire. Exprimer son rayon R. Les trajectoires des ions $^6Li^+$ et $^7Li^+$ ayant pour rayons respectifs R et R', établir la relation : $R/R' = \sqrt{m/m'}$.

[c] Exprimer la distance MM' entre les deux types d'ions à leur arrivée dans la zone de réception, en fonction de $B, m, m', |U_{PP'}|$ et de la charge élémentaire e. Faire l'application numérique.

Données : $|U_{PP'}| = 1{,}00.10^4$ V ; $B = 2{,}00.10^{-1}$ T ; $m = 6m_n$; $m' = 7m_n$ (masse d'un nucléon : $m_n = 1{,}67.10^{-27}$ kg).

[4] **[a]** Un faisceau de particules électrisées positivement pénètre avec une vitesse $\vec{v}$ horizontale entre deux plaques conductrices A et B parallèles, horizontales, distantes de d. On applique entre les plaques A et B une différence de potentiel $U_{AB} = V_A - V_B$ telle que le champ électrostatique $\vec{E}$ soit orienté vers le haut.

Dans cette région de l'espace règne aussi un champ magnétique $\vec{B}$ uniforme, orthogonal à $\vec{v}$.

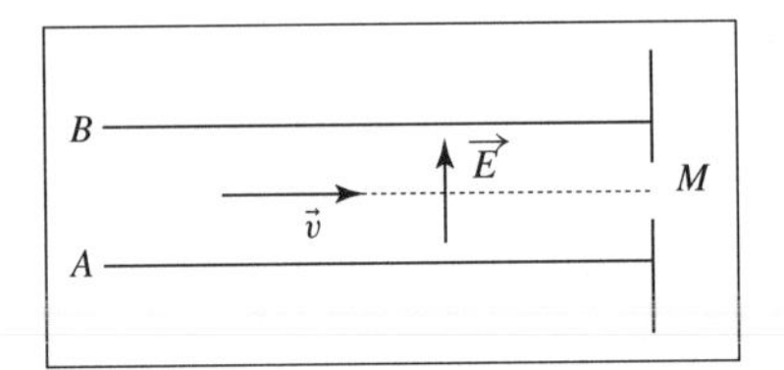

[i] À quelle condition le faisceau de particules traverse-t-il le dispositif en ligne droite, ce qui lui permet d'atteindre l'orifice M ? Le vecteur champ électrostatique $\vec{E}$ ayant la direction et le sens indiqués sur le schéma, préciser ceux du vecteur champ magnétique $\vec{B}$ satisfaisant à cette condition ; le représenter. Quelle est alors la vitesse v_0 des particules si $B = 0{,}1$ T et $E = 10^4$ V.m^{-1} ?

[ii] Indiquer le sens de déviation des particules dont la vitesse est un peu plus grande ou un peu plus petite que v_0. Ce dispositif constitue un filtre de vitesse.

[b] On utilise le dispositif précédent. Le faisceau n'est plus constitué de particules identiques mais par des ions hélium $^4_2He^{2+}$ de masse $m_1 \simeq 6{,}7.10^{-27}$ kg et $^3_2He^{2+}$ de masse $m_2 \simeq 5{,}0.10^{-27}$ kg, préalablement accélérés à partir d'une vitesse nulle par une même tension U_0.

Le champ magnétique ayant les caractéristiques du **[a]** ($B = 0{,}1$ T), montrer qu'en choisissant convenablement la différence de potentiel U_{AB} on peut recueillir en M l'un ou l'autre des isotopes. Soit $U_1 = 100$ V la valeur de U_{AB} qui permet de recueillir en M les ions $^4_2He^{2+}$. Quelle valeur U_2 de U_{AB} permet de recueillir les ions $^3_2He^{2+}$?

[5] Un cyclotron est un accélérateur de particules constitué par deux demi-cylindres conducteurs creux D_1 et D_2, les « dees », séparés par un intervalle étroit. Un champ magnétique uniforme $\vec{B}$ est créé dans D_1 et D_2 parallèlement à l'axe des demi-cylindres. Un champ électrique $\vec{E}$ est créé dans l'intervalle étroit entre les « dees » perpendiculairement aux surfaces qui délimitent l'intervalle entre D_1 et D_2. La tension électrique, établie entre les deux « dees » et qui crée le champ électrique, est alternative de fréquence N et de valeur maximale U_m (le champ électrique est nul à l'intérieur des « dees »). Les particules accélérés sont des protons qui pénètrent en A avec une vitesse $\vec{v_0}$ orthogonale à $\vec{B}$ et à MM'.

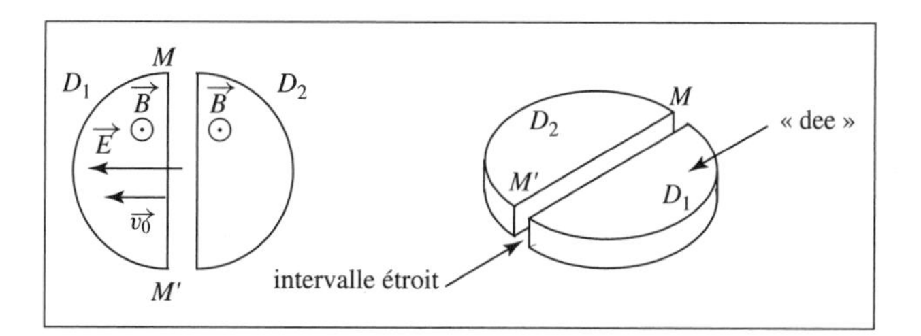

[a] Montrer que dans un « dee » le mouvement d'un proton est circulaire uniforme. (On rappelle que le poids du proton est négligeable devant la force magnétique qu'il subit.)

Exprimer littéralement la durée d'un demi-tour. Vérifier qu'elle est indépendante de la vitesse ; donner sa valeur numérique. En déduire la fréquence N de la tension alternative. (On néglige le temps de transfert dans l'intervalle étroit entre les « dees ».)

[b] Quelle est l'énergie cinétique transmise au proton à chaque tour ? On veut que la vitesse finale des protons soit $20\,000\,\text{km.s}^{-1}$; quel est le nombre de tours effectués par les protons pour acquérir cette vitesse ? On admet que la vitesse initiale v_0 des protons quand ils pénètrent dans le cyclotron a une valeur très faible par rapport à $20\,000\,\text{km.s}^{-1}$. On donne $B = 1\,\text{T}$ et $U_m = 4\,000\,\text{V}$.

[6] Des protons sont accélérés à l'aide d'un synchrotron, ayant la forme d'un anneau creux, vide d'air (un tore) à l'intérieur duquel un champ magnétique uniforme les maintient sur un cercle de rayon donné, $R = 10{,}0\,\text{m}$. À chaque tour, les protons traversent une zone accélératrice, CD, ménagée dans le tore ; entre C et D, on maintient une tension $U = 1\,200\,\text{V}$.

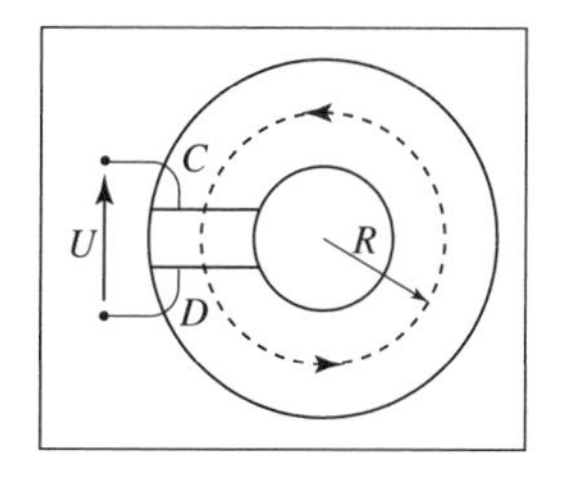

[a] Étant donné le sens de rotation indiqué sur la figure, préciser la direction et le sens du vecteur champ magnétique $\vec{B}$ dans le tore.

[b] Le rayon de la trajectoire reste constant.

[i] Montrer, dans le cadre de la mécanique classique, que le champ magnétique $\vec{B}$ doit nécessairement varier à chaque fois que les protons traversent la zone accélératrices.

[ii]Calculer sa valeur initiale pour des protons injectés en D avec, chacun, une énergie cinétique de $5.10^6\,e\text{V}$.

[7] Des électrons de vitesse $\vec{v_0}$ pénètrent au point O dans un champ magnétique uniforme $\vec{B}$ perpendiculaire au plan de la figure. Après avoir déviés, les électrons quittent le champ magnétique au point A et atteignent l'écran (E) au point S. On se propose de calculer la déflexion magnétique $Y = O'S$ sur l'écran (E). On suppose que la déviation angulaire α est très petite et que $\ell \ll D$.

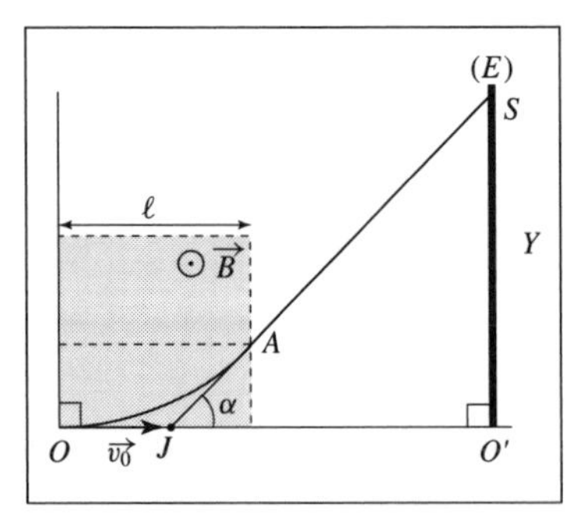

[a] Exprimer $\sin\alpha \simeq \alpha$ en fonction de ℓ, e (charge élémentaire), B, v_0 et la masse m de la particule.

[b] Calculer $\tan\alpha \simeq \alpha$ en fonction de Y et D en faisant l'approximation $D \simeq JO'$ justifiée par $\ell \ll D$ et α très petit. Exprimer Y en fonction de D, ℓ, e, B, m et v_0.

[réponses]

[1] $R = mv/|q|B$; $q = 3{,}2.10^{-19}$ C.

[2] **[a]** Même nombre de charges : 92. **[b]** **[i]** vrai. **[ii]** vrai. **[iii]** vrai car $R = \dfrac{1}{B}\sqrt{\dfrac{2mU}{q}}$.

[c] $CD = AC\left(\dfrac{238}{235} - 1\right)$ soit $CD = 1{,}5$ mm.

[3] **[a]** **[i]** Négatif. **[b]** **[i]** $\odot$. **[c]** $MM' = \dfrac{2}{B}\sqrt{2U_{PP'}/\ell}\left(\sqrt{m'} - \sqrt{m}\right) = 28{,}3$ mm.

[4] **[a]** **[i]** $v_0 = 10^5$ m.s^{-1}. **[b]** $U_2 = U_1\sqrt{\dfrac{m_1}{m_2}} = 115{,}5$ V.

[5] **[a]** $t = 32{,}8$ ns, $N = 15{,}2$ MHz. **[b]** 261 tours.

[6] $B = \dfrac{1}{eR}\sqrt{2mE_c} = 3{,}2.10^{-2}$ T.

[7] **[a]** Voir e.à.p. **[4]** ; $\alpha \simeq \sin\alpha = \dfrac{HA}{CA} = \dfrac{\ell eB}{mv_0}$. **[b]** $\alpha \simeq \tan\alpha \simeq \dfrac{Y}{D}$ et $Y \simeq \dfrac{D\ell eB}{mv_0}$.

INDUCTION ÉLECTROMAGNÉTIQUE

CHAPITRE 11

[l'essentiel]

[1] Étude expérimentale de l'induction

Les bornes d'une bobine plate sont reliées aux bornes d'un millivoltmètre (il n'y a pas de générateur dans le circuit). Lorsque l'on approche ou que l'on éloigne le barreau aimanté de la bobine, le millivoltmètre mesure une f.é.m. appelée **force électromotrice induite** e. Un milliampère mis à la place du millivoltmètre indique le passage d'un **courant induit** i.

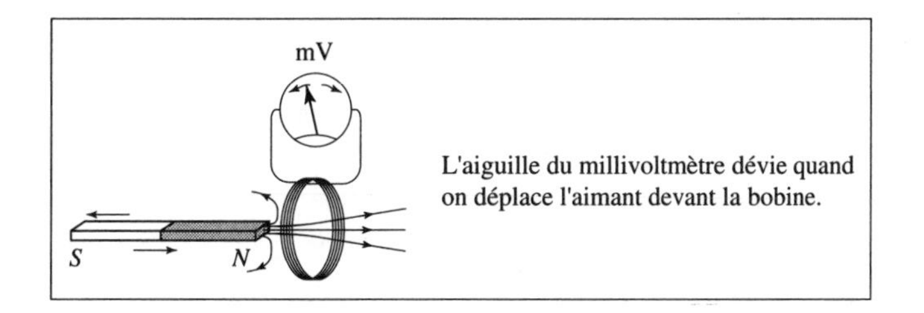

L'aiguille du millivoltmètre dévie quand on déplace l'aimant devant la bobine.

Ce phénomène, appelé **induction électromagnétique**, est général : lorsqu'on fait varier de *façon quelconque* le champ magnétique au voisinage d'un circuit quelconque, il apparaît dans le circuit une f.é.m. et un courant induit.

[2] Le flux magnétique et la f.é.m. induite

Pour décrire le phénomène d'une façon quantitative il est nécessaire de définir une nouvelle grandeur appelée **flux magnétique**.

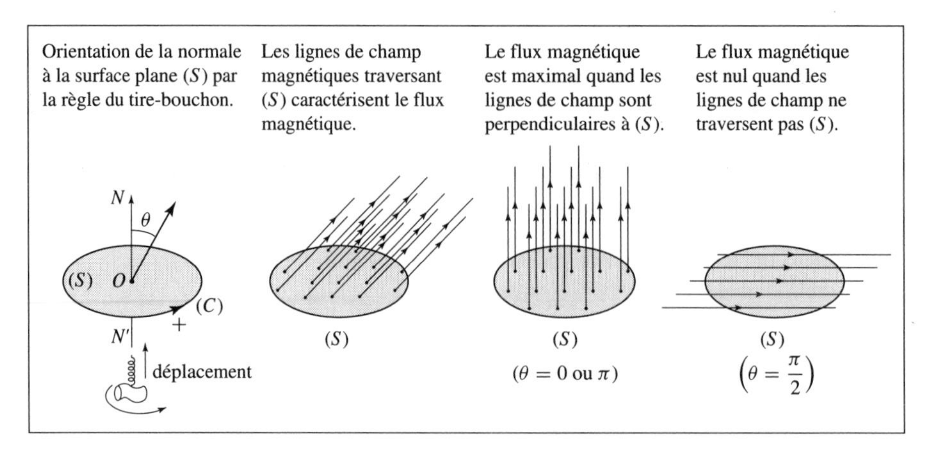

On considère une surface plane (S) délimitée par une courbe fermée (C) dans un champ magnétique uniforme. La normale à la surface (S) est $N'ON$. Pour orienter cette dernière, on choisit d'abord un sens positif arbitraire sur le circuit. On applique ensuite la règle du tire-bouchon : on le tourne dans le sens positif choisi et on oriente la normale dans le sens de déplacement du tire-bouchon. L'angle θ que nous considérerons est celui entre $\overrightarrow{B}$ et la normale *positive* (ON).

On appelle **flux magnétique** du champ uniforme $\overrightarrow{B}$ à travers la surface S la quantité[1] :

$$\boxed{\varphi = BS\cos\theta,} \qquad (11, 1)$$

avec φ en **weber (Wb)**, B en **tesla (T)** et S en **mètre carré ($\mathbf{m^2}$)**.

L'expérience montre qu'il est possible de créer une f.é.m. induite dans un circuit de trois façons différentes :

- en faisant varier le champ magnétique $\overrightarrow{B}$ au cours du temps ;
- en modifiant au cours du temps l'angle θ entre les lignes de champ du champ magnétique et la normale à la surface du circuit.
- en modifiant au cours du temps la surface S du circuit.

Ces trois observations se résument en disant que d'une manière générale on crée une f.é.m. induite dans un circuit en faisant varier le flux magnétique à travers ce circuit. D'un point de vue mathématique cela signifie que le flux φ doit varier au cours du temps, c'est-à-dire être une fonction du temps $\varphi(t)$. Dans tous les cas la f.é.m induite est donnée par la **loi de Faraday** :

$$\boxed{e = -\frac{\mathrm{d}\varphi}{\mathrm{d}t}.} \qquad (11, 2)$$

✗ **Il est important de noter que la cause qui crée la f.é.m. induite n'est pas le flux, mais sa variation.**

En effet, si $\varphi = \text{cte}$, la relation (11,2) montre que $e = 0$.

[1] Une expression équivalente du flux est $\varphi = \overrightarrow{B} \cdot \vec{n}S$, où $\vec{n}$ est le vecteur unitaire sur la normale. Noter également que le signe de $\cos\theta$, donc celui de φ, dépend du sens d'orientation de la normale.

[3] Loi de Lenz

Par ses effets électromagnétiques, le courant induit s'oppose toujours à la cause qui le crée : c'est la signification du signe – dans (11,2). Cette loi permet de déterminer le sens du courant induit :

✗ **Le signe de e dépend du sens positif choisi dans le circuit mais e a toujours le même signe que le courant induit i.**

En effet pour un circuit ne comportant que des conducteurs ohmiques de résistance totale R, la loi de Pouillet (1,7), soit $i = e/R$, montre que e et i ont même signe.

Mots-clés

- f.é.m. induite
- courant induit
- flux magnétique
- loi de Lenz

[1] *$CDEF$ est un circuit rectangulaire rigide horizontal entièrement plongé dans un champ magnétique uniforme vertical $\vec{B}$ de valeur $B = 0{,}1\,\mathrm{T}$. On a $CD = EF = \ell = 20\,\mathrm{cm}$. L'expérimentateur déplace la barre dans le sens indiqué sur la figure avec une vitesse $\vec{v}$ de valeur $v = 1\,\mathrm{m.s^{-1}}$.*

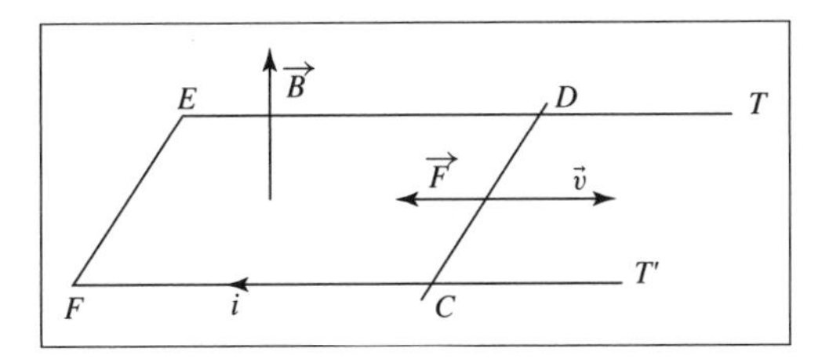

[a] *En appliquant la loi de Lenz, donner le sens du courant induit.*

D'après la loi de Lenz le courant induit doit créer une force de Laplace $\vec{F}$ (voir **9.[2]**) de sens opposé à la vitesse de façon à s'opposer au déplacement de CD, cause de l'apparition du courant induit. D'après la règle de l'observateur d'Ampère, le courant induit circule de D vers C.

[b] *À la date $t = 0$ la barre est parallèle à EF à la distance $x_0 = 10\,\mathrm{cm}$ en C_0D_0. Calculer le flux initial φ_0 en précisant l'orientation choisie.*

Choisissons comme sens positif sur le circuit celui qui va de D_0 vers C_0. D'après la règle du tire-bouchon, la normale ON est orientée vers le bas, $\theta = 180°$ et :

$$\varphi_0 = Bx_0\ell\cos\theta$$
$$\varphi_0 = 0{,}1 \times 0{,}1 \times 0{,}2 \times (-1) = -2.10^{-3}\,\mathrm{Wb}.$$

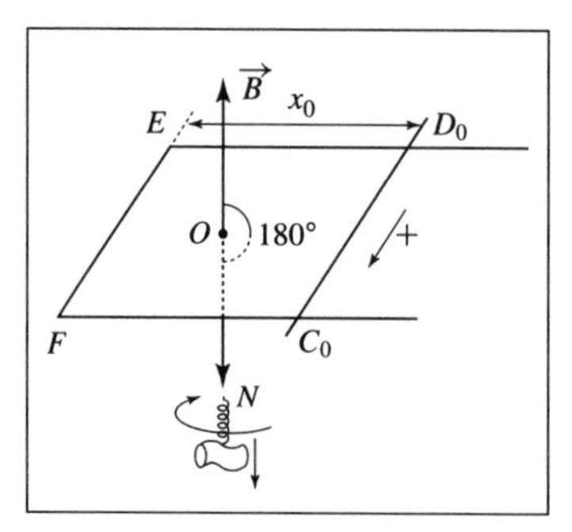

[c] *Exprimer le flux $\varphi(t)$ à l'instant t.*

La surface du circuit S à l'instant t est :

$$S = \ell(x_0 + vt)$$

et :

$$\varphi(t) = B\ell(x_0 + vt)\cos\theta \quad \text{où } \cos\theta = -1$$
$$\varphi(t) = \varphi_0 - B\ell vt.$$

[d] *Calculer la f.é.m. induite et l'intensité du courant induit sachant que la résistance du circuit, pratiquement constante, est $R = 0{,}5\ \Omega$.*

$$e = -\frac{\mathrm{d}\varphi}{\mathrm{d}t},$$

soit $e = 2.10^{-2}$ V.

La loi de Pouillet (1,7) s'écrit $i = \dfrac{e}{R} = 4.10^{-2}$ A. Le caractère positif de ce résultat signifie que le courant circule dans le sens positif choisi.

[2] *Principe des alternateurs*

Un solénoïde comportant $N = 500$ spires de rayon $r = 2$ cm est plongé dans un champ magnétique uniforme vertical $\vec{B}$ de valeur $B = 6.10^{-3}$ T. L'axe du solénoïde est parallèle aux lignes de champ.

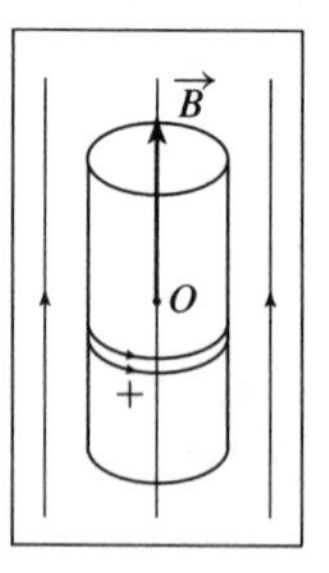

[a] *Calculer le flux du champ magnétique $\vec{B}$ à travers le solénoïde.*

Compte tenu du sens positif choisi, la normale à la surface des spires est orientée vers le haut (voir **11.[1]**) et le flux à travers une spire est :

$$\varphi_1 = B\pi r^2.$$

Le flux total (à travers les N spires) est donc :

$$\varphi = NB\pi r^2,$$

soit $\varphi = 3{,}8.10^{-3}$ Wb.

[b] *Partant à la date $t = 0$ de la position précédente, le solénoïde tourne maintenant autour d'un axe horizontal passant par son centre O avec une vitesse angulaire $\omega = 4\pi$ rad.s^{-1}.*

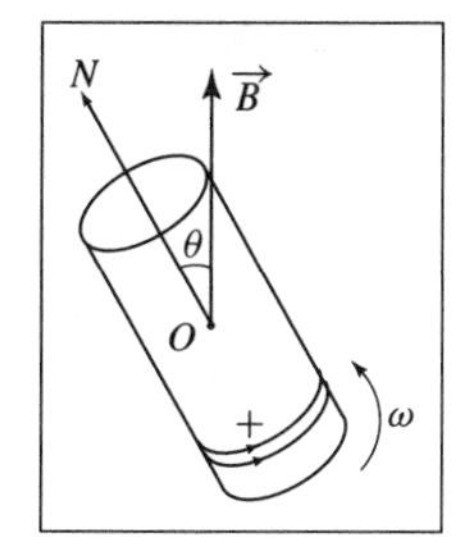

Trouver l'expression littérale de la force électromotrice induite à l'instant t en prenant $\theta = 0$ à $t = 0$.

Le flux à la date t est :

$$\varphi(t) = NB\pi r^2 \cos\theta(t).$$

Or $\theta(t) = \omega t$, donc :

$$\varphi(t) = NB\pi r^2 \cos\omega t.$$

La f.é.m. induite (11,2) s'écrit :

$$e = -\frac{\mathrm{d}\varphi}{\mathrm{d}t} = \omega NB\pi r^2 \sin\omega t.$$

[c] *Calculer la valeur maximale E_m de la f.é.m. induite.*

e est maximale quand $\sin\omega t = 1$:

$$E_m = \omega NB\pi r^2,$$

soit $E_m = 47$ mV.

[3] *Deux rails conducteurs sont soudés à angle droit. On déplace sur les rails un long conducteur rectiligne faisant un angle de 45° avec les rails, avec un mouvement de translation rectiligne et uniforme de vitesse $\vec{v}$. L'ensemble est plongé dans le champ magnétique uniforme $\overrightarrow{B}$ et on pose $OM = ON = x$.*

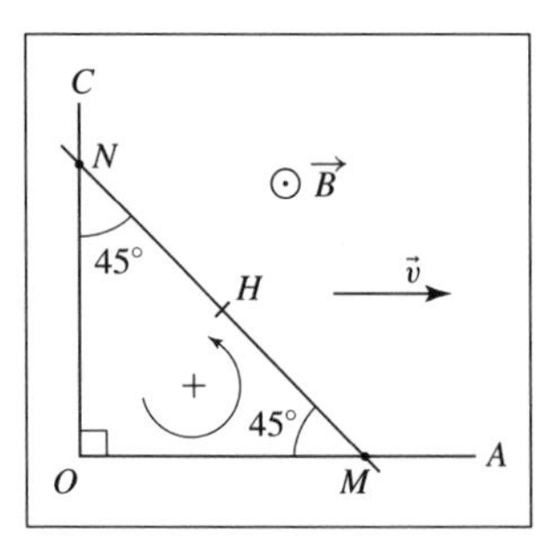

[a] *Donner l'expression du flux magnétique à travers ce circuit, à la date t.*

Compte tenu du sens positif choisi, le flux est positif et son expression est donné par (11,1) où $\cos\theta = 1$ car $\vec{B}$ est perpendiculaire à la tige MN :

$$\varphi(t) = BS(t),$$

où $S(t)$ est l'aire du triangle rectangle isocèle OMN à la date t. Choisissons la date $t = 0$ lorsque le milieu H de MN est confondu avec O :

$$S(t) = \frac{1}{2}x \cdot x = \frac{1}{2}x^2 \text{ et } x = vt.$$

Il en résulte que :

$$\varphi(t) = \frac{1}{2}Bv^2t^2.$$

[b] *Quelle est l'expression de la f.é.m. induite ?*

$$e = -\frac{\mathrm{d}\varphi}{\mathrm{d}t} = -Bv^2t.$$

[c] *En déduire le sens du courant induit. Vérifier le résultat en utilisant la loi de Lenz.*

Soit R la résistance du circuit à l'instant t. On a :

$$i = \frac{e}{R} < 0,$$

car $e < 0$.

Le sens du courant est contraire au sens positif choisi, donc de N vers M. D'après la loi de Lenz (voir **11.[3]**), le courant induit doit créer une force de Laplace (voir **9.[3]**) qui s'oppose au mouvement de MN. La règle de l'observateur d'Ampère (par exemple) montre que le courant circule de N vers M.

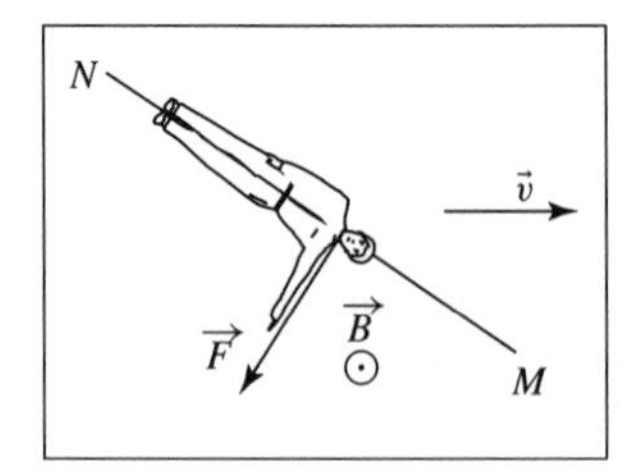

[d] *Calculer la valeur maximale de la f.é.m. induite. On donne* $OC = OA = \ell = 1\,\text{m}$ *;* $B = 0{,}1\,\text{T}$ *;* $v = 0{,}25\,\text{m.s}^{-1}$.

La tige quitte les rails à l'instant $t = \dfrac{\ell}{v}$, d'où :

$$e_{\max} = -Bv^2\frac{\ell}{v} = -Bv\ell,$$

soit $|e_{\max}| = 25\,\text{mV}$.

[4] *Principe du transformateur*

Deux bobines coaxiales comportent N_1 et N_2 spires respectivement. Leurs diamètres sont très voisins et l'on considèrera que leur section droite est la même. Le premier enroulement (« le primaire ») est alimenté par une source de tension variable $u_1 = u_1(t)$ et le courant circulant dans le primaire crée un champ magnétique variable dans l'espace intérieur aux deux bobines. Le deuxième enroulement (le « secondaire ») est en circuit ouvert indépendant du primaire.

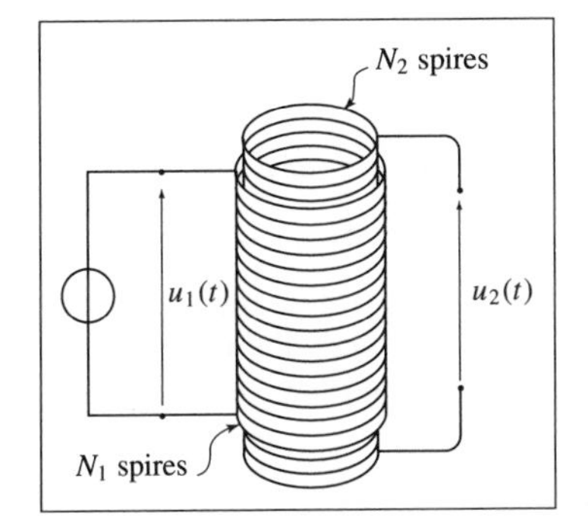

[a] *Montrer qu'il apparaît une tension $u_2(t)$ aux bornes du secondaire.*

Le flux du champ magnétique créé par le primaire, à travers le secondaire, varie au cours du temps. Il apparaît donc une f.é.m. induite $e_2(t)$ dans l'enroulement secondaire. En circuit ouvert, celui-ci n'est parcouru par aucun courant et la loi des mailles (3,1) s'écrit, pour le secondaire :

$$e_2 - u_2 = 0 \quad \text{ou} \quad u_2 = e_2(t).$$

[b] *On désigne par φ_0 le flux magnétique à travers une section droite de l'ensemble. Exprimer les f.é.m. e_1 et e_2 qui apparaissent dans le primaire et dans le secondaire en fonction de φ_0.*

Le flux magnétique total est $\varphi_1 = N_1\varphi_0$ dans le primaire et $\varphi_2 = N_2\varphi_0$ dans le secondaire. D'après (11,2) :

$$e_1 = -\frac{\text{d}\varphi_1}{\text{d}t} \text{ et } e_2 = -\frac{\text{d}\varphi_2}{\text{d}t}.$$

D'où :

$$e_1 = -N_1\frac{\text{d}\varphi_0}{\text{d}t} \text{ et } e_2 = -N_2\frac{\text{d}\varphi_0}{\text{d}t}.$$

[c] *Si $u_1(t)$ varie suffisamment rapidement au cours du temps, la chute de tension ohmique dans le primaire est négligeable devant la f.é.m. induite $e_2(t)$. Trouver dans ce cas la relation entre $u_1(t)$ et $u_2(t)$.*

La loi des mailles donne dans ces conditions :

$$\begin{cases} u_1 - e_1 = 0 & \text{au primaire} \\ u_2 - e_2 = 0 & \text{au secondaire.} \end{cases}$$

Donc :

$$\frac{u_2}{u_1} = \frac{e_2}{e_1} = \frac{N_2}{N_1}.$$

Les tensions au primaire et au secondaire sont dans le rapport des nombres de spires.

[exercices]

[1] Le champ magnétique $\vec{B}$ est uniforme et perpendiculaire au plan du circuit déformable de la figure.

[a] On convient que l'ampèremètre à zéro central A donne une indication positive lorsque le courant circule de M vers N. Dans quel sens dévie-t-il ?

[b] Comment peut-on inverser le sens du courant dans le circuit $MCDN$?

[c] CD est laissé maintenant en position fixe par rapport aux deux rails ; le circuit indéformable formé par l'ensemble de ceux-ci, de CD et de l'ampèremètre A, est déplacé dans son plan en restant toujours à l'intérieur de la zone où règne le champ magnétique uniforme $\vec{B}$. Y a-t-il déviation de l'ampèremètre, et si oui, dans quel sens ?

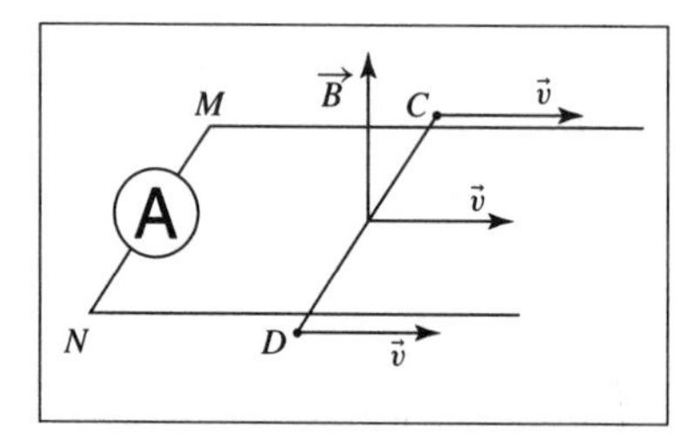

[2] On déplace une tige conductrice MN de longueur ℓ sur deux rails conducteurs parallèles AC et DE à vitesse constante $\vec{v}$ en restant perpendiculaire aux deux rails. Le déplacement de MN s'effectue dans un champ magnétique uniforme $\vec{B}$ perpendiculaire au plan des rails.

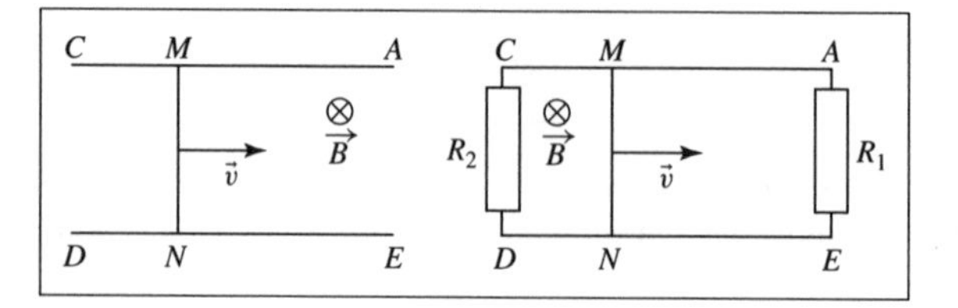

[a] Montrer que MN est le siège d'une force électromotrice induite dont on donnera l'expression en fonction de v, B, ℓ. Préciser le signe de la différence de potentiel entre M et N.

On donne $v = 2\,\text{cm.s}^{-1}$; $B = 0{,}5\,\text{T}$; $\ell = 4\,\text{cm}$.

[b] On relie maintenant AE et CD par des résistances R_1 et R_2 respectivement. La barre MN se déplace toujours à la vitesse constante $\vec{v}$ dans les mêmes conditions que précédemment.

[i] Montrer que R_1 et R_2 sont parcourues par des courants dont on indiquera le sens.

[ii] Exprimer la relation entre les intensités des courants dans R_1, R_2 et MN.

[iii] En négligeant la résistance des rails et de la tige et en supposant que les courants ne modifient pas sensiblement le champ magnétique initial, calculer les intensités des courants I_1, I_2 et I passant respectivement dans R_1, R_2 et MN.

On donne $R_1 = 2.10^{-2}\,\Omega$; $R_2 = 4.10^{-2}\,\Omega$.

[iv] Considérer le cas où la barre MN de déplace avec la même vitesse, dans l'autre sens.

[3] Une bobine B_1 (solénoïde) de diamètre faible par rapport à sa longueur $L = 0{,}5\,\text{m}$ comporte $N_1 = 2\,500$ spires régulièrement réparties. Elle est parcourue par un courant électrique périodique d'intensité $i(t)$ variable avec le temps ; la courbe représentative de $i(t)$ est donnée. On place au centre de B_1 une petite bobine B_2 comportant $N_2 = 200$ spires de diamètre $D = 4.10^{-2}\,\text{m}$; B_1 et B_2 ont même axe.

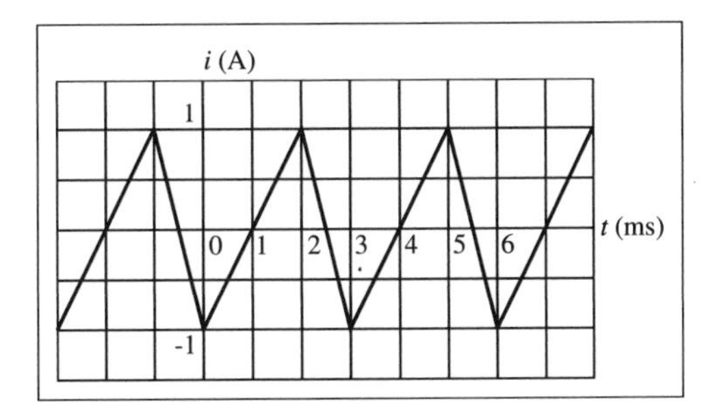

[a] Expliquer l'existence d'une force électromotrice induite e aux bornes de B_2.

[b] Déterminer les valeurs de cette force électromotrice induite e en fonction du temps et en faire une représentation graphique en prenant 1 ms pour 1 cm en abscisse et 0,5 V pour 1 cm en ordonnée.

[4] Une barre métallique horizontale MN de longueur ℓ, de masse m, de résistance négligeable, est lâchée sans vitesse initale. La barre est guidée sans frottement par deux fils verticaux conducteurs dont les extrémités supérieures sont reliées à un condensateur de capacité C, initalement non chargé. L'ensemble est soumis à un champ magnétique $\vec{B}$ uniforme, horizontal et perpendiculaire à la barre.

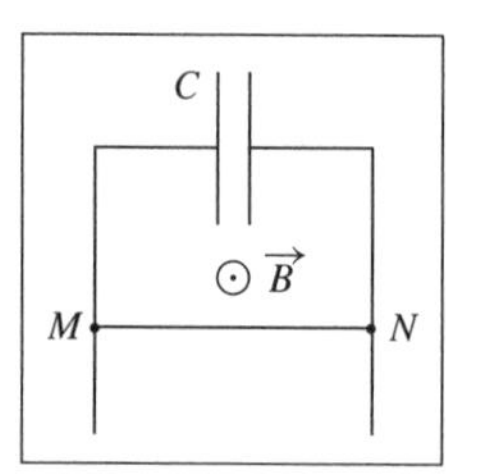

[a] Exprimer la charge q du condensateur en fonction de B, ℓ, C et de la vitesse v de la barre à l'instant t.

[b] En déduire l'expression de l'intensité du courant i à la date t.

[c] Faire un bilan des forces exercées sur la barre au cours de son mouvement. Déterminer l'accélération du mouvement de la barre et vérifier que son mouvement est rectiligne uniformément varié.

On donne $B = 0,5\,\text{T}$; $\ell = 1\,\text{m}$; $g = 9,8\,\text{m.s}^{-2}$; $C = 10^3\,\mu\text{F}$; $m = 10\,\text{g}$.

[5] Un cadre conducteur carré de longueur ℓ et de résistance R se déplace dans son plan supposé vertical avec la vitesse horizontale $\vec{v}$. A l'instant $t = 0$, le cadre pénètre comme l'indique la figure dans la région en grisé où règne le champ magnétique $\vec{B}$.

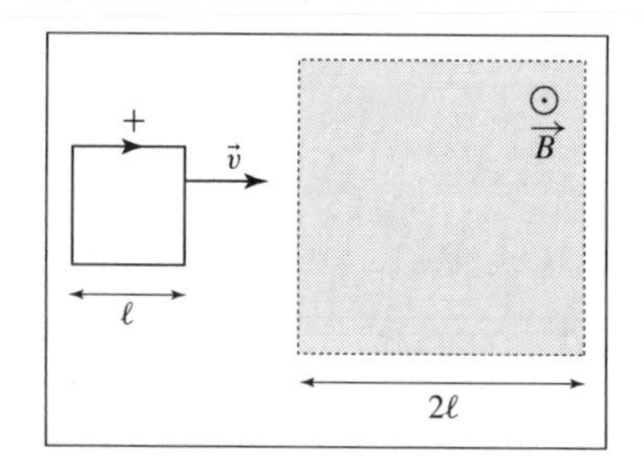

[a] Pourquoi le champ magnétique terrestre ne produit-il pas l'appartition d'un courant induit pendant le mouvement du cadre ?

[b] Calculer l'intensité i du courant induit dans le cadre. Déterminer son sens dans les différentes phases. (On négligera le champ magnétique produit par le courant induit.)

On donne $R = 0,01\,\Omega$; $v = 2\,\text{m.s}^{-1}$; $B = 0,1\,\text{T}$; $\ell = 2\,\text{cm}$.

[c] Représenter $i(t)$ en prenant comme échelle $5\,\text{ms.cm}^{-1}$ et $0,2\,\text{A}$ sur les axes de coordonnées.

[6] Un solénoïde long est parcouru par un courant variable pendant un intervalle de temps Δt, de sorte que le champ magnétique uniforme B qui règne à l'intérieur augmente proportionnellement au temps suivant la loi $B = at$. Une petite bobine de section $S = 3\,\text{cm}^2$ comportant $N = 50$ spires est placée à l'intérieur du solénoïde. On donne $\Delta t = 0,01\,\text{s}$ et la valeur maximale $B_0 = 0,2\,\text{T}$ atteinte par B.

[a] La bobine a même axe que le solénoïde. Quelle tension apparaît à ses bornes en circuit ouvert ?

[b] Même question si l'axe de la bobine est incliné de $60°$ sur l'axe du solénoïde.

[7] Une spire de section $S = 16\,\text{cm}^2$ est entraînée autour d'un axe de son plan à la fréquence $N = 80$ tours par seconde. La spire est en circuit ouvert et ses extrémités sont connectées à deux bagues conductrices A et B solidaires de l'arbre de rotation.

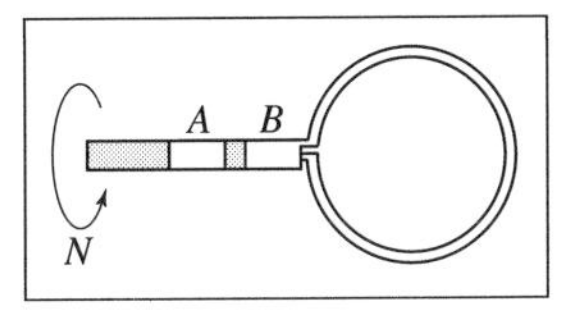

Quelle est l'expression de la tension $u(t)$ qui apparaît entre A et B si l'arbre de rotation a la direction du méridien magnétique ? Quelle est sa valeur maximale ? On donne la valeur de la composante verticale du champ magnétique terrestre $B_V = 3{,}5.10^{-5}\,\text{T}$.

[réponses]

[1] [a] Sens négatif. **[b]** changer le sens $\vec{B}$ ou de $\vec{v}$. **[c]** non, car le flux ne varie pas.

[2] [a] $U_{MN} = +0{,}4\,\text{mV}$. **[b]** $I = I_1 + I_2$; $R_1 I_1 = R_2 I_2 = U_{MN}$; $I_1 = 20\,\text{mA}$; $I_2 = 10\,\text{mA}$.

[3] $e = -1{,}6\,\text{V}$ puis $+3{,}2\,\text{V}$ (créneaux successifs).

[4] [a] $q = B\ell vC$. **[b]** $B\ell C\dfrac{\mathrm{d}v}{\mathrm{d}t}$. **[c]** $\dfrac{\mathrm{d}v}{\mathrm{d}t} = \dfrac{g}{1 + \frac{B^2\ell^2 C}{m}} = 9{,}56\,\text{m.s}^{-2}$.

[5] [a] Le flux magnétique terrestre ne varie pas.

[b] $t < 0 : i = 0$; $0 < t < 20\,\text{ms} : i = 0{,}4\,\text{A}$; $20 < t < 40\,\text{ms} : i = 0$; $40 < t < 60\,\text{ms} : i = -0{,}4\,\text{A}$; $60\,\text{ms} < t : i = 0$.

[6] [a] Le flux à travers la bobine est $\varphi = NSB$ et $u = \left|\dfrac{\mathrm{d}\varphi}{\mathrm{d}t}\right| = \dfrac{NSB_0}{\Delta t}$; $u = 0{,}30\,\text{V}$.

[b] $u' = u\cos 60° = 0{,}15\,\text{V}$.

[7] Le flux de la composante horizontale du champ magnétique terrestre est constamment nul ; $u(t) = 2\pi NSB_V \sin(2\pi Nt + \varphi)$ (φ dépend de l'origine choisie pour le temps) et $u_{\text{max}} = 28\,\mu\text{V}$.

AUTO-INDUCTION

CHAPITRE 12

[l'essentiel]

[1] Étude expérimentale de l'auto-induction

[a] Dispositif expérimental

Les circuits (1) et (2) de la figure sont identiques si ce n'est que la résistance R du circuit (1) est celle du *conducteur ohmique «pur»*, c'est-à-dire non bobiné (un cylindre plein en graphite par exemple) alors que la résistance R du circuit (2) est celle d'une *bobine* (fil conducteur enroulé sur un grand nombre de spires autour d'un cylindre isolant).

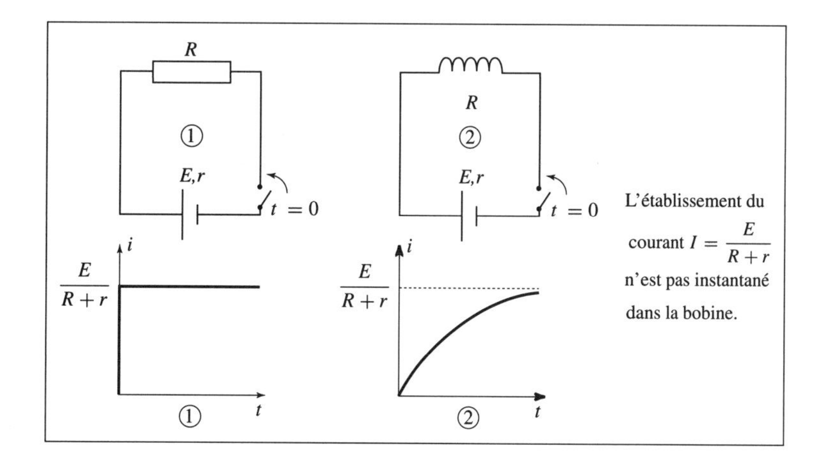

L'établissement du courant $I = \dfrac{E}{R+r}$ n'est pas instantané dans la bobine.

Les courbes correspondantes (1) et (2) donnent la variation de l'intensité i du courant en fonction du temps, à partir de l'instant $t = 0$ où l'on ferme le circuit.

[b] Interprétation

À l'instant $t = 0$ où l'on ferme le circuit (2), le générateur envoie un courant dans la bobine : ce courant crée un champ magnétique et donc un flux magnétique *à travers la bobine elle-même*[1], qui tend à augmenter très rapidement avec le courant. D'après la loi de Lenz (*cf.* **11.[3]**), il y a création d'un courant induit qui s'oppose à l'augmentation du flux : *le courant induit se superpose au courant fourni par le générateur et est ici de sens contraire*[2], d'où le retard observé à l'établissement du courant.

Ce phénomène est appelé **auto-induction**.

En courant continu, il n'apparaît que pendant un instant très bref, lorsqu'on ferme ou ouvre un interrupteur et n'offre de ce fait que peu d'intérêt. Il est par contre essentiel en courant variable.

[2] Relation entre la f.é.m. d'auto-induction et l'intensité du courant

Le courant induit est produit par une *f.é.m. d'auto-induction* e. On peut établir la relation entre i et e, soit expérimentalement soit par le calcul.

[a] Approche expérimentale

Le dipôle AC est alimenté par un générateur basse fréquence (G.B.F.) qui délivre une tension en dents de scie.

Sur la voie (1) de l'oscillographe apparaît la courbe de la tension $u_{AB}(t)$ et l'on constate qu'elle est également en dents de scie.

Sur la voie (2) on voit[3] la courbe de tension $u_{CB}(t)$ qui est en créneaux.

En courant variable, *l'usage est de définir les tensions appliquées et les f.é.m. induites en concordance avec le sens positif du courant* (convention générateur) comme le montrent les flèches de courant et de tension sur la figure.

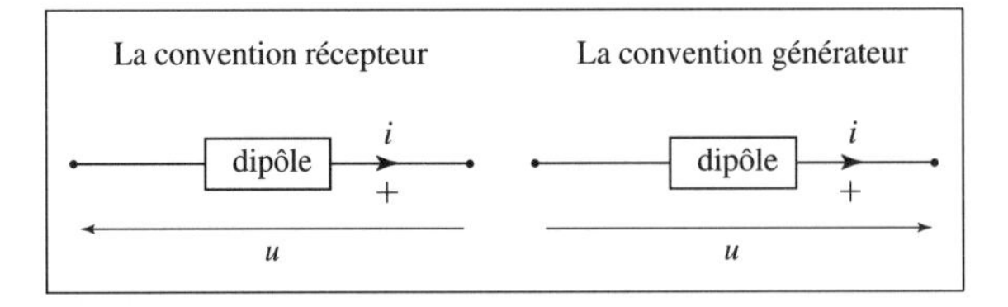

[1] Le flux du champ magnétique créé par le courant qui traverse le circuit, à travers le circuit lui-même est appelé *flux propre*.

[2] Il en est de même lorsqu'on ouvre le circuit : le courant induit s'oppose alors à la diminution du flux.

[3] La tension qui apparaît sur l'écran de l'oscillographe est toujours :

(potentiel de la borne connectée sur la voie)−(potentiel de la borne connectée à la masse).

Ici $u_{CB} = V_C - V_B$ = potentiel voie (2) − potentiel masse.

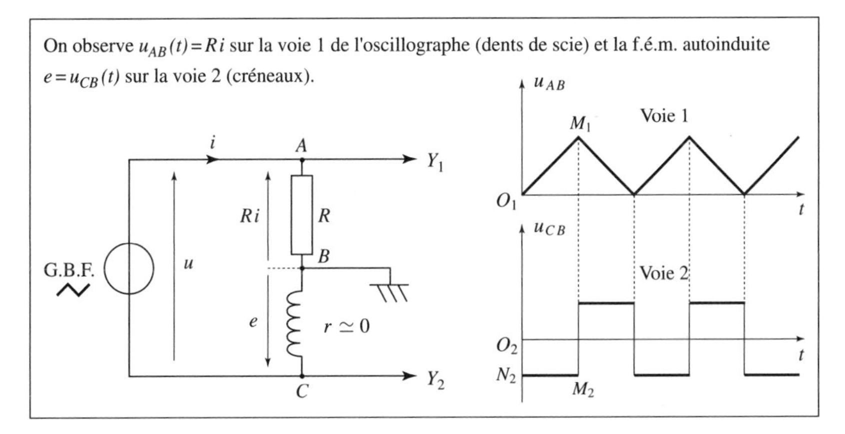

Considérons le segment O_1M_1 (courbe voie (1)) ; dans cet intervalle de temps, $u_{AB}(t) = at$ (a : coefficient directeur positif). Comme $u_{AB} = Ri$ on en déduit que $i = \frac{a}{R}t$ et la dérivée $\frac{\mathrm{d}i}{\mathrm{d}t} = \frac{a}{R}$ est une constante positive. Dans le même intervalle de temps, e est représentée par le segment N_2M_2 (voie (2)) : $e = -E$ (constante < 0). On en déduit que $\frac{e}{\mathrm{d}i/\mathrm{d}t} = -\frac{RE}{a}$ et en posant $\frac{RE}{a} = L$ (constante), finalement :

$$\boxed{e = -L\frac{\mathrm{d}i}{\mathrm{d}t}.} \qquad (12, 1)$$

L est une constante caractéristique de la bobine appelée **inductance**[1]. L s'exprime en **henry (H)**.

[b] Approche théorique

Nous avons vu (11,2) que l'apparition de la f.é.m. induite est due à la variation du flux φ à travers la bobine. Or, nous savons que le champ B est proportionnel à l'intensité i du courant (voir 8.**[3]**), donc le flux φ est également proportionnel à i :

$$\boxed{\varphi = Li.} \qquad (12, 2)$$

Le coefficient de proportionnalité L est l'inductance, comme on va le voir. Par ailleurs nous savons de (11,2) que :

$$e = -\frac{\mathrm{d}\varphi}{\mathrm{d}t},$$

d'où :

$$e = -\frac{\mathrm{d}(Li)}{\mathrm{d}t} = -L\frac{\mathrm{d}\,i}{\mathrm{d}t}.$$

On retrouve la relation (12,1).

1 On dit aussi : autoinductance, inductance propre, self.

[3] Tension aux bornes d'une bobine

La bobine d'inductance L et de résistance R peut être considérée comme formée d'une bobine d'inductance L et de résistance nulle en série avec une résistance pure R.

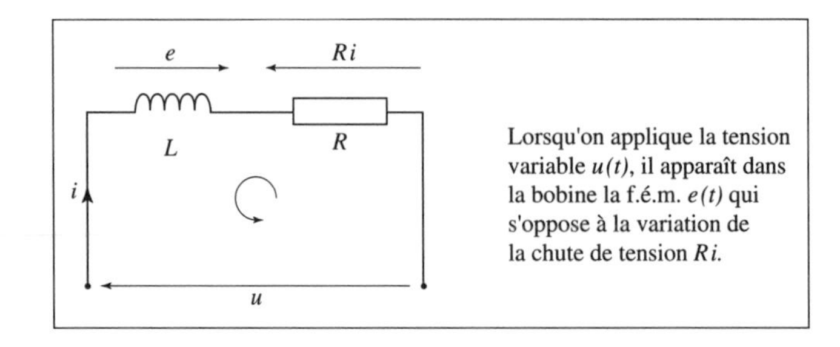

Lorsqu'on applique la tension variable $u(t)$, il apparaît dans la bobine la f.é.m. $e(t)$ qui s'oppose à la variation de la chute de tension Ri.

Avec les conventions d'orientation définies au **12.[2].[a]**, la loi des mailles (3,1) s'écrit :

$$u - Ri + e = 0,$$

d'où :

$$\boxed{u = L\frac{\mathrm{d}i}{\mathrm{d}t} + Ri.} \tag{12, 3}$$

[4] Énergie magnétique

Nous admettrons qu'une bobine d'inductance L parcourue par un courant d'intensité i emmagasine une certaine énergie E_m appelée *énergie magnétique* et donnée par la relation :

$$E_m = \frac{1}{2}Li^2, \tag{12, 4}$$

avec E_m en **joule** (**J**), L en **henry** (**H**) et i en **ampère** (**A**).

Mots-clés

- auto-induction
- flux propre
- f.é.m. d'auto-induction
- inductance
- énergie magnétique

[1] [a] *Établir l'expression de l'inductance d'un solénoïde de longueur ℓ comportant N spires de surface S.*

Le champ magnétique, uniforme à l'intérieur du solénoïde, est donné par (8,4) :

$$B = \mu_0 \frac{N}{\ell} i$$

et le flux est :

$$\varphi = NBS = \mu_0 \frac{N^2 S}{\ell} i.$$

L'inductance $L = \frac{\varphi}{i}$ est donc :

$$L = \mu_0 \frac{N^2 S}{\ell}.$$

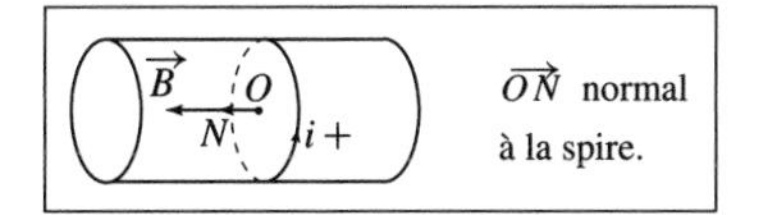

[b] *Faire l'application numérique avec* $N = 5\,000$ spires *de rayon* $R = 5$ cm, $\ell = 0{,}5$ m.

On trouve $L = 0{,}5$ H.

[2] *Un solénoïde d'inductrance* $L = 1$ mH *est parcouru par un courant dont l'intensité i varie en fonction du temps comme indiqué sur la figure.*

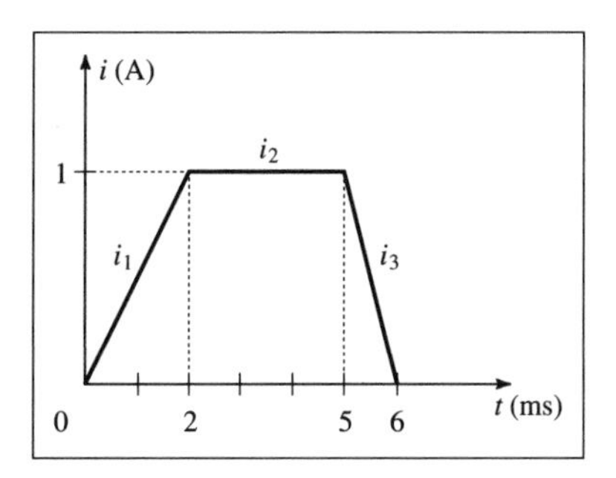

Calculer la f.é.m. induite e pour chacune des trois phases et tracer la courbe $e = f(t)$ *pour* $0 \leqslant t \leqslant 6$ ms.

Calculons les coefficients directeurs des segments représentant i_1, i_2 et i_3.

$$\begin{aligned} a_1 &= \frac{\mathrm{d}i_1}{\mathrm{d}t} = \frac{1}{2.10^{-3}} = 500\ \mathrm{A.s^{-1}} \\ a_2 &= 0 \\ a_3 &= -\frac{1}{10^{-3}} = -1\,000\ \mathrm{A.s^{-1}}, \end{aligned}$$

d'où :

$$\begin{cases} e_1 = -L\dfrac{\mathrm{d}i_1}{\mathrm{d}t} = -0{,}5\ \mathrm{V} \\ e_2 = 0 \\ e_3 = 1\ \mathrm{V}. \end{cases}$$

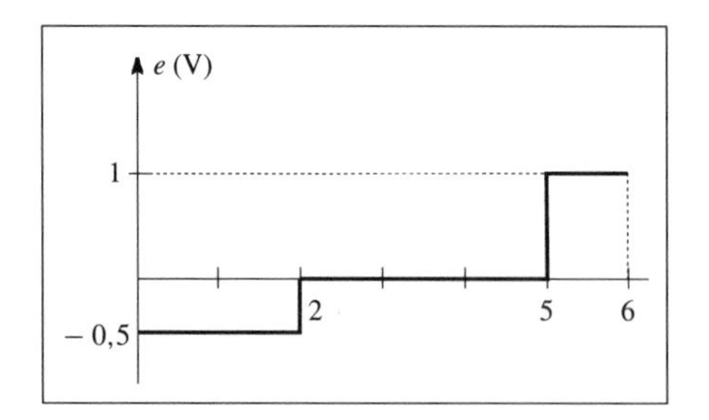

[3] *Le dipôle AC est alimenté par un générateur G qui délivre une tension en dents de scie. Sur l'écran de l'oscillographe bicourbe on voit les courbes des tensions $u_{AB} = f_1(t)$ sur la voie (1) et $u_{CB} = f_2(t)$ sur la voie (2). À partir de l'oscillogramme on se propose de déterminer la valeur de l'inductance L de la bobine.*

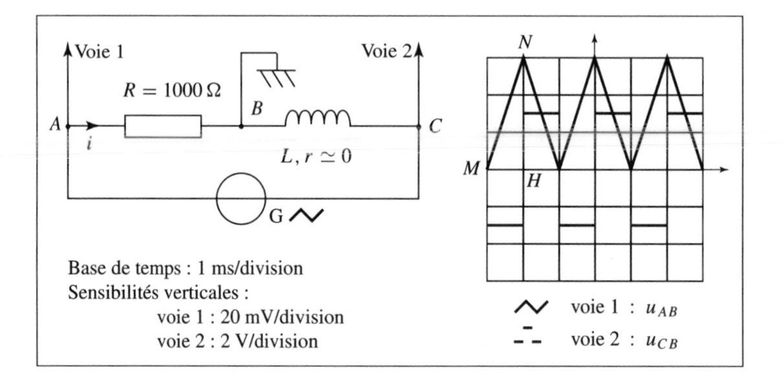

[a] *Établir une relation entre les tensions u_{AB} et u_{CB}.*

On a $u_{AB} = Ri$ et $u_{CB} = -L\dfrac{\mathrm{d}i}{\mathrm{d}t}$ (attention aux signes !). En dérivant u_{AB}, on obtient :

$$\frac{\mathrm{d}u_{AB}}{\mathrm{d}t} = R\frac{\mathrm{d}i}{\mathrm{d}t},$$

et comme $\dfrac{u_{CB}}{-L} = \dfrac{\mathrm{d}i}{\mathrm{d}t}$, on a finalement :

$$\frac{\mathrm{d}u_{AB}}{\mathrm{d}t} = -\frac{R}{L}u_{CB}. \qquad (1)$$

[b] *En déduire la valeur numérique de L.*

$\dfrac{\mathrm{d}u_{AB}}{\mathrm{d}t}$ est le coefficient directeur des segments qui constituent la courbe en dents de scie. On peut mesurer ce coefficient sur l'oscillogramme :

$$\frac{\mathrm{d}u_{AB}}{\mathrm{d}t} = \frac{NH}{MH} = \frac{6}{10^{-3}} = 6.10^3\ \mathrm{V.s^{-1}}.$$

Pendant le même intervalle de temps :

$$u_{CB} = -30.10^{-3}\,\mathrm{V}.$$

D'où d'après (1) :

$$L = -\frac{Ru_{CB}}{\mathrm{d}u_{AB}/\,\mathrm{d}t} = -\frac{10^3(-30.10^{-3})}{6.10^{-3}},$$

soit $L = 5\,\mathrm{mH}$.

[4] *La bobine (B) est branchée aux bornes d'un accumulateur de f.é.m. E et de résistance interne négligeable. À la date $t = 0$ on ferme l'interrupteur K et l'on suit la variation de l'intensité du courant i en fonction du temps (graphe).*

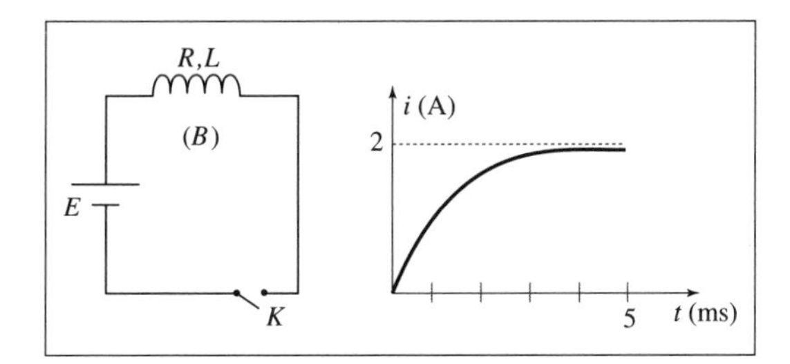

[a] *Quel est le phénomène mis en évidence par l'allure de la courbe ?*

C'est le phénomène d'auto-induction, bien sûr !

[b] *Établir l'équation différentielle dont la solution est la fonction $i = f(t)$ observée.*

La loi des mailles (3,1) s'écrit :

$$E - u = 0,$$

où u est donné par la relation (12,3). On obtient l'équation différentielle demandée :

$$L\frac{\mathrm{d}i}{\mathrm{d}t} + Ri = E.$$

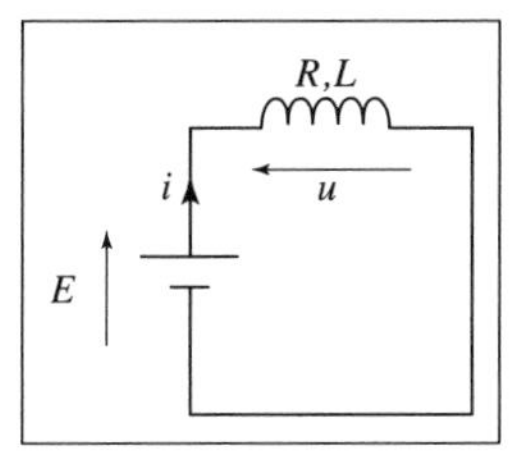

[c] *Vérifier que $i = \frac{E}{R}\left(1 - e^{-\frac{R}{L}t}\right)$ est solution de l'équation différentielle et correspond au problème.*

$$\frac{\mathrm{d}i}{\mathrm{d}t} = \frac{E}{R}\frac{R}{L}e^{-\frac{R}{L}t} = \frac{E}{L}e^{-\frac{R}{L}t}.$$

Remplaçons dans l'équation différentielle :

$$Ee^{-\frac{R}{L}t} + R\frac{E}{R}\left(1 - e^{-\frac{R}{L}t}\right) = E.$$

En développant et simplifiant on voit que cette égalité est vraie. Donc la fonction $i = f(t)$ ci-dessus est bien solution de l'équation différentielle.

Quand $t \longrightarrow +\infty$ le phénomène d'auto-induction disparaît et l'on doit avoir $I = \frac{E}{R}$. C'est bien ce que l'on constate puisque $i \longrightarrow \frac{E}{R}$ quand $t \longrightarrow +\infty$.

[d] *On pose* $\tau = \frac{L}{R}$ *;* τ *est appelée* constante de temps *du circuit et s'exprime en seconde. Calculer en fonction de* τ *la date* τ_0 *à laquelle l'intensité du courant a atteint une valeur égale à 99 % de l'intensité maximale.*

Théoriquement l'intensité maximale est atteinte au bout d'un temps infini. En faisant tendre t vers l'infini dans l'expression $i = f(t)$ on obtient :

$$I_{\max} = \frac{E}{R},$$

résultat en accord avec la loi de Pouillet (1,7). On peut donc écrire :

$$\frac{i}{I_{\max}} = 1 - e^{-t/\tau},$$

soit $\frac{i}{I_{\max}} = 0{,}99$ pour $t = t_0$ tel que :

$$\begin{aligned} 1 - e^{-t_0/\tau} &= 0{,}99 \\ e^{-t_0/\tau} &= 10^{-2} \\ -\frac{t_0}{\tau} &= \ln 10^{-2} = -4{,}6 \\ t_0 &= 4{,}6\tau. \end{aligned}$$

[e] *Quel est à la date* $t_0 = 4{,}6\tau$ *le « taux de remplissage » de la bobine, c'est-à-dire le rapport entre l'énergie emmagasinée à cet instant et l'énergie maximale que peut emmagasiner la bobine ?*

$$\begin{aligned} E_{\max} &= \frac{1}{2}LI_{\max}^2 \\ E(t_0) &= \frac{1}{2}L\,(0{,}99I_{\max})^2, \end{aligned}$$

d'où :

$$\frac{E(t_0)}{E_{\max}} = 0{,}99^2 = 0{,}98.$$

L'énergie emmagasinée à la date t_0 représente 98 % de l'énergie maximale.

[f] *La bobine de résistance* $R = 5\,\Omega$ *et une inductance* $L = 5$ mH. *Quel est le temps minimum de fermeture de l'interrupteur pour que le taux de remplissage soit au moins égal à 98 % ?*

On a :

$$\tau = \frac{L}{R} = 10^{-3}\text{ s},$$

soit $t_0 = 4{,}6\tau = 4{,}6$ ms.

[exercices]

[1] Une résistance pure $R = 100\,\Omega$ est montée en série avec une bobine de résistance négligeable et d'auto-inductance L. Aux bornes A et C de ce dipôle, on établit une tension en dents de scie. Les tensions u_{AB} et u_{CB} sont appliquées aux bornes d'un oscillographe bicourbe. En absence de tension les deux traces sont confondues sur la ligne horizontale au milieu de l'écran.

On obtient sur l'écran deux courbes. La base de temps est réglée sur 10 ms par division. La sensibilité verticale est :

- 1 V par division sur la voie (1) ;
- 12,5 mV par division sur la voie (2).

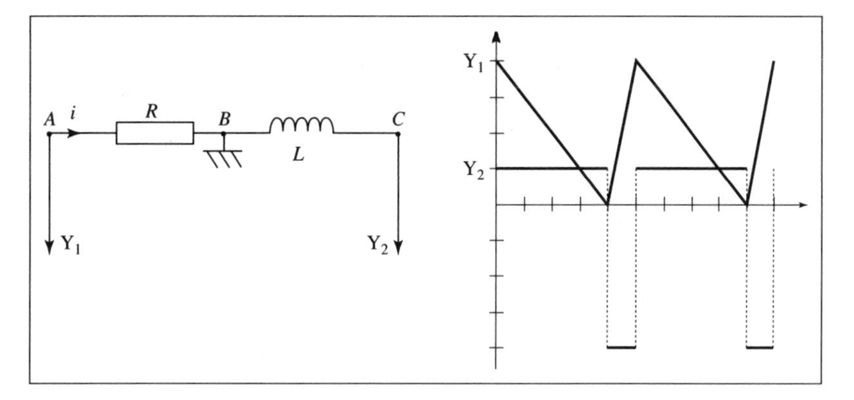

[a] Représenter les variations de l'intensité du courant traversant la résistance en fonction du temps. On prendra comme échelle 10 ms par cm sur l'axe $x'Ox$ et 10^{-2} A par cm sur l'axe yOy'.

[b] La tension relevée aux bornes de la bobine est rectangulaire. Pourquoi ? Expliquer précisémment pourquoi les deux créneaux observés ne sont pas de même hauteur.

[c] Calculer l'auto-inductance L de la bobine.

[2] Un conducteur ohmique de résistance $R = 100\,\Omega$ et une bobine d'auto-inductance $L = 1$ H et de résistance négligeable, sont alimentés en série par un générateur. Sur l'écran d'un oscillographe on observe les variations au cours du temps de la tension instantanée $u_R = u_{BC}$ aux bornes du conducteur ohmique. Cette tension est périodique de période $T = 20$ ms. Le choix de l'origine des temps est précisé sur la figure.

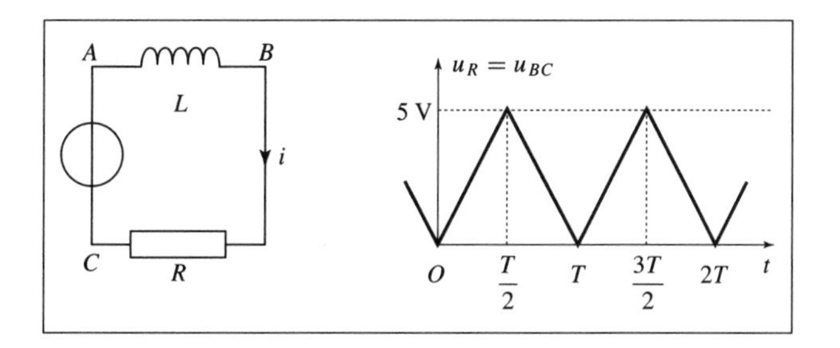

[a] Soit i l'intensité instantanée du courant qui traverse le conducteur ohmique de B vers C. Représenter sur un graphique, tracé sur papier millimétré, les variations de i dans le circuit en fonction de t pour deux périodes. On prendra comme échelle 1 cm pour 4 ms et 1 cm pour 10 mA. Exprimer i en fonction de t pour t variant entre 0 et 10 ms puis t variant entre 10 et 20 ms.

[b] Représenter sur un deuxième graphique les variations de la tension instantanée $u_L = u_{AB}$ aux bornes de la bobine en fonction de t pour deux périodes. On justifiera la construction. On prendra comme échelle 1 cm pour 4 ms et 1 cm pour 1 V.

Ces deux représentations graphiques seront faites sur la même feuille de papier millimétrée.

[3] Un circuit se compose d'un générateur de f.é.m. $E = 20\,\text{V}$ et de résistance intérieure négligeable, d'un interrupteur et d'une bobine de résistance R et d'inductance L. On ferme l'interrupteur à l'instant $t = 0$ et on enregistre à l'oscillographe la représentation graphique de la fonction $i = f(t)$, où t est la durée comptée à partir de la fermeture du circuit et i l'intensité du courant. Cette courbe présente, à l'instant $t = 0$, une tangente dont le coefficient directeur est 40 dans les unités S.I. Au bout du temps $t = 0{,}2\,\text{s}$, on peut considérer que le courant est établi, son intensité étant constante et égale à 2 A.

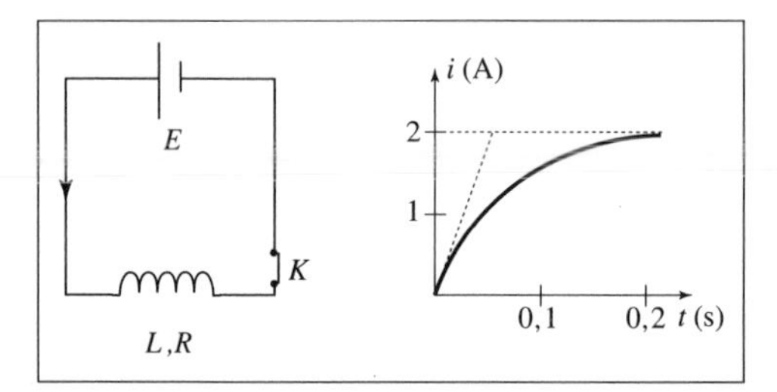

[a] À l'aide de la représentation graphique, indiquer qualitativement comment varie la f.é.m. d'auto-induction e.

[b] Déterminer, à l'instant de la fermeture, lorsque l'intensité est encore pratiquement nulle, la valeur de la f.é.m. d'auto-induction e. En déduire l'inductance L de la bobine.

[c] Quelle est la valeur de la f.é.m. d'auto-induction lorsque $t > 0{,}2\,\text{s}$? En déduire la résistance de la bobine.

[4] Le circuit de la figure est alimenté par un générateur de signaux triangulaires. La résistance de la bobine est négligeable et $R = 1\,000\,\Omega$. Le réglage de l'oscillographe est 1 ms par division, 20 mV par division sur la voie (1) et 2 V par division sur la voie (2).

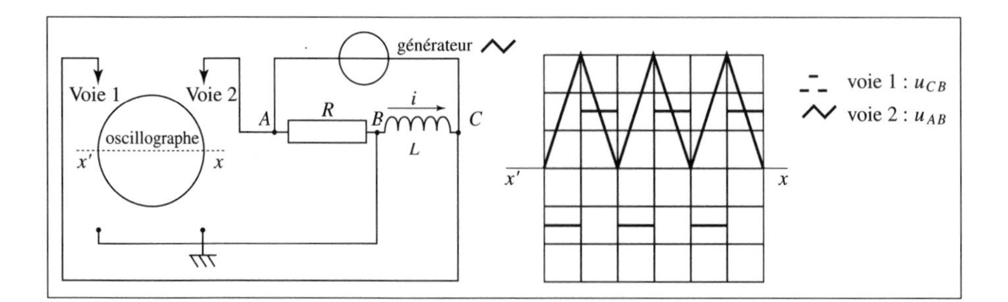

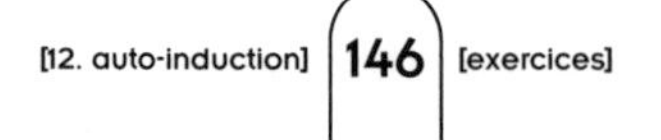

[a] On observe que la tension u_{AB} forme une trace pratiquement triangulaire. Justifier la trace en créneaux observée pour la tension u_{CB} et représentée sur l'oscilogramme.

[b] Calculer l'inductance L de la bobine.

[c] Calculer l'énergie maximale W_m emmagasinée dans la bobine.

[réponses]

[1] [c] À partir de $u_{AB} = Ri$ et $u_{CB} = -L\frac{\mathrm{d}i}{\mathrm{d}t}$, établir la relation $u_{CB} = -\frac{L}{R}\frac{\mathrm{d}u_{AB}}{\mathrm{d}t}$; $L = 12{,}5\,\mathrm{mH}$.

[2] Pour $0 < t < 10\,\mathrm{ms}$: $i = 5t$; pour $10 < t < 20\,\mathrm{ms}$: $i = -5t + 0{,}1$.

[3] [b] La loi des mailles (avec $i = 0$) donne $e_0 = -20\,\mathrm{V}$; à $t = 0$ on a $\frac{\mathrm{d}i}{\mathrm{d}t} = 40\,\mathrm{A.s^{-1}}$, d'où $L = 0{,}50\,\mathrm{H}$. [c] $e = 0$ et $E = Ri$, d'où $R = 10\,\Omega$.

[4] [b] $L = 5{,}0\,\mathrm{mH}$. [c] $W_m = 90\,\mathrm{mJ}$.

L'OSCILLOGRAPHE ÉLECTRONIQUE

CHAPITRE 13

[l'essentiel]

[1] Le canon à électrons

Le canon à électrons est le dispositif qui émet le faisceau d'électrons nécessaire au fonctionnement de l'oscillographe électronique. Le filament F traversé par un courant chauffe la plaque métallique (C) qui émet des électrons. Ce phénomène, émission d'électrons par un métal chauffé, est appelé *effet thermoélectronique*.

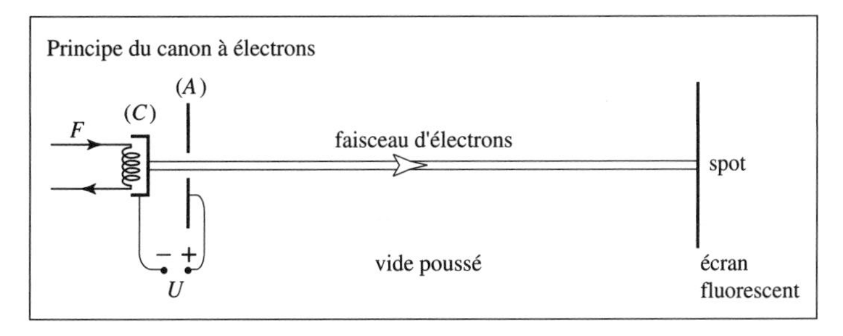

Les électrons émis par effet thermoélectronique sont accélérés par la tension U appliquée entre *la cathode* (C) et *l'anode* (A) (voir volume **I**, **10**.**[4][b]**) et aboutissent sur un écran fluorescent. Au point d'impact apparaît un point lumineux, *le spot*.

[2] L'oscillographe électronique

Le faisceau d'électrons émis par le canon à électrons passe entre une paire de plaques horizontales (P_1) qui peuvent le dévier verticalement (voir volume **I**, **14.[2]**) et une paire de plaques verticales (P_2) qui peuvent le dévier horizontalement.

Le faisceau peut ainsi atteindre n'importe quel point de l'écran fluorescent.

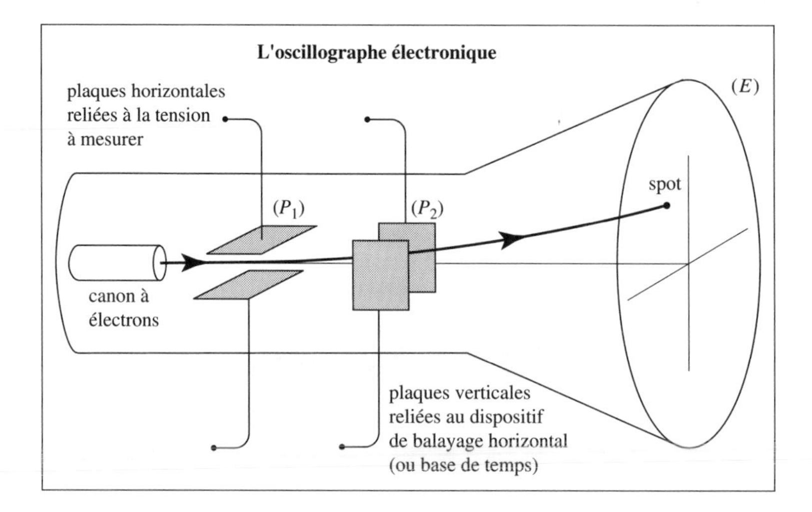

Si l'on applique une tension entre les plaques horizontales, par exemple avec une pile, l'une d'elles se charge positivement et l'autre négativement ; les électrons sont alors déviés verticalement vers la plaque positive et la trace lumineuse sur l'écran se trouve déplacée suivant la verticale. La déviation du spot sur l'écran est proportionnelle à la tension appliquée entre les plaques (voir volume **I**, (14,9)). L'appareil possède un commutateur, dit de **sensibilité verticale**, permettant par l'intermédiaire d'un amplificateur-atténuateur de choisir la sensibilité de l'appareil. Le commutateur est gradué en volt par centimètre ($V.cm^{-1}$) ou en millivolt par centimètre ($mV.cm^{-1}$) : pour une sensibilité verticale de $500\,mV.cm^{-1}$, une déviation du spot de 1 cm correspond à une tension appliquée de 500 mV. Si on mesure, pour cette sensibilité, une déviation du spot égale à 4,5 cm on en déduira que la tension appliquée est de :

$$500 \times 4{,}5 = 2\,250\,\text{mV} = 2{,}25\,\text{V}.$$

✗ **L'oscillographe électronique permet de mesurer des tensions.**

Les mêmes observations peuvent être faites à propos des plaques verticales : une tension appliquée entre les plaques verticales provoque une déviation horizontale du spot sur l'écran. Nous verrons au paragraphe suivant quelle est leur utilité.

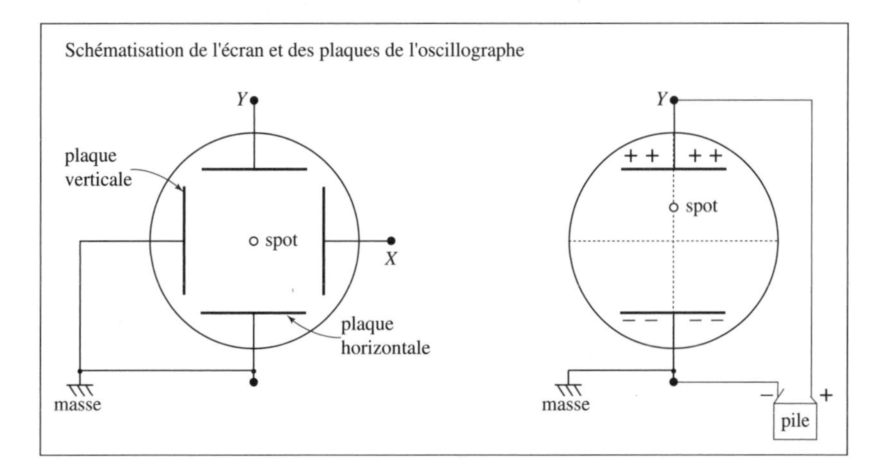

En pratique le filament, une plaque horizontale, une plaque verticale et le tube sont connectés ensemble à une borne commune sur la façade de l'appareil et appelée **borne de masse**. On trouve également sur le devant une borne notée Y ou V et une borne notée X ou H. La borne d'entrée Y est reliée par un conducteur à la seconde plaque verticale : si on connecte par exemple une pile à la borne Y et à la masse on observera sur l'écran une déviation verticale du spot, dont la mesure permettra d'en déduire la tension aux bornes de la pile.

L'appareil possède également des boutons de réglage de la luminosité du spot et de la netteté.

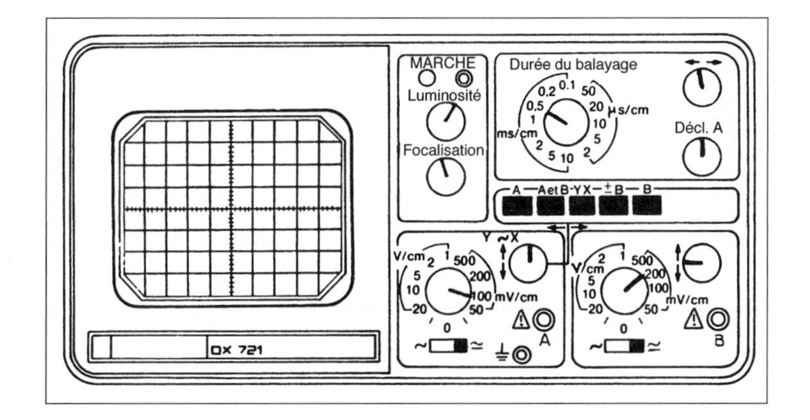

[3] Visualisation de tensions variables

L'oscillographe électronique permet aussi d'étudier comment varie en fonction du temps une tension qui change très rapidement. L'appareil est muni d'un dispositif électronique appelé «**circuit de balayage**» ou «**base de temps**» qui délivre une tension variant au cours du temps «en dents de scie». Cette tension est appliquée au plaques verticales et produit un déplacement horizontal du spot à vitesse constante jusqu'à l'extrémité de l'écran. Le dispositif décharge alors brutalement les plaques verticales pour recommencer à les charger aussitôt : le spot revient très rapidement à son point de départ et repart à vitesse constante, d'où le nom de *balayage horizontal* donné au mouvement du spot. Du fait de la persistance des impressions lumineuses on observe sur l'écran un trait lumineux horizontal.

Si en même temps on applique une tension variable entre les plaques horizontales, il en résulte une déviation verticale qui vient se superposer à la déviation horizontale due au balayge horizontal. Le spot trace alors sur l'écran une courbe, *l'oscillogramme*, qui est la représentation graphique de la tension appliquée entre la borne Y et la masse en fonction du temps : la déviation verticale est proportionnelle à la tension étudiée tandis que la déviation horizontale est proportionnelle au temps.

La vitesse de balayage peut être choisie à l'aide d'un commutateur, dit de «**sensibilité de balayage**» gradué en milliseconde par centimètre (ms.cm^{-1}) ou en microseconde par centimètre ($\mu\text{s.cm}^{-1}$) : une sensibilité de balayage de $0,5\ \text{ms.cm}^{-1}$ indique une longueur de 1 cm sur l'axe horizontal correspond à une durée de $0,5$ ms.

Certains oscillographes possèdent un double jeu de plaques horizontales et un faisceau électronique double : ils permettent d'étudier simultanément deux tensions variables sur l'écran. Ces oscillographes, dits *bicourbes*, possèdent deux entrées Y.

Sur la figure on a représenté les oscillogrammes de la tension constante délivrée par une pile, de la tension alternative sinusoïdale délivrée par une prise du secteur.

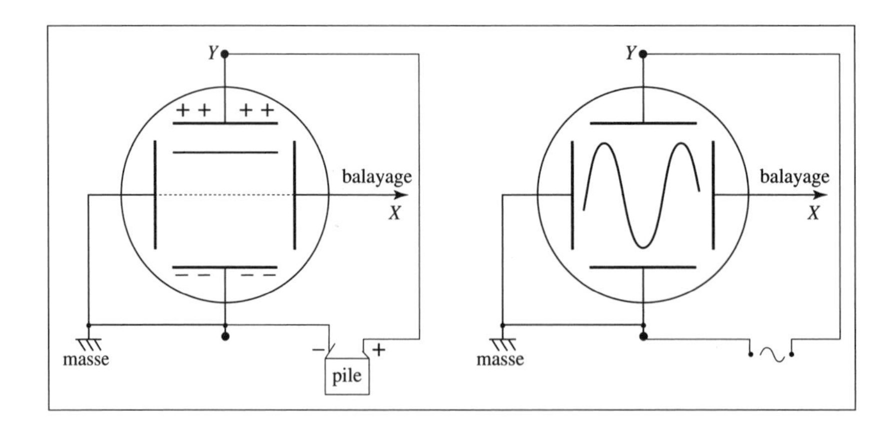

OSCILLATIONS ÉLECTRIQUES LIBRES

CHAPITRE 14

[l'essentiel]

[1] Le circuit oscillant L,C : équation différentielle

Le condensateur de capacité C a été chargé au préalable : Q est sa charge.

Ses bornes sont ensuite reliées à celles d'une bobine d'inductance L et de résistance nulle[1]

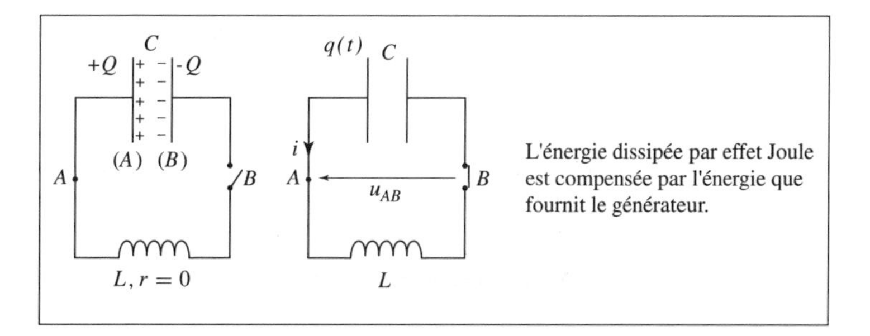

À la date $t = 0$, on ferme le circuit : un courant $i(t)$ va passer. Soit $q(t)$ la charge de l'armature (A) à la date t. D'après (12, 3) où l'on fait $R = 0$, on a aux bornes de la bobine :

$$u_{AB} = L\frac{\mathrm{d}i}{\mathrm{d}t}.$$

De même, d'après (4,1), on a aux bornes du condensateur :

$$u_{AB} = \frac{q}{C},$$

1 La résistance de la bobine n'est jamais rigoureusement nulle. Il s'agit d'un cas limite, théorique, simple à étudier.

d'où :

$$L\frac{\mathrm{d}i}{\mathrm{d}t} = \frac{q}{C}. \tag{14, 1}$$

L'intensité *instantanée* du courant en régime variable est le rapport de la quantité d'électricité $\mathrm{d}q$ qui circule pendant un *petit* intervalle de temps $\mathrm{d}t$ (entre les instants t et $t+\mathrm{d}t$), à la durée $\mathrm{d}t$. Sa valeur algébrique, compte tenu du sens positif choisi sur la figure, est ici :

$$i = -\frac{\mathrm{d}q}{\mathrm{d}t}. \tag{14, 2}$$

Le rapport des deux quantités infiniment petites $\frac{\mathrm{d}q}{\mathrm{d}t}$ n'est autre que la dérivée de q par rapport à t.

Pour bien comprendre la signification du signe $-$, considérons le circuit une fraction de seconde après la fermeture. L'armature (A) est chargée positivement, les électrons circulent de (B) vers (A), donc $i > 0$; mais $\mathrm{d}q$, qui représente l'accroissement de la charge de (A) pendant un temps $\mathrm{d}t$, est négatif puisque q diminue ; $\mathrm{d}t$ étant toujours positif, $\frac{\mathrm{d}q}{\mathrm{d}t}$ est négatif, d'où le signe[1] $-$.

En dérivant (14,2) et en remplaçant dans (14,1) on obtient :

$$-L\frac{\mathrm{d}^2q}{\mathrm{d}t^2} = \frac{q}{C}$$

et finalement :

$$\boxed{\frac{\mathrm{d}^2q}{\mathrm{d}t^2} + \frac{1}{LC}q = 0.} \tag{14, 3}$$

C'est *l'équation différentielle caractéristique* du circuit oscillant. Cette équation est de la forme :

$$\ddot{X}(t) + \omega_0^2 X(t) = 0$$

avec $\frac{1}{LC} = \omega_0^2$ (voir volume **I**, **D.[3]**). Le circuit oscillant est donc un *oscillateur harmonique*. Il en résulte que la solution de cette équation est de la forme :

$$\boxed{q(t) = Q\cos(\omega_0 t + \varphi).} \tag{14, 4}$$

Vérifions que cette équation est bien solution de l'équation différentielle :

$$\dot{q}(t) = -\,\omega_0 Q\sin(\omega_0 t + \varphi)$$
$$\ddot{q}(t) = -\,\omega_0^2 Q\cos(\omega_0 t + \varphi).$$

En remplaçant dans (14,3) on trouve :

$$Q\cos(\omega_0 t + \varphi)\left[-\omega_0^2 + \frac{1}{LC}\right] = 0.$$

---

[1] Avec l'orientation opposée de i, on aura $i = +\mathrm{d}q/\mathrm{d}t$ et donc $u_{AB} = -L\mathrm{d}i/\mathrm{d}t$, ce qui ne change pas le résultat (14,3).

Cette relation est vérifiée quel que soit t pour :

$$\omega_0 = \frac{1}{\sqrt{LC}}. \tag{14, 5}$$

ω_0 est la **pulsation propre** de l'oscillateur.

On en déduit la fréquence propre et la période propre $N_0 = \dfrac{\omega_0}{2\pi}$ et $T_0 = \dfrac{1}{N_0}$, donc :

$$\boxed{N_0 = \frac{1}{2\pi\sqrt{LC}}} \tag{14, 6}$$

$$\boxed{T_0 = 2\pi\sqrt{LC}.} \tag{14, 7}$$

[2] Énergie emmagasinée

L'énergie électrique du condensateur est donné par (4,3) et l'énergie magnétique de la bobine par (12,4). L'énergie élecromagnétique totale est :

$$E = E_{\text{él.}} + E_{\text{mag.}} = \frac{1}{2}\frac{q^2}{C} + \frac{1}{2}Li^2.$$

Or $q = Q\cos(\omega_0 t + \varphi)$ et d'après (14,2) :

$$i = -\frac{\mathrm{d}q}{\mathrm{d}t} = \omega_0 Q \sin(\omega_0 t + \varphi) = \frac{Q}{\sqrt{LC}}\sin(\omega_0 t + \varphi).$$

D'où :

$$E = \frac{1}{2}\frac{Q^2}{C}\cos^2(\omega_0 t + \varphi) + \frac{1}{2}\frac{Q^2}{C}\sin^2(\omega_0 t + \varphi), \tag{14, 8}$$

et finalement :

$$\boxed{E = \frac{1}{2}\frac{Q^2}{C}.} \tag{14, 9}$$

L'énergie électromagnétique mise en jeu dans le circuit est donc constante. Ce résultat était prévisible puisqu'il n'y a pas de perte par effet Joule (résistance nulle). La relation (14,8) montre que l'énergie dans le circuit oscille dans le circuit entre la forme magnétique, dans la bobine, et la forme électrique dans le condensateur.

[3] Circuit oscillant réel

La bobine a toujours une résistance r. Cherchons l'équation différentielle. Par rapport aux calculs de **14.[1]**, la seule différence est que $u_{AB} = L\dfrac{\mathrm{d}i}{\mathrm{d}t} + ri$. Il en résulte que l'équation différentielle (14,3) devient :

$$\boxed{\frac{\mathrm{d}^2q}{\mathrm{d}t^2} + \frac{r}{L}\frac{\mathrm{d}q}{\mathrm{d}t} + \frac{1}{LC}q = 0.} \tag{14, 10}$$

Cette équation différentielle n'admet pas de solution sinusoïdale. On peut montrer que (voir volume **I**, **D.[4]**) :

- si $r < 2\sqrt{\dfrac{L}{C}}$ le régime est oscillatoire *pseudo-périodique* ;
- si $r > 2\sqrt{\dfrac{L}{C}}$ le régime est *apériodique*.

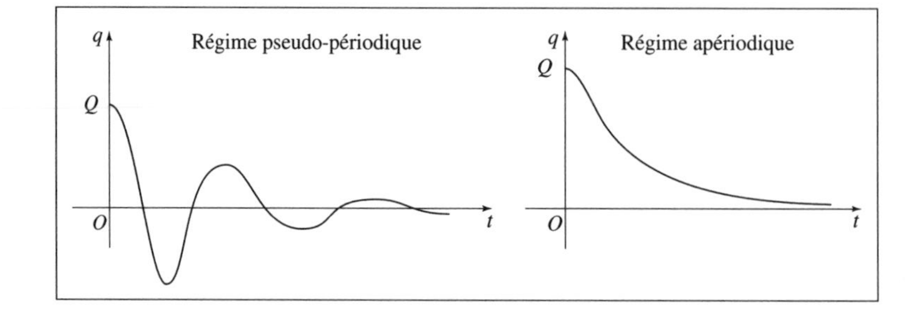

[4] Entretien des oscillations : montage à « résistance négative »

Pour entretenir les oscillations d'un circuit réel ($r \neq 0$), il faut introduire dans le circuit un générateur G qui compense l'énergie perdue par effet Joule. Ce générateur particulier comporte un amplificateur opérationnel (voir chapitre **7**).

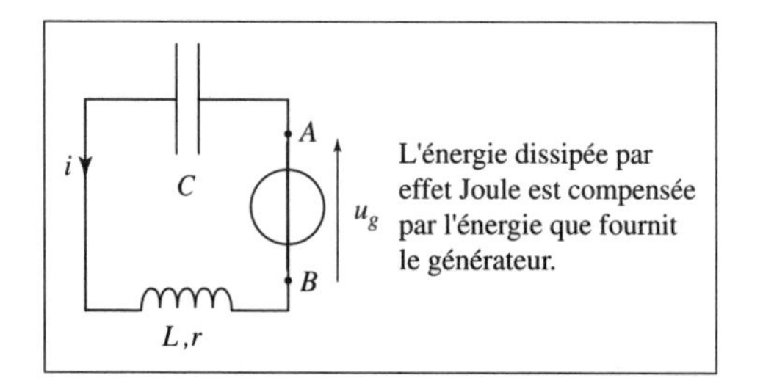

[a] Principe de fonctionnement

Ce générateur doit être tel que l'intensité du courant i soit proportionnelle à la tension u_g entre ses bornes :

$$u_g = Ki$$

où K est une constante positive.

En effet, la puissance fournie au dipôle AB (circuit oscillant) est, selon (2,1) :

$$P = u_g i$$

ou :

$$P = Ki^2.$$

La puissance dissipée par effet Joule (2,3) est :

$$P_J = ri^2.$$

Les oscillations sont entretenues si $P = P_J$. Par conséquent :

$$K = r$$

et :

$$u_g = ri. \qquad (14, 11)$$

[b] Description et fonctionnement du générateur G

Le générateur G décrit sur la figure utilise un amplificateur opérationnel idéal en régime linéaire (voir chapitre **7**).

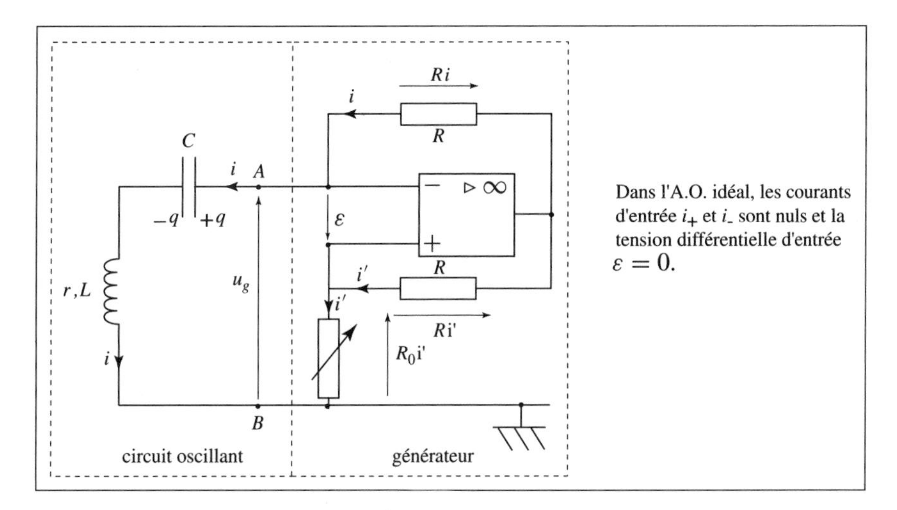

Dans l'A.O. idéal, les courants d'entrée i_+ et i_- sont nuls et la tension différentielle d'entrée $\varepsilon = 0$.

En appliquant la loi (1,5) pour u_{AB} et la loi (3,1) aux mailles bouclées sur les deux résistances égales à R, on obtient :

$$u_g = -Ri + Ri' + R_0 i'$$

et

$$Ri' + \varepsilon - Ri = 0.$$

D'où, compte tenu de $\varepsilon = 0$ et de (14,11) :

$$R_0 = r.$$

Dans ces conditions les oscillations sont entretenues. Écrivons l'équation différentielle du circuit oscillant, en appliquant la loi des mailles (3,1) :

$$L\frac{\mathrm{d}i}{\mathrm{d}t} + ri + \frac{q}{C} = u_g = R_0 i$$

ou :

$$L\frac{di}{dt} + (r - R_0)i + \frac{q}{C} = 0. \qquad (14, 12)$$

On voit apparaître dans cette équation une différence de deux résistances. On dit que le générateur se comporte comme *une résistance négative*. On voit donc que si $R_0 = r$ dans (14,12), on retrouve (14,1) et, par suite, l'équation (14,3) caractérisant les oscillations sinusoïdales non amorties.

[5] Le circuit oscillant : un résonateur électrique

En pratique, lorsqu'on alimente l'oscillateur AB avec le générateur précédent, on constate qu'il s'établit *spontanément* un régime oscillatoire permanent dès que R_0 excède légèrement r. On dit qu'il y a *accrochage de l'oscillateur*.

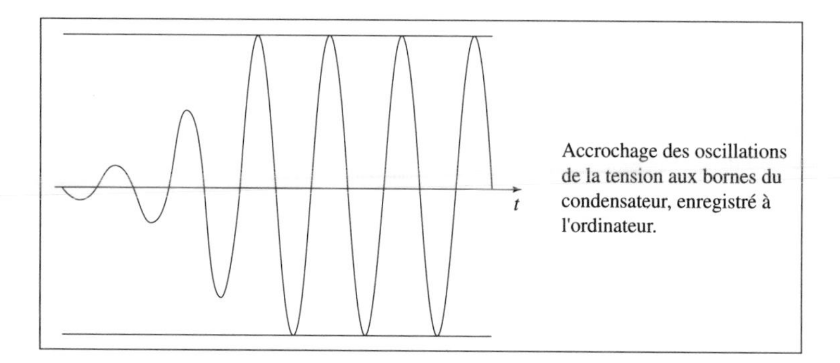

Accrochage des oscillations de la tension aux bornes du condensateur, enregistré à l'ordinateur.

L'interprétation est la suivante : l'agitation thermique (voir **10.[1]**) des électrons se traduit même en circuit ouvert par des courants très faibles fluctuant autour de zéro avec des fréquences aléatoires (un microvoltmètre connecté aux bornes de AB montre du reste que la tension n'est pas nulle et fluctue autour de zéro en circuit ouvert). Ce phénomène, que l'on appelle le *bruit électronique*, permet l'accrochage des oscillations à la fréquence propre N_0 du circuit, si l'énergie injectée est suffisante pour compenser les pertes par effet Joule. En d'autres termes, le circuit peut alors *amplifier* les courants aléatoires de fréquence N_0 : ce type d'amplificateur est appelé un *résonateur*. On rencontre des résonateurs dans tous les domaines de la Physique (voir en particulier le volume **I** chapitre **17** et le volume **III** chapitres **6** et **14**).

[6] Le facteur de qualité

En réalité, le résonateur amplifie aussi les fréquences voisines de N_0 mais, plus l'on s'écarte de N_0 moins cette amplification est efficace et plus il faut injecter d'énergie pour entretenir les oscillations : lorsque l'on augmente la résistance R_0 du montage à résistance négative au-dessus de la valeur critique r, on excite progressivement les fréquences autour de N_0. La superposition des oscillations correspondantes reste approximativement de fréquence N_0 mais s'écarte de plus en plus du régime sinusoïdal, ce que montre l'*aspect écrêté* de la courbe représentant la tension $u_C(t)$ aux bornes du condensateur sur l'écran d'un oscillographe.

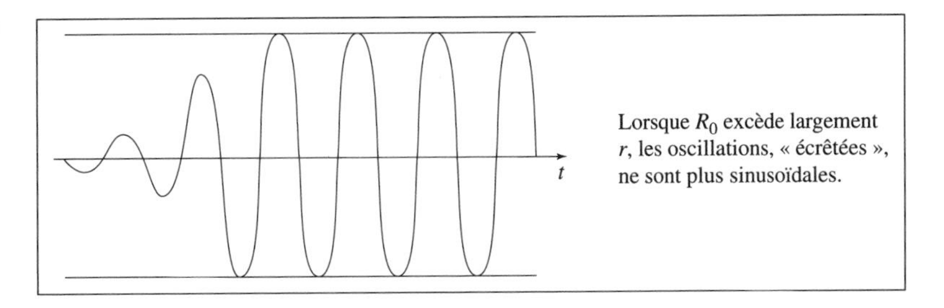

Lorsque R_0 excède largement r, les oscillations, « écrêtées », ne sont plus sinusoïdales.

Pour bien comprendre comment s'effectue l'amplification en fonction de la fréquence, il faut soumettre le dipôle précédent à une tension sinusoïdale, de fréquence variable mais d'amplitude fixée, et étudier sa *réponse*, c'est-à-dire étudier comment varie l'amplitude I du courant obtenu. Ceci est l'objet du paragraphe **15.[6]**. On y voit que l'intensité I, et donc l'amplification, passe par un maximum I_0 pour la fréquence propre N_0 définie par (14,6). On peut alors définir (voir aussi **15.[6]**) la « bande passante à 3 décibels» du dipôle, centrée sur la fréquence propre N_0 : la largeur δN de la bande passante correspond, en régime oscillatoire *libre*, aux fréquences les plus amplifiées. Ainsi, plus la bande passante est étroite, plus l'énergie oscillatoire va se trouver *concentrée* autour de la fréquence propre N_0 et donc plus l'amplification au voisinage de N_0 sera grande. Ceci est bien caractérisé par le *facteur de qualité* $Q = \dfrac{N_0}{\delta N}$ dont la valeur se calcule à l'aide des relations (15,16) et (15,14), soit :

$$Q = \frac{L\omega_0}{r} = \frac{1}{r}\sqrt{\frac{L}{C}}.$$

Il est important de noter que plus r est élevé, plus l'amortissement est grand, l'amplification faible et que, *si* $Q < 1/2$, *il ne peut y avoir d'oscillations propres* (voir volume **I**, **D.[4][C]**), même en injectant de l'énergie à l'aide du montage à résistance négative.

[de l'essentiel à la pratique]

Mots-clés

- circuit oscillant
- période et fréquence propre
- régime périodique, pseudo-périodique, apériodique
- entretien des oscillations
- résistance négative

[1] *On bascule l'inverseur K en position 1.*

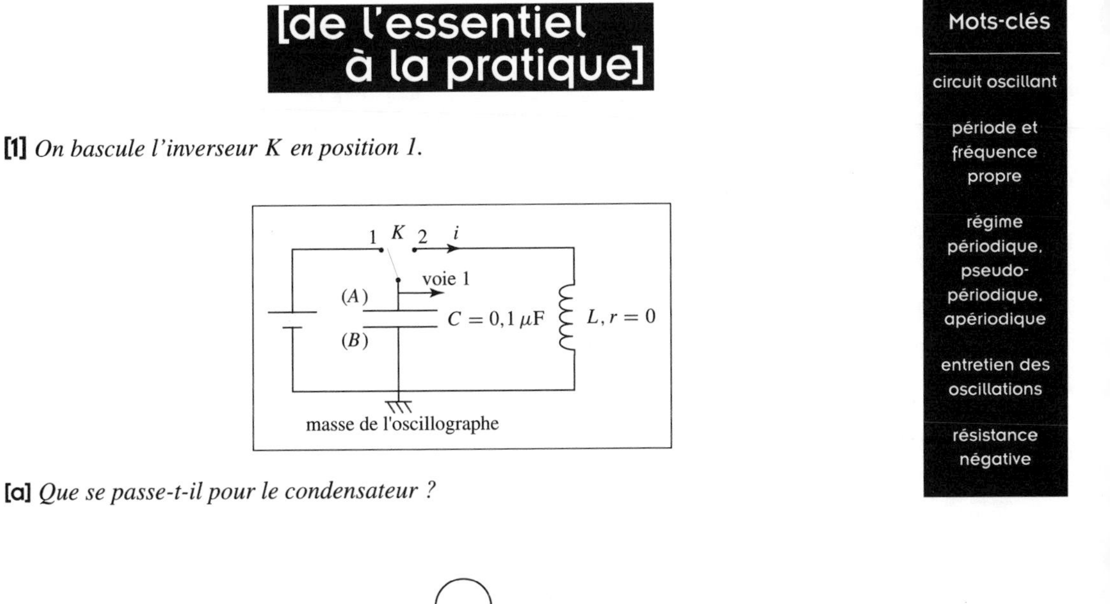

[a] *Que se passe-t-il pour le condensateur ?*

Il se charge.

[b] *On bascule l'inverseur K en position 2. On observe sur l'écran de l'oscillographe la courbe de la figure.*

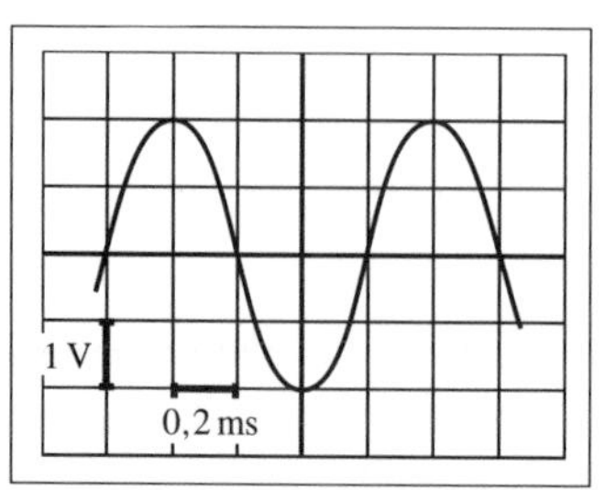

Quelle est la période propre des oscillations ?

Une oscillation complète s'étale sur quatre divisions, soit $4 \times 0{,}2 = 0{,}8$ ms ; donc :

$$T_0 = 0{,}8\,\text{ms}.$$

[c] *Établir l'équation différentielle régissant la charge q de l'armature (A).*

Voir le chapitre **14.[1]**) :

$$\ddot{q} + \frac{1}{LC}q = 0.$$

[d] *En déduire l'expression de la période propre et calculer la valeur numérique de l'inductance L de la bobine.*

La pulsation propre est $\omega_0 = \dfrac{1}{\sqrt{LC}}$; comme $\omega_0 = \dfrac{2\pi}{T_0}$ on trouve :

$$T_0 = 2\pi\sqrt{LC}$$
$$L = \frac{1}{C}\left(\frac{T_0}{2\pi}\right)^2.$$

Numériquement :

$$L = \frac{(0{,}8.10^{-3})^2}{0{,}1.10^{-6} \times 4\pi^2} = 0{,}16\,\text{H}.$$

[e] *L'inverseur a été basculé en position 2 à la date $t = 0$. Déterminer l'équation numérique $q = f(t)$ donnant les variations de la charge de l'armature (A) en fonction du temps.*

Calculons d'abord ω_0 :

$$\omega_0 = \frac{1}{\sqrt{LC}} = 7{,}9.10^3\,\text{rad.s}^{-1}.$$

Reste à calculer la charge maximale Q et la phase à l'origine φ. La charge est maximale lorsque la tension est maximale $U_{\max} = 2$ V (voir l'oscillogramme), donc $Q = CU_{\max} = 2.10^{-7}$ C.

Pour calculer φ il faut tenir compte des conditions initiales : à $t = 0$ on a $q = Q$; d'où $Q = Q\cos\varphi$, $\cos\varphi = 1$ et $\varphi = 0$. D'où :

$$q = 2.10^{-7}\cos 7{,}9.10^3 t. \qquad \text{(en coulomb)}$$

[f] *Calculer l'énergie électrique du circuit oscillant.*

$$E = \frac{1}{2}\frac{Q^2}{C} = 2.10^{-7}\,\text{J}.$$

[g] *Quelle est l'intensité maximale du courant ?*

$$i = -\frac{\mathrm{d}q}{\mathrm{d}t} = 1{,}58.10^{-3}\sin 7{,}9.10^3 t.$$

L'intensité est maximale lorsque $\sin 7{,}9.10^3 t = 1$ (valeur maximale du sinus). Donc :

$$I_{\text{max}} = 1{,}58\,\text{mA}.$$

[h] *Quelle est l'énergie maximale emmagasinée dans la bobine ?*

$$E_{\text{max}} = \frac{1}{2}LI_{\text{max}}^2 = 2.10^{-7}\,\text{J}.$$

On remarque qu'à cet instant toute l'énergie du circuit est emmagasinée par la bobine et que par conséquent l'énergie emmagasinée par le condensateur est nulle.

Au cours des oscillations il y a en permanence transformation d'énergie électrique en énergie magnétique et vice versa mais la somme de ces deux énergies reste constante.

[2] *On se propose de comparer un circuit oscillant et un pendule élastique horizontal sans frottements (voir volume* **I**, **16.[1][a]***).*

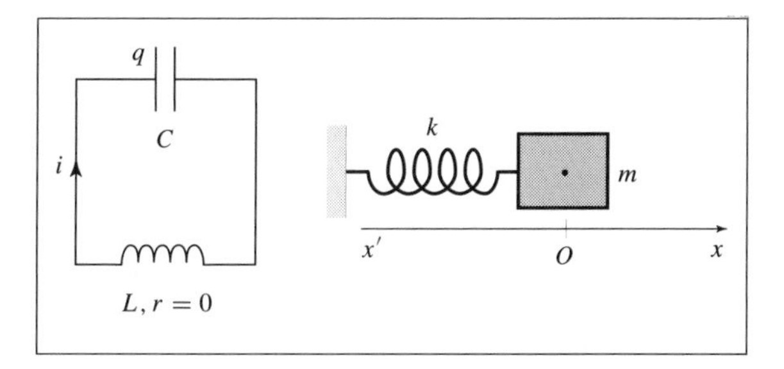

[a] *Écrire les équations différentielles caractéristiques et préciser les grandeurs mécaniques correspondant à la charge q, à la capacité C, à l'intensité i du courant et à l'inductance L de la bobine.*

$$\begin{cases} L\ddot{q} + \frac{1}{C}q = 0 & \text{d'après (14,3)} \\ m\ddot{x} + kx = 0 & \text{d'après (16,2), volume } \mathbf{I}. \end{cases}$$

D'où la correspondance entre grandeurs électriques et mécaniques :

Grandeurs électriques	q	C	$i = \frac{\mathrm{d}q}{\mathrm{d}t}$	L
Grandeurs mécaniques	x	$\frac{1}{R}$	$v = \frac{\mathrm{d}x}{\mathrm{d}t}$	m

[b] *Des expressions de l'énergie électrique du condensateur, de l'énergie mécanique de la bobine et de l'énergie électromagnétique totale, déduire des expressions de l'énergie potentielle élastique du ressort, de l'énergie cinétique de la masse et de l'énergie mécanique totale.*

$$E_{\text{él.}} = \frac{1}{2}\frac{q}{C^2} \quad \Longrightarrow \quad E_{\text{él.}} = \frac{1}{2}kx^2$$
$$E_{\text{mag.}} = \frac{1}{2}Li^2 \quad \Longrightarrow \quad E_c = \frac{1}{2}mv^2$$
$$E = \frac{1}{2}\frac{Q^2}{C} \quad \Longrightarrow \quad E = \frac{1}{2}kX_m^2.$$

[3] *Le générateur de la figure est le montage à résistance négative (voir* **14.[4]***) destiné à entretenir les oscillations d'un dipôle R, L, C série.*

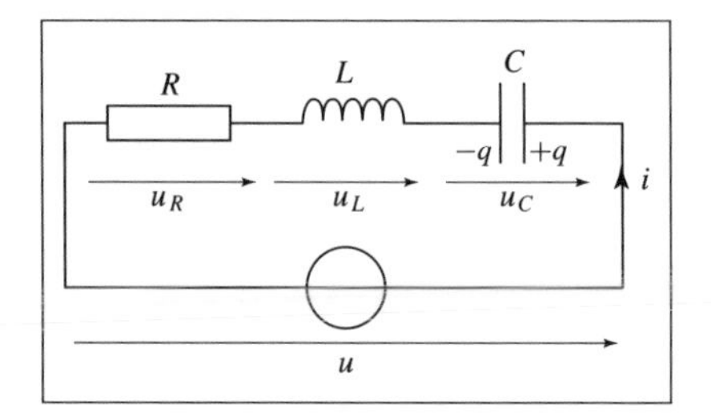

[a] *Écrire l'équation différentielle reliant u_R et ses dérivées par rapport au temps.*

La loi des mailles s'écrit :

$$u_C + u_L + u_R - u = 0,$$

avec $u_C = \dfrac{q}{C}$, $u_R = Ri$ et $u_L = L\dfrac{\mathrm{d}i}{\mathrm{d}t} = RL\dfrac{\mathrm{d}u_R}{\mathrm{d}t}$.

D'où (en changeant l'ordre des termes) :

$$\frac{L}{R}\frac{\mathrm{d}u_R}{\mathrm{d}t} + (R - R_0)i + \frac{1}{C}q = 0.$$

En dérivant les deux membres de l'équation précédente par rapport au temps, compte tenu de $i = \dfrac{\mathrm{d}q}{\mathrm{d}t}$ et de $\dfrac{1}{C}\dfrac{\mathrm{d}q}{\mathrm{d}t} = \dfrac{1}{RC}u_R$, on obtient finalement :

$$\frac{\mathrm{d}^2u_R}{\mathrm{d}t^2} + \frac{R - R_0}{L}\frac{\mathrm{d}u_R}{\mathrm{d}t} + \frac{u_R}{LC} = 0. \tag{1}$$

[b] *Expliquer pourquoi on dit que le générateur se comporte comme une résistance négative.*

L'équation (1) est formellement identique à l'équation différentielle des oscillations d'un circuit série R', L, C (voir (14,10)) avec $R' = R - R_0$.

La résistance équivalente du circuit considéré est $R - R_0 = R + (-R_0)$: tout se passe comme si l'on avait une résistance négative $R' = -R_0$ en série avec R et à la place du générateur.

[c] *Montrer que, théoriquement, lorsque $R = R_0$ la variation au cours du temps de la tension u_C aux bornes du condensateur est sinusoïdale.*

Pour $R = R_0$ l'équation différentielle (1) s'écrit :

$$\frac{d^2u_R}{dt^2} + \frac{u_R}{LC} = 0.$$

C'est l'équation différentielle caractéristique du circuit L, C dont les oscillations sont sinusoïdales (voir **14.[1]**). Comme $u_R = Ri$, la variation de l'intensité est également sinusoïdale.

Du point de vue énergétique, le dipôle R, L, C dissipe par effet Joule une puissance Ri^2, alors que le générateur fournit une puissance R_0i^2. Lorsque $R = R_0$, il y a compensation exacte entre l'énergie reçue et l'énergie dissipée. Pour amorcer les oscillations (« accrochage ») le générateur doit fournir une énergie légèrement supérieure à l'énergie dissipée : il faut donc que R_0 soit légèrement supérieur à R.

[d] *Exprimer la tension u_S (voir figure) en fonction de u, R_0 et R_1 en régime linéaire.*

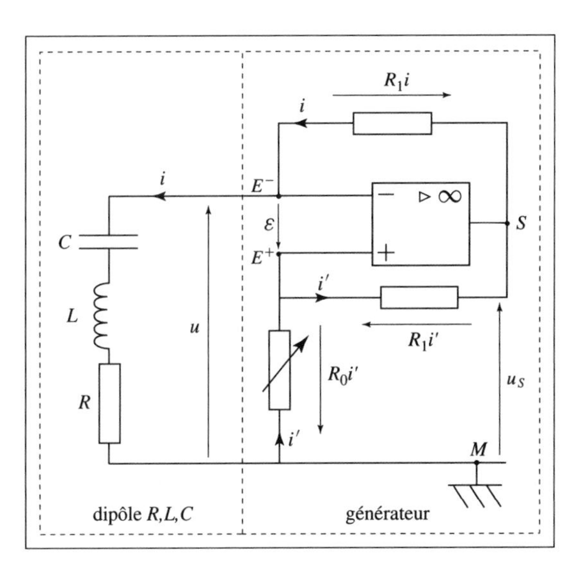

La loi des mailles appliquée aux mailles E^+SE^- et ME^+E^-M s'écrit :

$$\begin{cases} R_1i' + R_1i - \varepsilon = 0 \\ R_0i' + \varepsilon - R_1i + u_S = 0. \end{cases}$$

Puisque $\varepsilon = 0$ en régime linéaire, il vient :

$$i' = -i$$

$$u_S = (R_0 + R_1)i. \qquad (2)$$

Compte tenu que la relation (14,11) s'écrit ici $u = R_0i$, on a finalement :

$$u_S = \left(1 + \frac{R_1}{R_0}\right)u. \qquad (3)$$

[e] *La tension de saturation à la sortie de l'A.O. étant $\pm V_0$, entre quelles limites peuvent varier u et i pour que le régime de l'A.O. soit linéaire ?*

En régime linéaire, la tension de sortie est comprise entre $-V_0$ et $+V_0$:

$$-V_0 < u_S < V_0.$$

Les relations (3) et (2) entraînent respectivement :

$$-\frac{V_0}{1 + R_1/R_0} < u < \frac{V_0}{1 + R_1/R_0}$$
$$-\frac{V_0}{R_0 + R_1} < u < \frac{V_0}{R_0 + R_1}.$$

[f] *Au cours de l'entretien des oscillations, il se peut que l'A.O. focntionne en régime linéaire et en régime saturé. Donner l'équation $u = f(i)$ de la caractéristique en régime linéaire et en régime saturé. Tracer cette caractéristique.*

En régime linéaire, l'équation de la caractéristique est l'équation (1), $u = R_0 i$.

En régime saturé $u_S = \pm V_0$. La loi des mailles appliquée à la maille ME^-SM s'écrit :

$$u + R_1 i - u_S = 0$$

soit, comme $u_S = \pm V_0$:

$$u = -R_1 i + V_0.$$

D'où la caractéristique :

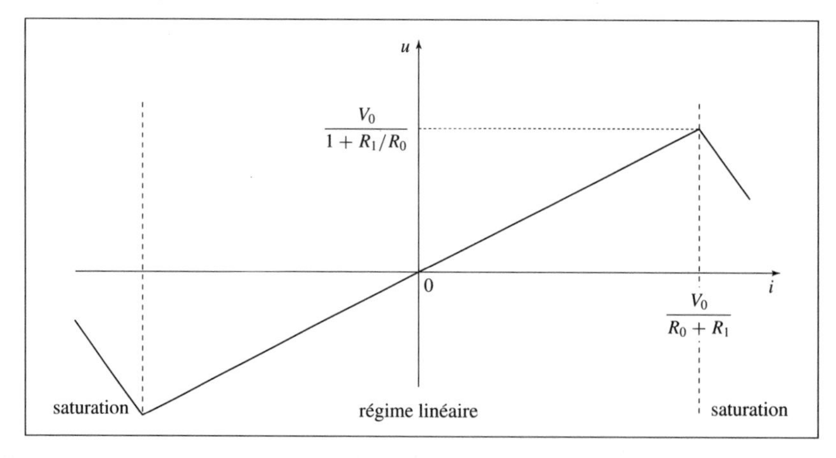

[4] *On considère le montage du* **14.[4]** *où les oscillations du courant i sont entretenues : $i = I_0 \sin \omega_0 t$.*

[a] *Exprimer l'énergie électromagnétique E emmagasinée dans le circuit en fonction de L et I_0.*

$i = -\dfrac{\mathrm{d}q}{\mathrm{d}t}$ donc $q = \dfrac{I_0}{\omega_0} \cos \omega_0 t$, de sorte que l'on peut écrire (14,9), où $q_0 = \dfrac{I_0}{\omega_0}$:

$$E = \frac{1}{2} \frac{I_0^2}{C\omega_0^2}$$

soit encore, compte tenu de (14,5) :

$$E = \frac{1}{2} L I_0^2.$$

[b] *L'énergie perdue pendant une période T_0 est $E_j = \dfrac{1}{2} r I_0^2 T_0$ (voir* **15.[7]***). En déduire le facteur de qualité Q en fonction de E et E_j.*

On remplace dans (15,16) L par $2E/LI_0^2$ et r par $2E_j/I_0^2 T_0$:

$$Q = \frac{L\omega_0}{r} = \frac{2E\omega_0}{I_0^2} \frac{I_0^2 T_0}{2E_j}$$

$\omega_0 T_0 = 2\pi$ et, après simplification :

$$Q = 2\pi \frac{E}{E_j}. \qquad (14, 11)$$

[c] *Quelle est la fraction de l'énergie perdue par effet Joule si $r = 13\,\Omega$, $L = 45$ mH, $C = 0{,}2\,\mu$F ?*

$\dfrac{E_j}{E} = \dfrac{2\pi}{Q}$ où $Q = \dfrac{L\omega_0}{r} = \dfrac{L}{r} \dfrac{1}{\sqrt{LC}} = \dfrac{1}{r}\sqrt{\dfrac{L}{C}}$, soit :

$$\frac{E_j}{E} = 2\pi r \sqrt{\frac{C}{L}} = 2\pi \times 13 \times \sqrt{\frac{0{,}2.10^{-6}}{0{,}045}} = 17\,\%.$$

[exercices]

[1] On réalise le montage suivant : la voie A d'un oscillographe est branchée aux bornes du condensateur. La base de temps de l'oscillographe est en service. Le condensateur a une capacité $C = 0{,}1\,\mu$F et la bobine a une inductance L inconnue.

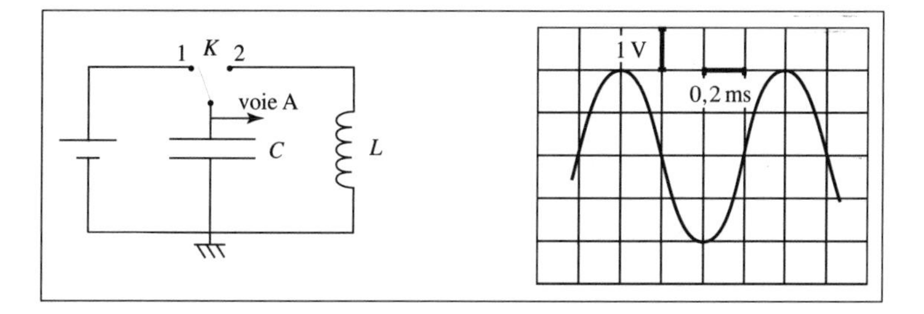

[a] On place l'inverseur K en position 1. Que se passe-t-il pour le condensateur ? On place l'inverseur K en position 2. On observe alors sur l'écran la courbe ci-jointe. Quel phénomène représente-t-elle ? Quelle est la valeur de la pseudo-période ? L'amortissement étant très faible, on le considère comme négligeable dans la suite de l'exercice.

[b] Établir alors théoriquement l'expression de la charge q du condensateur en fonction du temps. On prendra l'origine des dates à l'instant où q prend sa valeur maximale. Exprimer la période propre T_0 du circuit. En déduire la valeur numérique de l'inductance L de la bobine.

[2] On étudie la décharge d'un condensateur de capacité C à travers une bobine de résistance négligeable d'inductance L. L'intensité du courant est comptée positivement quand le courant circule de l'armature A du condensateur vers la borne M de la bobine.

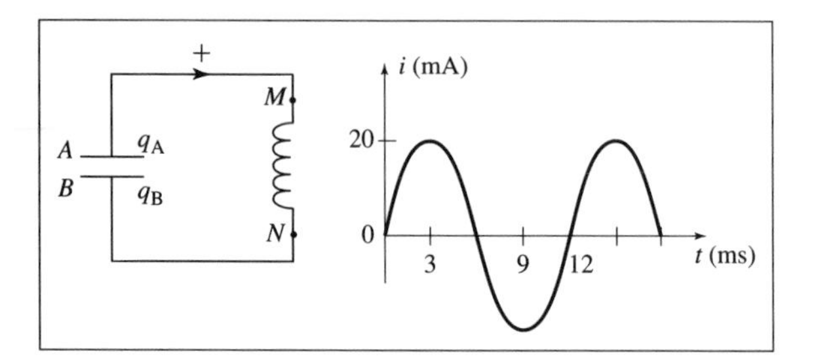

[a] À la date $t = 0$ on relie le condensateur chargé à la bobine. On obtient pour l'intensité du courant $i(t)$ la courbe ci-jointe. Déduire de la courbe :

[i] si, à la date $t = 0$, la charge de l'armature A est positive, négative ou nulle. Justifier sommairement la réponse ;

[ii] la valeur de la pulsation propre du circuit.

[b] Établir l'équation différentielle vérifiée par q_A. En déduire les expressions des fonctions $q_A(t)$ et $i(t)$. Quelle relation existe-t-il entre Q_m et I_m ? Calculer Q_m (Q_m et I_m étant les valeurs maximales de q_A et i).

[c] Sachant que la tension maximale aux bornes du condensateur est $U_m = 5$ V, calculer :

– la capacité du condensateur ;

– l'inductance L de la bobine.

[3] **[a]** Un condensateur de capacité C_1 est chargé sous une tension constante U_1. Calculer la charge Q_1 portée par l'armature A ainsi que l'énergie emmagasinée W_1. On donne $C_1 = 10^{-6}$ F ; $U_1 = 40$ V.

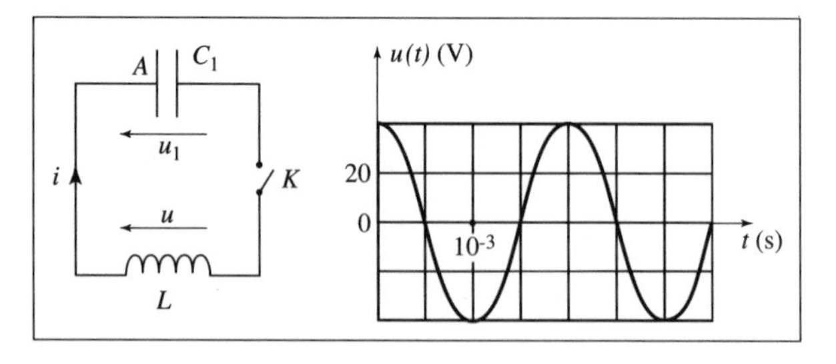

[b] Le condensateur C_1, chargé dans les conditions précédentes, est isolé puis relié à une bobine d'inductance L. La résistance du circuit est négligeable. À la date $t = 0$, on ferme l'interrupteur K. Un oscillographe permet de visualiser la tension $u(t)$ aux bornes de la bobine. On obtient la courbe représentée.

[i] Soit $q(t)$ la charge portée par l'armature A à la date t. L'intensité $i(t)$ est comptée positivement quand le courant circule dans le sens indiqué sur le schéma. Établir l'équation différentielle vérifiée par la charge $q(t)$. En déduire l'expression littérale de la tension $u(t)$. Déterminer les valeurs de la tension maximale et de la pulsation.

[ii] Calculer la valeur de l'inductance L de la bobine.

[iii] Quelles sont les expressions littérales en fonction du temps de l'énergie emmagasinée dans le condensateur, dans la bobine et de l'énergie totale emmagasinée dans le circuit ? Comparer à la valeur W_1. Conclure.

[4] [a] On réalise un circuit en montant en série une bobine d'inductance L, un condensateur chargé de capacité C et un interrupteur K. On suppose négligeable la résistance de la bobine et des fils de connexion.

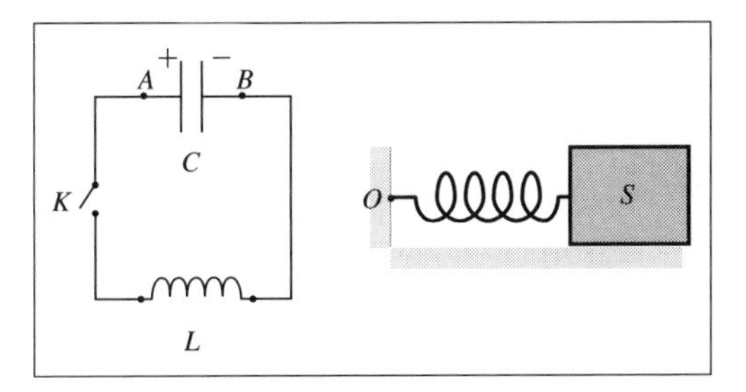

[i] On ferme l'interrupteur K. Quel phénomène se produit dans le circuit ? En précisant sur le schéma le sens positif choisi pour le courant, établir l'équation différentielle liant la charge q du condensateur à sa dérivée seconde par rapport au temps.

[ii] En déduire l'expression de la période propre T_0 du circuit. On donne $C = 20\,\mu\text{F}$; $L = 5.10^{-2}\,\text{H}$.

[b] Soit un ressort élastique à réponse linéaire, de constante de raideur k, de masse négligeable. Une de ses extrémités est fixée en O, l'autre est attachée à un solide S de masse m qui peut se déplacer sans frottement sur une table à coussin d'air horizontale. On réalise ainsi un pendule élastique horizontal. On écarte le solide S d'une distance X_0 par rapport à sa position d'équilibre et on le lâche sans vitesse initiale.

[i] Exprimer sous forme littérale l'énergie cinétique, l'énergie potentielle et l'énergie mécanique du système S à chaque instant, en précisant l'état de référence choisi. Que peut-on dire de l'énergie mécanique du système ? Pourquoi ?

[ii] À partir de l'étude énergétique ou de la relation fondamentale de la dynamique, établir l'équation différentielle du mouvement du solide en prenant comme variable l'abscisse du solide par rapport à sa position d'équilibre. En déduire la nature du mouvement de S.

[iii] L'étude expérimentale du mouvement montre que 25 oscillations du solide durent 8,1 s. Sachant que la masse du solide vaut $m = 200$ g, déduire de la valeur numérique du coefficient de raideur k du ressort.

[c] En comparant l'étude des systèmes précédents, faire une analogie entre les grandeurs électriques et mécaniques : préciser les grandeurs mécaniques correspondant à la charge q et à la capacité C du condensateur, à l'intensité du courant, à l'inductance L de la bobine. En utilisant cette analogie, déduire l'expression de l'énergie du circuit de la question [a], à chaque instant.

[5] Le montage de la figure est destiné à entretenir les oscillations du dipôle r, L, C.

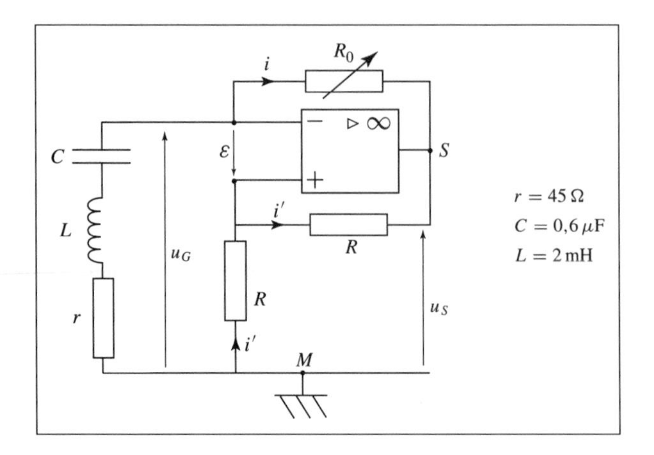

[a] Montrer que $u_G = -R_0 i$.

[b] Quelle valeur faut-il donner à R_0 pour que les oscillations soient entretenues (en réalité la valeur de R_0 doit être légèrement supérieure à la valeur calculée) ?

[c] Quelle est alors la fréquence des oscillations ?

[6] On réalise le montage à résistance négative du paragraphe **[4]** avec une capacité de 100 nF et une bobine inconnue. La tension aux bornes du condensateur en fonction du temps est enregistrée par un ordinateur. On augmente progressivement la résistance R_0. On observe alors sur l'écran de l'appareil l'apparition d'oscillations, dont la période est 0,68 ms, lorsque R_0 atteint la valeur 11,6 Ω. Quelles sont la résistance et l'inductance de la bobine ?

[réponses]

[1] [a] [i] $T = 0{,}8\,\text{ms}$. **[b]** $\ddot{q}+\dfrac{1}{LC}q = 0\,;\, q = 2.10^{-7}\cos 2\,500\pi t\,;\, L = \dfrac{T^2}{4\pi^2 C} = 162\,\text{mH}$.

[2] [a] Positive ; $524\,\text{rad.s}^{-1}$. **[b]** $\ddot{q}_A + \dfrac{1}{LC}q_A = 0\,;\, Q_m = \dfrac{I_m}{\omega_0} = 38{,}2\,\mu\text{C}$.

[c] $C = 7{,}6\,\mu\text{F}\,;\, L = 0{,}48\,\text{H}$.

[3] [a] $Q_1 = 40\,\mu\text{C}\,;\, W_1 = 80\,\text{mJ}$. **[b]** $40\,\text{V}\,;\, 3\,140\,\text{rad.s}^{-1}\,;\, L = 0{,}1\,\text{H}$.

[4] [a] $6{,}28\,\text{ns}$. **[b]** $E = \dfrac{1}{2}mv^2 + \dfrac{1}{2}kx^2 = \text{cte}\,;\, \ddot{x} + \dfrac{kx}{m} = 0\,;\, k = 4\pi^2\dfrac{m}{T_0^2} = 75{,}2\,\text{N.m}^{-1}$.

[c] $q \longrightarrow x\,;\, C \longrightarrow \dfrac{1}{k}\,;\, i \longrightarrow v\,;\, L \longrightarrow m\,;\, W = \dfrac{1}{2}Li^2 + \dfrac{1}{2}\dfrac{q^2}{C}$.

[5] [a] $u + \varepsilon + Ri' = 0$ et $u - R_0 i + 2Ri' = 0$, avec $\varepsilon = 0$.

[b] $R_0 = r = 45\,\Omega$. **[c]** $N_0 = \dfrac{1}{2\pi\sqrt{LC}} = 4{,}6\,\text{kHz}$.

[6] $11{,}6\,\Omega$ et $117\,\text{mH}$.

COURANT ALTERNATIF SINUSOÏDAL

CHAPITRE 15

[l'essentiel]

[1] Grandeurs électriques instantanées et efficaces

[a] Tension instantanée et intensité instantanée

Lorsqu'on applique aux bornes d'un dipôle une tension alternative sinusoïdale, ce dipôle est parcouru par un courant alternatif sinusoïdal de même fréquence.

$$\begin{array}{ll} \text{Tension instantanée} & u = U_m \cos \omega t \\ \text{Intensité instantanée} & i = I_m \cos(\omega t - \varphi). \end{array} \quad (15, 1)$$

- U_m : tension maximale ;
- ω : pulsation (**rad.s^{-1}**) ;
- I_m : intensité maximale ;
- φ : phase de la tension par rapport à l'intensité.[1]

$$\omega = 2\pi N = \frac{2\pi}{T}. \quad (15, 2)$$

- N : fréquence en **hertz** (**Hz**) ;
- T : période en **seconde** (**s**).

[1] φ est la quantité qu'il faut ajouter à la phase de l'intensité pour obtenir la phase de la tension. On dit aussi *déphasage* de la tension sur l'intensité.

Si $\varphi > 0$ la tension est en avance de phase par rapport à l'intensité.

Si $\varphi < 0$ la tension est en retard de phase par rapport à l'intensité.

Si $\varphi = 0$ la tension et l'intensité sont en phase.

[b] Intensité efficace et tension efficace

L'intensité efficace I d'un courant alternatif est l'intensité *continue* qui ferait dégager dans le même conducteur ohmique la même quantité de chaleur pendant une période.

On démontre que :

$$\boxed{I = \frac{I_m}{\sqrt{2}}.} \qquad (15,3)$$

D'une manière analogue la tension efficace U est donnée par :

$$\boxed{U = \frac{U_m}{\sqrt{2}}.} \qquad (15,4)$$

Le plus souvent on écrira[1] :

$$\boxed{\begin{aligned} u &= U\sqrt{2}\cos\omega t \\ i &= I\sqrt{2}\cos(\omega t - \varphi). \end{aligned}} \qquad (15,5)$$

Remarque. Les voltmètres et ampèremètres utilisés en alternatif mesurent des valeurs efficaces.

[2] Lois générales

• En tout point d'un circuit ne comportant que des dipôles en série, l'intensité instantanée est la même à chaque instant.

• Les lois établies en courant continu sont applicables en alternatif *aux grandeurs instantanées*. Par exemple, pour un conducteur ohmique, elle s'écrit :

$$u(t) = Ri(t).$$

La loi d'addition des tensions en série est applicable *aux tensions instantanées* :

$$u(t) = u_1(t) + u_2(t) + u_3(t).$$

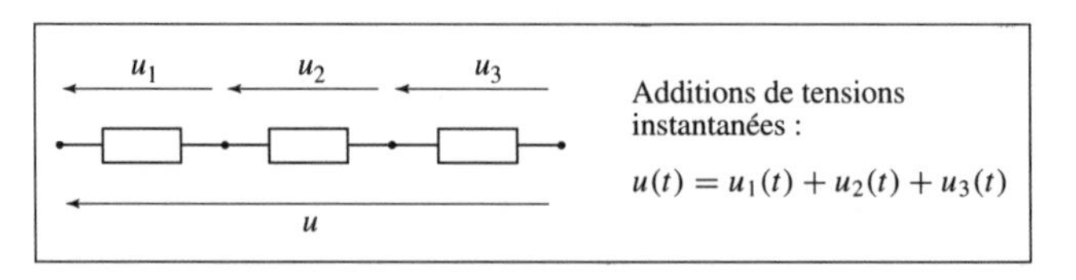

[1] On rencontre dans certains ouvrages l'écriture $u = U\sqrt{2}\cos(\omega t + \varphi)$ et $i = I\sqrt{2}\cos\omega t$: cette écriture est équivalente aux relations (15,5). Par ailleurs ces relations peuvent être écrites en utilisant la fonction sinus, mais il ne faut jamais utiliser des fonctions en sinus et en cosinus dans un même calcul.

Attention ! En valeurs efficaces (grandeurs non instantanées), $U \neq U_1 + U_2 + U_3$.

La loi des nœuds (3,2) est applicable aux *intensités instantanées* :

$$i_1 = i_2 + i_3.$$

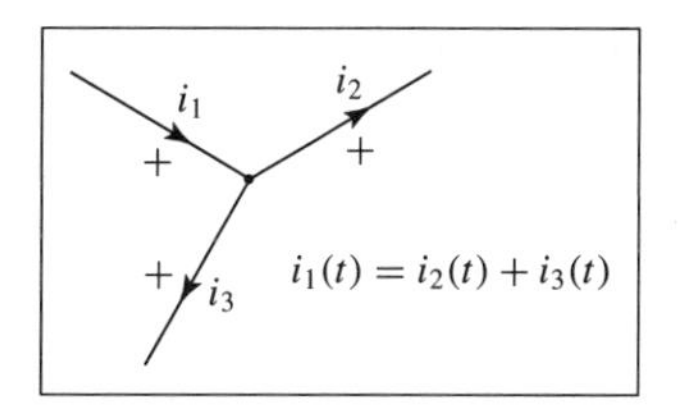

[3] La construction de Fresnel

Les tensions instantanées aux bornes de dipôles en série s'ajoutent :

$$u = u_1 + u_2 = u_1\sqrt{2}\sin(\omega t + \varphi_1) + U_2\sqrt{2}\sin(\omega t + \varphi_2).$$

La construction de Fresnel permet de trouver l'expression de u, laquelle est de la forme $u = U\sqrt{2}\sin(\omega t + \varphi)$:

- chaque tension est représentée par un vecteur de norme égale à la tension efficace faisant avec l'axe de référence OX un angle égal à la phase à l'origine ;
- le vecteur représentant u est la somme des vecteurs représentant u_1 et u_2.

Cherchons par exemple $u(t) = u_1 + u_2$ sachant que :

$$u_1 = 3\sqrt{2}\sin 100\pi t \quad \text{et} \quad u_2 = 4\sqrt{2}\sin\left(100\pi t + \frac{\pi}{2}\right).$$

Le diagramme de Fresnel montre que $U = 5$ V et $\varphi = 0{,}93$ rad ; donc :

$$u = 5\sqrt{2}\sin(100\pi t + 0{,}93).$$

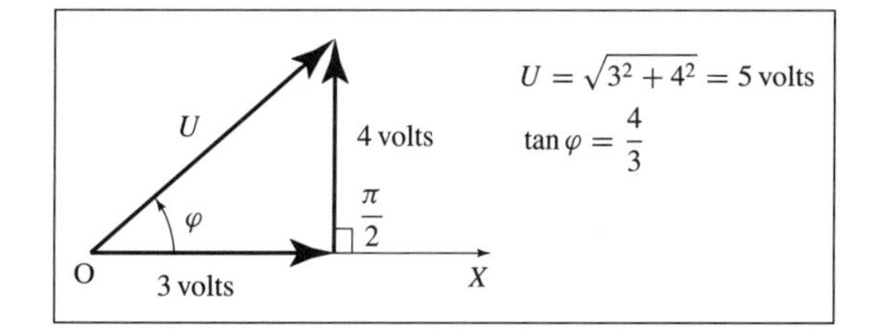

[4] Les dipôles élémentaires

Ce sont la résistance pure R (conducteur ohmique), l'inductance pure (bobine d'inductance L et de résistance nulle) et le condensateur de capacité C.

Pour chaque dipôle :

- nous écrirons les expressions de $u(t)$ et $i(t)$ et donnerons la valeur de φ ;
- nous calculerons le rapport :

$$\boxed{Z = \frac{U}{I}} \qquad (15,6)$$

avec U en **volt (V)**, I en en **ampère (A)** et Z appelé **impédance** en **ohm** (Ω) ;

- nous tracerons le vecteur de Fresnel représentant la tension aux bornes du dipôle.

[a] La résistance pure

$u = Ri$ d'où $i = \dfrac{U\sqrt{2}}{R}\sin\omega t$. En comparant u et i on contate que $\varphi = 0$. De l'expression de i on déduit que $I\sqrt{2} = \dfrac{U\sqrt{2}}{R}$ d'où $Z_R = \dfrac{U}{I} = R$. On retiendra :

$$\boxed{Z_R = R \quad \text{et} \quad \varphi = 0.} \qquad (15,7)$$

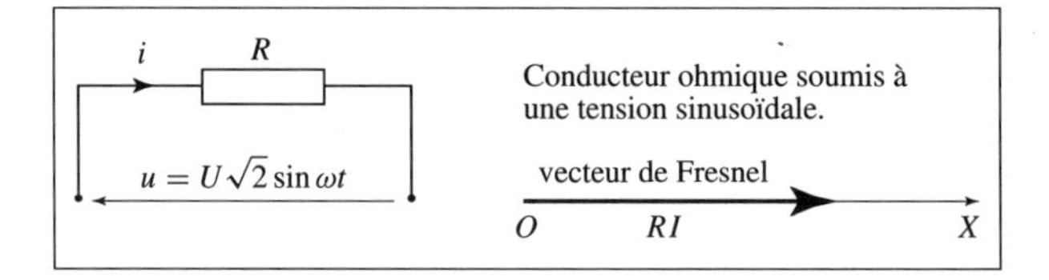

[b] L'inductance pure

Aux bornes d'une bobine ($r = 0$) on a la relation (12,3) :

$$u = L\frac{\mathrm{d}i}{\mathrm{d}t}.$$

Posons $i = I\sqrt{2}\sin\omega t$; on en déduit $u = L\omega I\sqrt{2}\cos\omega t$, soit $u = L\omega I\sqrt{2}\sin\left(\omega t + \dfrac{\pi}{2}\right)$.

On constate donc que u est en avance de $\dfrac{\pi}{2}$ radians par rapport à i et que $U\sqrt{2} = L\omega I\sqrt{2}$, d'où l'expression de l'impédance[1], obtenue par (15,6) :

$$\boxed{Z_L = L\omega \quad et \quad \varphi = \frac{\pi}{2}\,\text{rad.}} \qquad (15,8)$$

---

1 « L'inductance pure » est une bobine sans résistance. Or toutes les bobines réelles on une résistance : il s'agit donc d'une bobine dont la résistance est négligeable devant $L\omega$.

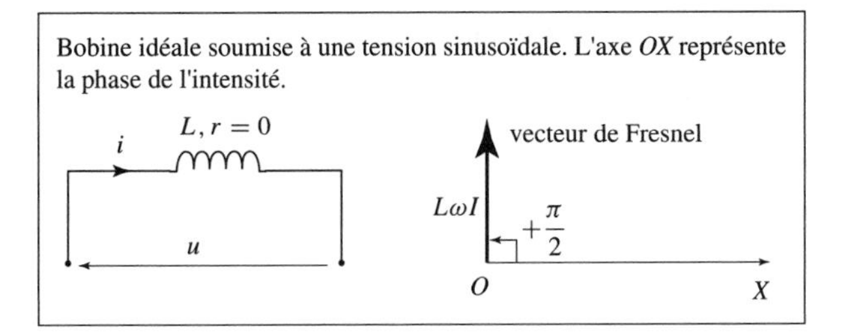

[c] Le condensateur

Aux bornes d'un condensateur on peut écrire la relation (4,1) :

$$u = \frac{q}{C}.$$

Par ailleurs, compte tenu du sens positif choisi (voir **14.[1]**) :

$$i = +\frac{\mathrm{d}q}{\mathrm{d}t}.$$

On en déduit donc :

$$i = C\frac{\mathrm{d}u}{\mathrm{d}t} = C\omega U\sqrt{2}\cos\omega t = C\omega U\sqrt{2}\sin\left(\omega t + \frac{\pi}{2}\right).$$

On constate que i est en avance de $\frac{\pi}{2}$ radians par rapport à u ou, ce qui revient au même, que u est en retard de $\frac{\pi}{2}$ radians par rapport à i. De $I\sqrt{2} = C\omega U\sqrt{2}$ on déduit Z_C par (15,6) :

$$\boxed{Z_C = \frac{1}{C\omega} \quad \text{et} \quad \varphi = -\frac{\pi}{2}\ \text{rad.}} \qquad (15,9)$$

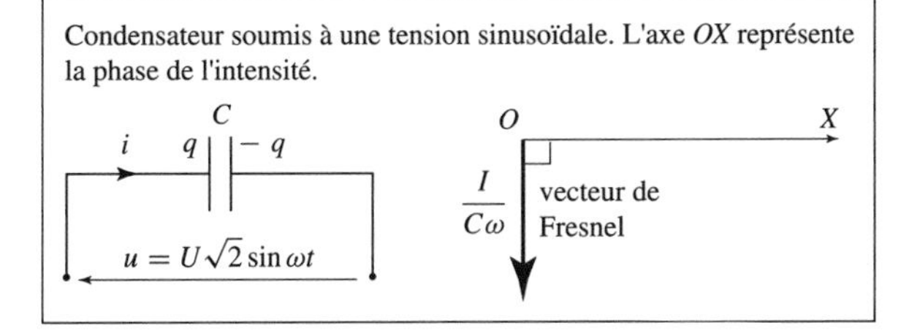

[5] Le dipôle R,L,C série

C'est le cas général : les formules utilisables pour les dipôles R, L et R, C se déduisent des formules générales ci-après.

La relation $u = u_R + u_L + u_C$ est traduite par le diagramme de Fresnel. En appliquant le théorème de Pythagore, on obtient :

$$U^2 = R^2 I^2 + \left(L\omega - \frac{1}{C\omega}\right)^2.$$

Par conséquent, toujours d'après (15,6) :

$$\boxed{Z = \sqrt{R^2 + \left(L\omega - \frac{1}{C\omega}\right)^2}} \qquad (15, 10)$$

$$\boxed{\tan\varphi = \frac{L\omega - \frac{1}{C\omega}}{R}} \qquad (15, 11)$$

$$\boxed{\cos\varphi = \frac{R}{Z}.} \qquad (15, 12)$$

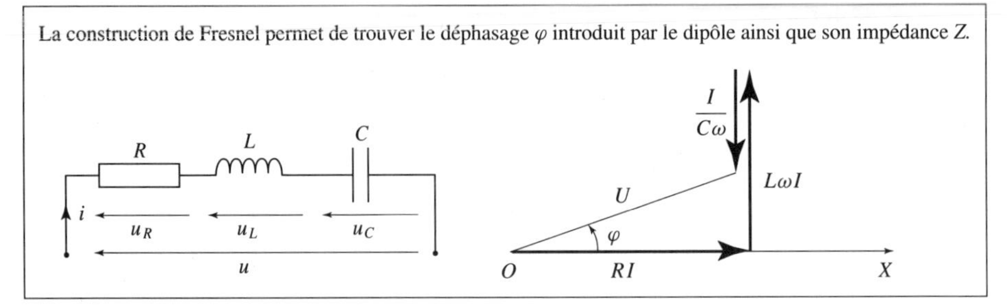

La construction de Fresnel permet de trouver le déphasage φ introduit par le dipôle ainsi que son impédance Z.

- Pour le dipôle RL : $\quad Z = \sqrt{R^2 + L^2\omega^2}$ et $\tan\varphi = \dfrac{L\omega}{R}$.
- Pour le dipôle RC : $\quad Z = \sqrt{R^2 + \dfrac{1}{C^2\omega^2}}$ et $\tan\varphi = -\dfrac{1}{RC\omega}$.
- Le déphasage φ est compris entre $-\dfrac{\pi}{2}$ et $\dfrac{\pi}{2}$.

✘ **La loi d'ohms $U = RI$ valable en courant continu se généralise donc en courant alternatif entre les *valeurs efficaces* :**

$$U = ZI,$$

mais elle ne s'applique pas aux valeurs instantanées !

Sur le diagramme de Fresnel nous avons supposé que $L\omega I > \dfrac{I}{C\omega}$, soit $L\omega > \dfrac{1}{C\omega}$ (dipôle inductif) : dans ce cas $\varphi > 0$ et la tension est en avance de phase par rapport à l'intensité.

Si $L\omega < \dfrac{1}{C\omega}$ (dipôle capacitif), $\varphi < 0$ et u est en retard par rapport à i.

[6] La résonance d'intensité

Examinons maintenant le cas particulier important où $L\omega = \frac{1}{C\omega}$.

Lorsque $L\omega = \frac{1}{C\omega}$ on dit qu'il y a *résonance d'intensité*. La condition de résonance est donc réalisée pour une valeur ω_0 telle que :

$$\boxed{LC\omega_0^2 = 1.} \qquad (15, 13)$$

À la résonance :

- $Z = R \left(\text{puisque } L\omega_0 - \frac{1}{C\omega_0} = 0\right)$;
- l'intensité efficace $I_0 = \frac{U}{R}$ est *maximale* ;
- $\varphi = 0$, c'est-à-dire que u et i sont en phase.

On peut atteindre la résonance d'un dipôle R, L, C en faisant varier la fréquence N (ou ω) du générateur. On peut tracer la courbe $I = f(\omega)$: il y a résonance lorsque I est maximale.

On caractérise l'acuité de la résonance par la largeur du pic $\omega_2 - \omega_1$ (appelée **bande passante à 3 dB**) à l'ordonnée $I = \frac{I_0}{\sqrt{2}}$.

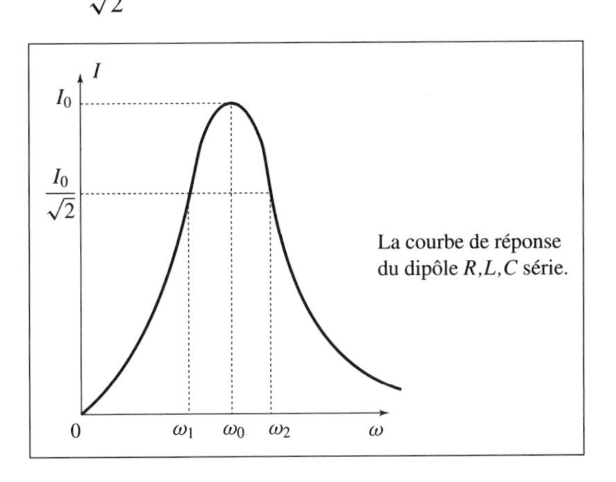

La courbe de réponse du dipôle R,L,C série.

On démontre que :

$$\boxed{\omega_2 - \omega_1 = \frac{R}{L}.} \qquad (15, 14)$$

Le *facteur de qualité* Q du circuit est défini par :

$$\boxed{Q = \frac{\omega_0}{\omega_2 - \omega_1}} \qquad (15, 15)$$

et l'on déduit de (15,14) que :

$$\boxed{Q = \frac{L\omega_0}{R}.} \qquad (15, 16)$$

La résonance est d'autant plus aigüe (le pic plus étroit) que Q est plus grand.

[7] Puissance moyenne

L'expression (2,1) donne en régime dépendant du temps la *puissance consommée instantanée* :

$$p(t) = u(t)i(t) = \left(U\sqrt{2}\cos\omega t\right)\left[I\sqrt{2}\cos(\omega t - \varphi)\right].$$

En utilisant la relation trigonométrique $2\cos a \cos b = \cos(a-b) + \cos(a+b)$, on obtient :

$$p(t) = UI\left[\cos\varphi + \cos\left(2\omega t - \varphi\right)\right].$$

Quelle est la *valeur moyenne* P de $p(t)$ sur une période $T = 2\pi/\omega$ de la tension ?

$\cos\varphi$ est *constant* et $\cos(2\omega t - \varphi)$ qui a pour période $\pi/\omega = T/2$ prend des *valeurs symétriques par rapport à zéro* : sa valeur moyenne est donc nulle.

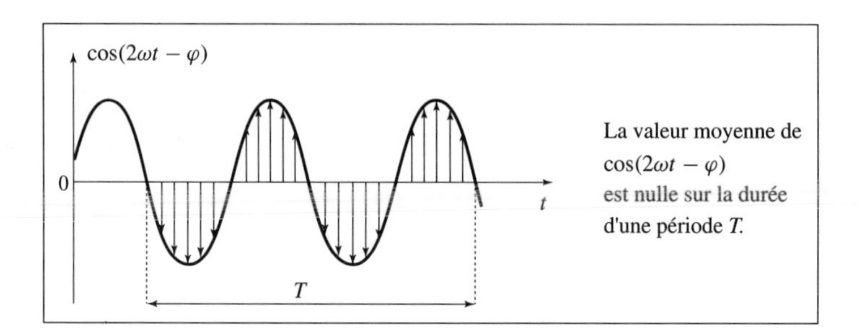

Par conséquent :

$$\boxed{P = UI\cos\varphi.} \qquad (15, 17)$$

$\cos\varphi$ est appelé *facteur de puissance*.

Examinons quelles sont les puissances absorbées par les dipôles élémentaires.

Dipôle				
R	$\varphi = 0$	$\cos\varphi = 1,\ U = RI$	donc	$P = RI^2$
L	$\varphi = \dfrac{\pi}{2}$ rad	$\cos\varphi = 0$	donc	$P = 0$
C	$\varphi = -\dfrac{\pi}{2}$ rad	$\cos\varphi = 0$	donc	$P = 0$

Il en résulte que dans un dipôle R, L, C seule la résistance consomme une puissance électrique (transformée en chaleur) et la puissance moyenne totale est :

$$\boxed{P = RI^2.} \qquad (15, 18)$$

Mots-clés

- tension et intensités instantanées, efficaces
- impédance
- construction de Fresnel
- dipôles R, L et C
- déphasage
- résonance d'intensité
- puissance moyenne

[1] *Dipôle R, L série :*

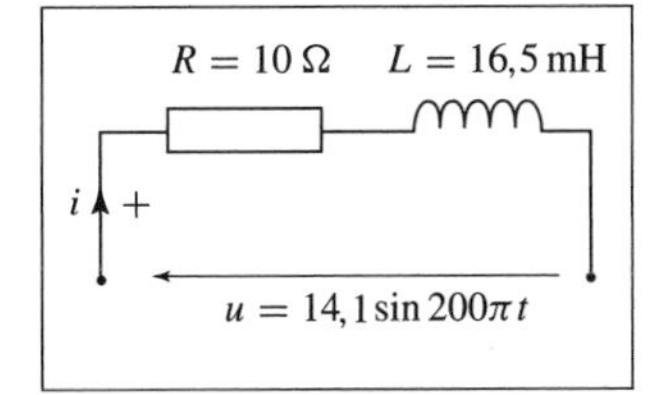

[a] *Quelles sont les valeurs de la pulsation, de la fréquence et de la tension efficace ?*

$\omega = 200\pi$ rad.s^{-1} ; $N = \dfrac{\omega}{2\pi} = 100\,\text{Hz}$; $T = \dfrac{1}{N} = 10^{-2}\,\text{s}$; $U = \dfrac{14{,}1}{\sqrt{2}} = 10\,\text{V}$.

[b] *Calculer l'impédance du dipôle et l'intensité efficace.*

$Z = \sqrt{R^2 + L^2\omega^2} = \sqrt{10^2 + \left(16{,}5.10^{-3} \times 200\pi\right)^2} = 14{,}4\,\Omega$; $I = \dfrac{U}{Z} = 0{,}69\,\text{A}$.

[c] *Tracer le diagramme de Fresnel. Calculer la phase φ de la tension par rapport à l'intensité et donner l'expression de $i(t)$.*

$\tan\varphi = \dfrac{L\omega}{R} = 1{,}04$ et $\varphi = 0{,}80\,\text{rad}$, soit $\varphi = 46°$.

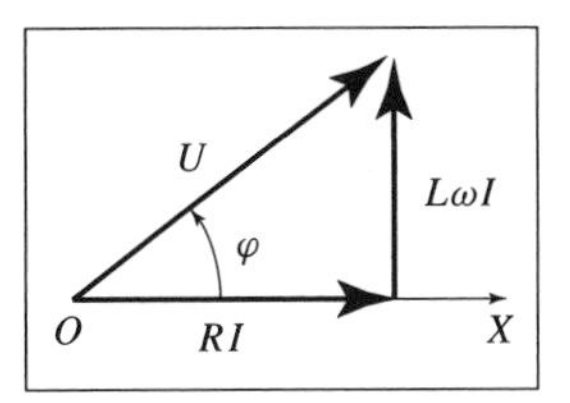

Sur le diagramme de Fresnel on voit que u est en avance sur i ($\varphi > 0$) ; donc i est en retard sur u :

$$i = 0{,}69\sqrt{2} \sin(200\pi t - 0{,}8)\,.$$

Remarque. φ doit être *exprimé en radian* dans les expressions de $i(t)$ ou $u(t)$.

[2] *Mêmes questions que dans l'exercice précédent pour le dipôle de la figure.*

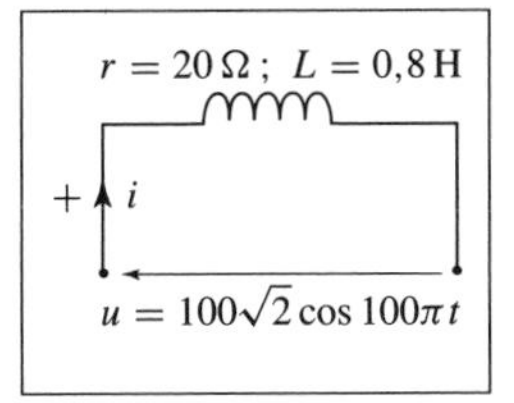

Indication : une bobine de résistance r et d'inductance L se traite de la même manière que le dipôle formé par une résistance et une inductance pures en série.

$$i = 0{,}125\sqrt{2}\cos(100\pi t - 1{,}49)\,.$$

[3] *Dipôle R, C série :*

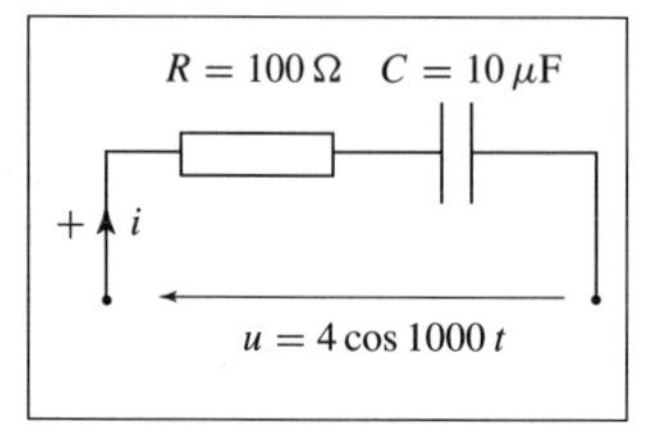

[a] *Calculer la fréquence et la tension efficace.*

$N = \dfrac{\omega}{2\pi} = \dfrac{1\,000}{2\pi} = 159\,\text{Hz}$ et $U = \dfrac{4}{\sqrt{2}} = 2{,}83$ V.

[b] *Calculer l'impédance du dipôle et l'intensité efficace.*

$Z = \sqrt{R^2 + \dfrac{1}{C^2\omega^2}} = 141\,\Omega$ et $I = \dfrac{U}{Z} = 20\,\text{mA}$.

[c] *Tracer le dirgramme de Fresnel et donner l'expression de $i(t)$.*

$\tan\varphi = -\dfrac{1}{RC\omega}$ d'où $\varphi = -\dfrac{\pi}{4}$ rad.

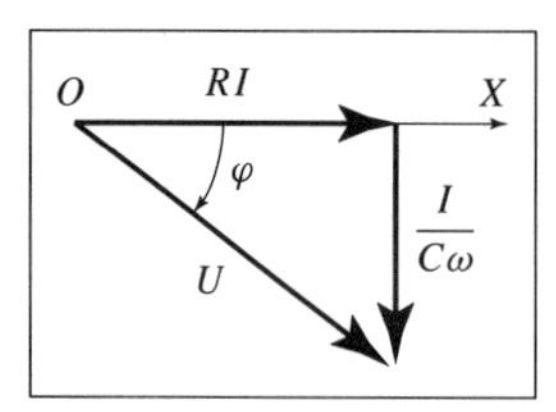

$i(t)$ est en avance sur $u(t)$ de $\dfrac{\pi}{4}$ rad :

$$i = 0{,}02\sqrt{2}\cos\left(1\,000t + \frac{\pi}{4}\right).$$

[4] *Dipôle R, L, C série :*

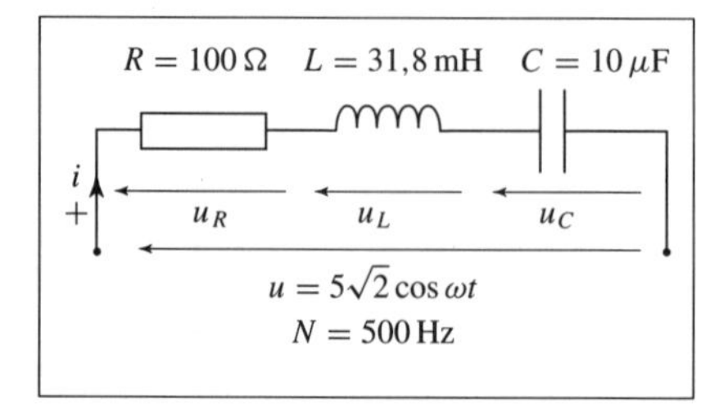

[a] *Calculer l'impédance du dipôle et l'intensité efficace.*

$$Z = \sqrt{R^2 + \left(L\omega - \frac{1}{C\omega}\right)^2}$$

$$Z = \sqrt{100^2 + \left(3{,}18.10^{-2} \times 10^3\pi - \frac{1}{10.10^{-6} \times 10^3\pi}\right)^2} = 121\,\Omega.$$

$$I = \frac{5}{121} = 4{,}1.10^{-2}\,\text{A}.$$

[b] *Le dipôle est-il capacitif ou inductif ?*

Inductif car $L\omega > \frac{1}{C\omega}$.

[c] *Calculer φ et donner l'expression de l'intensité instantanée.*

$\tan\varphi = \frac{L\omega - \frac{1}{C\omega}}{R} = 0{,}68$ et $\varphi = 0{,}60\,\text{rad.s}^{-1}$ et $i = 4{,}1.10^{-2}\sqrt{2}\cos(1\,000\pi t - 0{,}60)$ ($i(t)$ est en retard sur $u(t)$).

[d] *Calculer la puissance moyenne consommée.*

$P = UI\cos\varphi = 0{,}17\,\text{W}$ ou bien $P = RI^2 = 0{,}17\,\text{W}$.

[e] *Donner les expressions de $u_R(t)$, $u_L(t)$ et $u_C(t)$.*

$u_R = Ri$, donc $u_R = 4{,}1\sqrt{2}\cos(1\,000\pi t - 0{,}60)$.

Calculons d'abord l'impédance de l'inductance pure :

$$Z_L = L\omega = 100\,\Omega \;\text{ et }\; U_L = Z_L I = 4{,}1\,\text{V}.$$

u_L est en avance de $\frac{\pi}{2}$ rad par rapport à i :

$$u_L = 4{,}1\sqrt{2}\cos\left(1\,000\pi t - 0{,}60 + \frac{\pi}{2}\right)$$

$$u_L = 4{,}1\sqrt{2}\cos(1\,000\pi t + 0{,}97)$$

$$Z_C = \frac{1}{C\omega} = 31{,}8\,\Omega \;\text{ et }\; U_C = Z_C I = 1{,}3\,\text{V}.$$

u_C est en retard de $\frac{\pi}{2}$ rad par rapport à i :

$$u_C = 1{,}3\sqrt{2}\cos\left(1\,000\pi t - 0{,}60 - \frac{\pi}{2}\right)$$

$$u_C = 1{,}3\sqrt{2}\cos(1\,000\pi t - 2{,}17).$$

[5] *Dipôle R, L, C série*

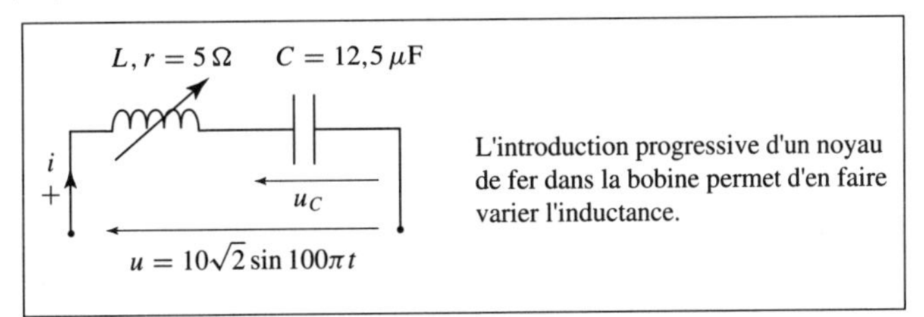

[a] *Calculer la valeur de l'inductance pour qu'il y ait résonance d'intensité. Calculer l'intensité efficace I_0 à la résonance.*

$L = 0{,}81\,\mathrm{H}$; $I_0 = 2\,\mathrm{A}$.

[b] *Calculer la tension efficace U_C aux bornes du condensateur.*

$U_C = 509\,\mathrm{V}$.

[c] *Donner les expressions de $i(t)$ et $u_C(t)$.*

$i(t) = 2\sqrt{2}\sin 100\pi t$; $u_C(t) = 509\sqrt{2}\sin\left(100\pi t - \dfrac{\pi}{2}\right)$.

[6] *Détermination de dipôles inconnus*

On veut déterminer la nature et les grandeurs caractéristiques de trois dipôles qui peuvent être un conducteur ohmique, une bobine ou un condensateur, à l'exclusion de toute association.

[dipôle A]

Le dipôle A est traversé par un courant d'intensité $I_C = 5\,\mathrm{A}$ quand on lui applique une tension continue $U_C = 6\,\mathrm{V}$ et par un courant d'intensité efficace $I = 5\,\mathrm{A}$ quand on lui applique une tension alternative sinusoïdale de valeur efficace $U = 6\,\mathrm{V}$ et de fréquence $N = 50\,\mathrm{Hz}$.

En continu $U_C = RI_C$ d'où $R = 1{,}2\,\Omega$. En alternatif $U = ZI$ d'où $Z = 1{,}2\,\Omega$.

Comme $Z = R$, A est un conducteur ohmique.

[dipôle B]

Pour le dipôle B, on donne $U_C = 6\,\mathrm{V}$ et $I_C = 5{,}3\,\mathrm{A}$ en continu ; $U = 6\,\mathrm{V}$, $I = 3\,\mathrm{A}$ et $N = 50\,\mathrm{Hz}$ en alternatif.

En continu $\dfrac{U_C}{I_C} = r = 1{,}13\,\Omega$. En alternatif $\dfrac{U}{I} = Z = 2\,\Omega$.

$Z \neq r$ signifie que B n'est pas un conducteur ohmique ; B n'est pas non plus un condensateur car $I_C \neq 0$. Il s'agit donc d'une bobine de résistance $r = 1{,}13\,\Omega$ et d'inductance L avec :

$$Z = \sqrt{r^2 + L^2\omega^2},$$

d'où $L = \dfrac{\sqrt{Z^2 - r^2}}{\omega} = 5{,}25\,\mathrm{mH}$.

[dipôle C]

Pour le dipôle C, on donne $I_C = 0$ en continu quelle que soit la tension ; $U = 6\,\mathrm{V}$, $I = 0{,}01\,\mathrm{A}$ et $N = 50\,\mathrm{Hz}$ en alternatif.

Le dipôle C est un condensateur puisque $I_C = 0$.

$$Z = \frac{U}{I} = 600\,\Omega \quad \text{et} \quad Z = \frac{1}{C\omega},$$

d'où $C = \dfrac{1}{Z\omega} = 5{,}3\,\mu\mathrm{F}$.

[7] *Utilisation d'un oscillographe bicourbe*

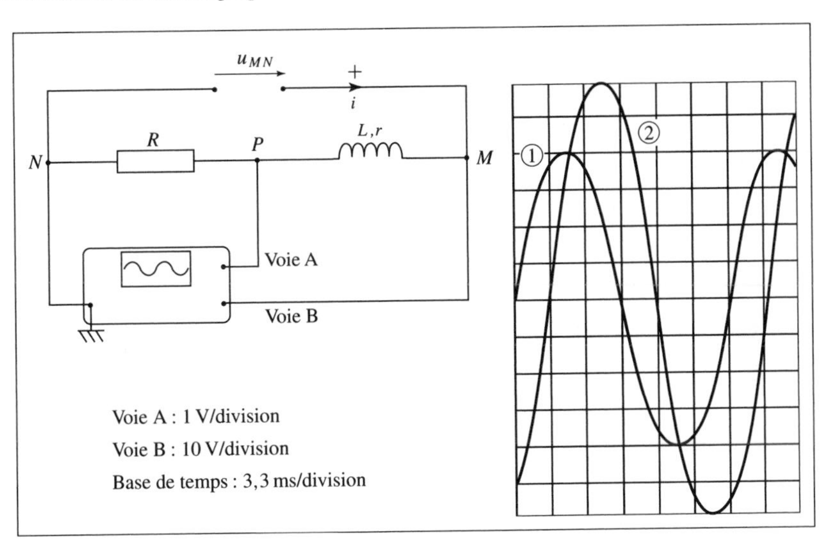

On peut voir simultanément sur l'écran les courbes représentant les variations en fonction du temps de la tension u_{MN} aux bornes du dipôles MN et la tension u_{PN} aux bornes de la résistance R. On dit que la courbe $u_{PN}(t)$ « visualise » l'intensité $i(t)$ (que l'on ne peut pas voir sur l'écran de l'oscillographe) car u_{PN} et $i(t)$ sont en phase : u_{PN} et i ont leurs maximums, minimums et zéros aux mêmes instants.

[a] *Déduire de l'oscillogramme la fréquence N de la tension.*

On voit qu'une oscillation occupe 6 divisions :

$$T = 6 \times 3{,}3 = 20\,\text{ms}$$
$$N = \frac{1}{T} = \frac{1}{20.10^{-3}} = 50\,\text{Hz}.$$

[b] *Des deux courbes (1) et (2) quelle est celle qui visualise $i = f(t)$?*

✗ **La courbe «décalée vers la gauche» par rapport à l'autre d'une *quantité égale ou inférieure au quart d'une période* représente la tension en avance par rapport à l'autre : les déphasages entre intensité et tension sont en effet compris entre $-\pi/2$ et $\pi/2$.**

(Voir **15.[5]**)

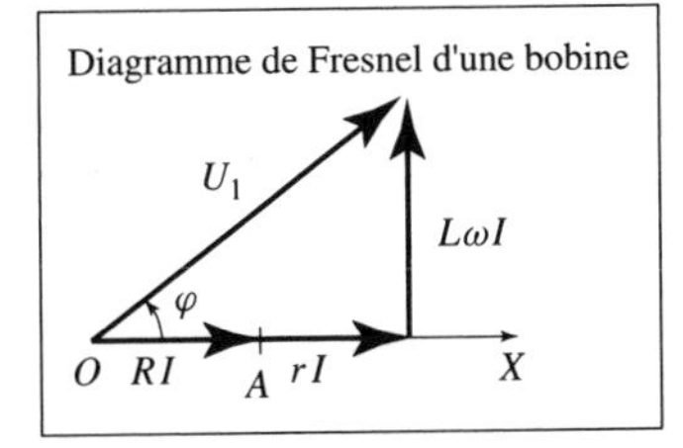

Or sur le digramme de Fresnel on voit que la tension u_{MN} est en avance de phase par rapport à u_{PN} représentée par le vecteur $\overrightarrow{OA}$: la courbe (1) représente donc u_{MN} tandis que la courbe (2) représente u_{PN} et visualise l'intensité $i = f(t)$.

[c] *Déduire φ de l'oscillogramme.*

Les maximums des deux courbes sont décalés d'une division, soit 1/6 de période, ce qui correspond à un déphasage :

$$\varphi = \frac{2\pi}{6} = \frac{\pi}{3} \text{ rad.}$$

La tension u_{MN} est en avance de $\frac{\pi}{3}$ rad par rapport à la tension u_{PN}. Il est équivalent de dire u_{PN} est en retard de $\frac{\pi}{3}$ rad par rapport à u_{MN}.

[d] *$R = 6\,\Omega$. On pose $u_{MN} = U_{1m}\cos\omega t$. Que vaut U_{1m} ? Donner l'expression de u_{PN} et de $i(t)$.*

Sur l'oscillogramme on voit que :

$$U_{1m} = 4 \times 10 = 40\,\text{V} \qquad \text{courbe (1)}$$
$$U_{2m} = 6\,\text{V}. \qquad \text{courbe (2)}$$

D'où :

$$u_{PN} = 6\cos\left(100\pi t - \frac{\pi}{3}\right).$$

u_{PN} est en retard de $\frac{\pi}{3}$ rad par rapport à u_{MN}.

Cherchons l'intensité maximale I_m. On sait que $U_{2m} = RI_m$ donc $I_m = 1$ A et :

$$i = \cos\left(100\pi t - \frac{\pi}{3}\right).$$

i est en phase avec u_{PN}.

[e] *Calculer r et L.*

Calculons d'abord l'impédance Z du dipôle :

$$Z = \frac{U_{1m}}{I_m} = 40\,\Omega.$$

Par ailleurs, on voit sur le diagramme de Fresnel que :

$$L\omega I = U_1 \sin\varphi = ZI\sin\varphi$$

d'où :

$$L = \frac{Z\sin\varphi}{\omega} = 0{,}11\,\text{H}.$$

D'après (15,12) (on le voit du reste sur le diagramme) :

$$R + r = Z\cos\varphi$$
$$r = Z\cos\varphi - R = 14\,\Omega.$$

[8] *Utilisation d'un oscillographe*

On pose $u_{AD} = U_{AD}\sqrt{2}\cos\omega t$ *et* $i = I\sqrt{2}\cos(\omega t - \varphi)$. *On observe l'oscillogramme de la figure.*

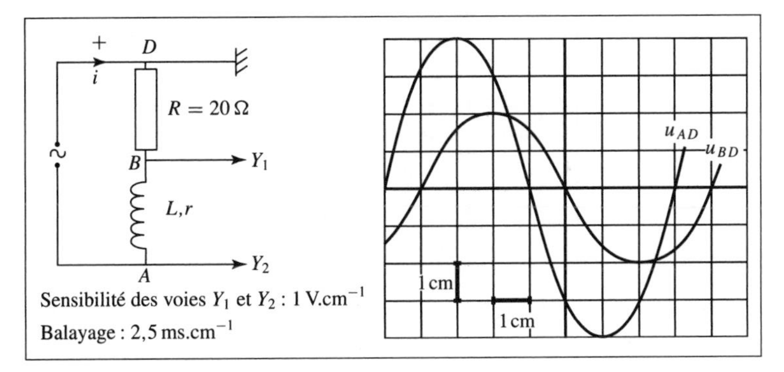

[a] *Déduire des courbes la pulsation ω, les valeurs efficaces* U_{AD} *et* I, *la phase* φ.

Une période occupe 8 cm, donc :

$$T = 8 \times 2{,}5 = 20\,\text{ms}$$
$$\omega = \frac{2\pi}{T} = \frac{2\pi}{20.10^{-3}} = 314\,\text{rad.s}^{-1}.$$

Sur l'oscillogramme on lit $U_{AD\max} = 4$ V et $U_{AD} = \dfrac{U_{AD\max}}{\sqrt{2}} = 2{,}8$ V.

Par lecture de l'oscillogramme, la valeur maximale de la tension u_{BD} aux bornes du conducteur ohmique est $U_{BD\max} = 2$ V. La valeur efficace est donc :

$$U_{BD} = \frac{U_{BD\max}}{\sqrt{2}} = \frac{2}{\sqrt{2}} = 1{,}4\,\text{V}.$$

Comme $U_{BD} = RI$, on trouve :

$$I = \frac{1{,}4}{20} = 7.10^{-2}\,\text{A}.$$

Les deux courbes étant décalées de $\frac{1}{8}$ de période, $\varphi = \frac{2\pi}{8} = \frac{\pi}{4}$ rad. On voit que la tension u_{AD} est en avance de $\frac{\pi}{4}$ rad par rapport à u_{BD}, donc aussi par rapport à i. Ou encore : i est *en retard* de $\frac{\pi}{4}$ rad par rapport à u_{AD}.

[b] *Écrire les expressions numériques de* $u_{AD}(t)$ *et* $i(t)$.

$$u_{AD} = 2{,}8\sqrt{2}\cos 314t$$
$$i = 7.10^{-2}\sqrt{2}\cos\left(314t - \frac{\pi}{4}\right).$$

[c] *On intercale dans le circuit précédent un condensateur de capacité* $C = 112\,\mu F$. *Sans changer les réglages de l'oscillographe, on observe l'oscillogramme de la figure.*

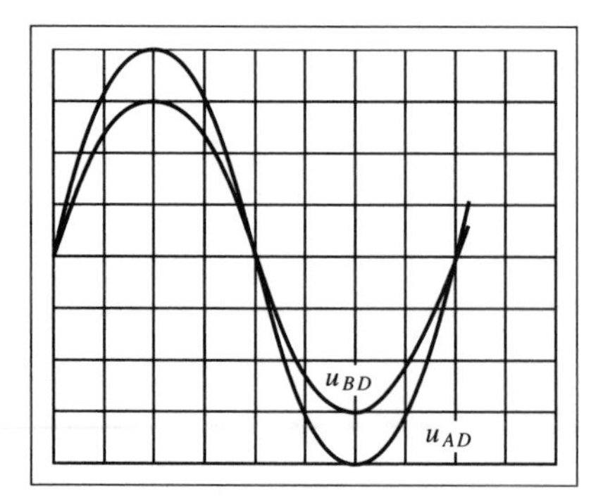

Quel est le phénomène observé ? Calculer l'intensité efficace I_0 et la résistance r de la bobine.

Le dipôle est maintenant un dipôle RLC. La tension u_{AD} et l'intensité («visualisée» par la courbe u_{BD}) étant en phase, il y a *résonance d'intensité.*

Sur l'oscillogramme on voit que $U_{BD\max} = 2{,}8\,\text{V}$ et $U_{BD} = \dfrac{2{,}8}{\sqrt{2}} = 2\,\text{V}$. Par ailleurs, pour le conducteur ohmique :

$$I_0 = \frac{U_{BD}}{R} = 0{,}1\,\text{A}.$$

Étant à la résonance, $Z = R + r$ et $U_{AD} = (R + r)I_0$ avec $U_{AD} = 2{,}8\,\text{V}$ (même valeur que précédement imposée par le générateur). D'où :

$$r = \frac{U_{AD}}{I_0} - R = 8\,\Omega.$$

[9] *Résonance d'intensité, puissance moyenne*

La courbe donne la variation de l'intensité efficace I en fonction de la fréquence f d'un générateur branché aux bornes d'un dipôle RLC. On donne $U = 5\,\text{V}$, $R = 100\,\Omega$, $L = 0{,}1\,\text{H}$.

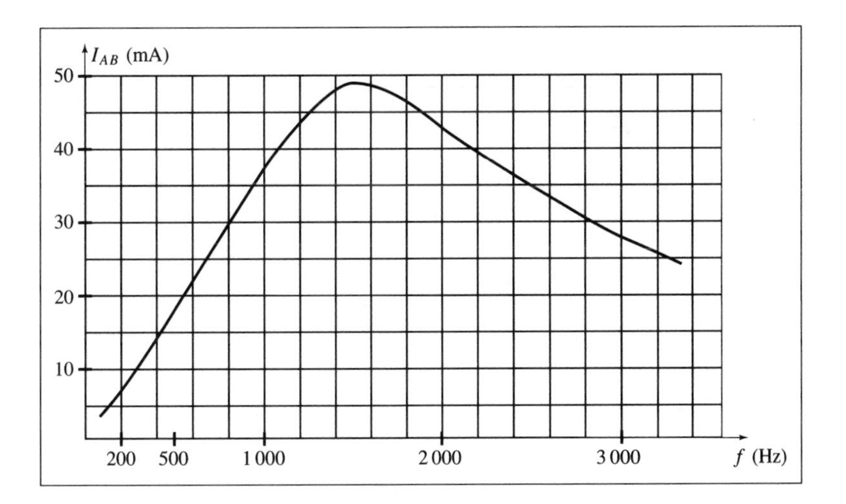

[a] *Déterminer la capacité C du condensateur.*

Sur la courbe, on relève la fréquence de résonance $f_0 \simeq 1\,500\,\text{Hz}$. Or $LC(2\pi f_0)^2 = 1$, donc :

$$C = \frac{1}{L(2\pi f_0)^2} = 0{,}11\,\mu\text{F}.$$

[b] *Quelle est, à la résonance, la puissance moyenne P_0 consommée ?*

Sur la courbe on relève $I_0 = 0{,}049\,\text{A}$ pour $f_0 = 1\,500\,\text{Hz}$:

$$P_0 = RI_0^2 = 0{,}24\,\text{W}.$$

[c] *Déterminer la bande passante $\Delta\omega = \omega_2 - \omega_1$ et le facteur de qualité Q.*

Sur la courbe on relève $f_1 = 900\,\text{Hz}$ et $f_2 = 2\,600\,\text{Hz}$, d'où :

$$\Delta\omega = 2\pi(f_2 - f_1) = 1{,}07.10^4\,\text{rad.s}^{-1}$$

$$Q = \frac{\omega_0}{\Delta\omega} = \frac{f_0}{\Delta f} = 0{,}88.$$

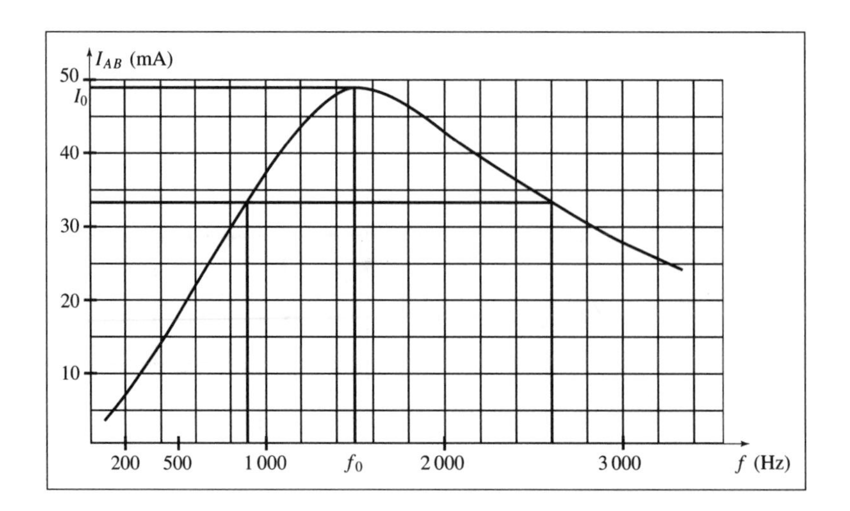

[10] *Puissance moyenne*

La fréquence de la tension est $N = 50\,\text{Hz}$ *et l'intensité efficace* $I = 0{,}72\,\text{A}$.

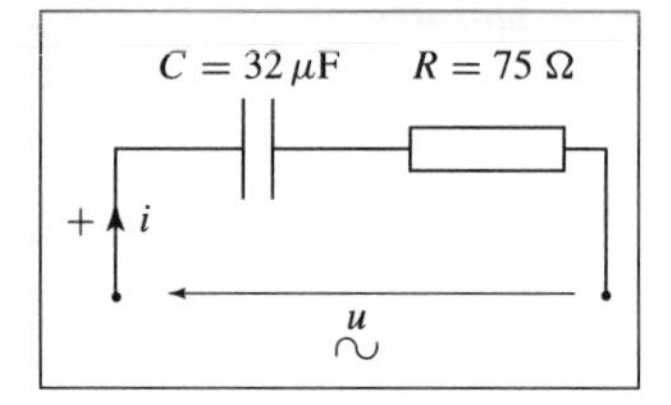

[a] *Calculer la puissance moyenne P consommée par le dipôle ; en déduire le facteur de puissance.*

$P = RI^2 = 39\,\text{W}$; on sait d'autre part que $P = UI\cos\varphi$ où U est la tension efficace aux bornes du dipôle RC. Calculons U :

$$U = ZI = \left(\sqrt{R^2 + \frac{1}{C^2\omega^2}}\right) I = 89{,}3\,\text{V}.$$

On peut maintenant calculer $\cos\varphi$:

$$\cos\varphi = \frac{P}{UI} = 0{,}60.$$

[b] *Calculer la résistance R' du conducteur ohmique à placer en série avec le dipôle précédent pour que le facteur de puissance soit égal à* 0,86.

La tension efficace imposée par le générateur est la même ; par contre l'intensité efficace change. D'après la relation (15,11) où l'on fait $L = 0$:

$$\tan\varphi' = -\frac{1}{(R + R')C\omega}.$$

De $\cos\varphi' = 0{,}86$ on tire $\varphi' = -30{,}7°$ (le déphasage est négatif pour un dipôle R, C) d'où :

$$R' = -\frac{1}{C\omega\tan\varphi'} - R = 93\,\Omega.$$

[exercices]

[1] Dans le montage de la figure $R' = 50\,\Omega$. L'oscillographe est réglé sur 5 ms.cm^{-1} et 2 V.cm^{-1}.

[a] Dans une première expérience le circuit est alimenté par une tension continue. Quand le circuit est fermé l'ampèremètre indique $I = 20$ mA et la ligne horizontale décrite par le spot sur l'écran de l'oscillographe est à $d = 2{,}5$ cm au-dessus de celle décrite en l'absence de courant. Déduire de cette expérience la résistance R de la bobine.

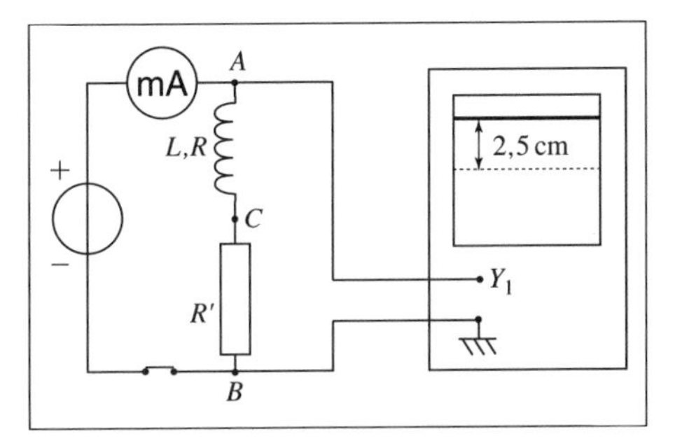

[b] Dans une deuxième expérience, le circuit est alimenté par une tension alternative sinusoïdale $u_{AB} = U_m \cos\omega t$ et l'intensité est $i = I\cos(\omega t - \varphi)$; l'ampèremètre indique alors $I = 12$ mA et la figure représente ce que l'on voit sur l'écran de l'oscillographe.

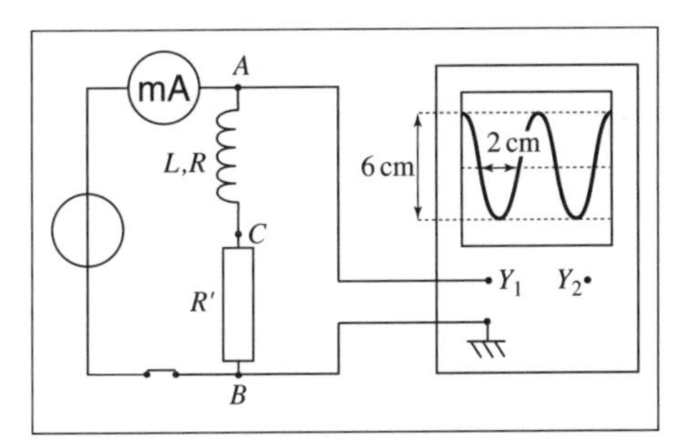

[i] Calculer I_m. Déduire de l'observation ω et U_m.

[ii] Calculer l'impédance Z du dipôle AB puis φ et L.

[iii] Comment peut-on visualiser l'intensité i sur l'écran de l'oscillographe en utilisant la voie (2) ? On indiquera le branchement à effectuer et on le justifiera.

[2] [a] Faire le schéma d'un montage permettant de tracer la caractéristique $U = f(I)$ d'une bobine de résistance R et d'inductance L soumise à une différence de potentiel sinusoïdale u.

[b] Donner l'allure de la caractéristique. Que peut-on dire de la valeur du rapport U/I ? Que représente-t-il ?

[c] [i] À l'aide de la construction de Fresnel, établir l'expression de l'impédance Z de la bobine.

[ii] Établir l'expression permettant le calcul de la phase φ de la différence de potentiel u par rapport à l'intensité i.

[d] Pour l'application numérique, on prend une bobine de résistance $R = 100\,\Omega$ et d'inductance $L = 0{,}55\,\text{H}$ soumise à une différence de potentiel sinusoïdale de fréquence $N = 50\,\text{Hz}$ et de valeur efficace $U = 110\,\text{V}$.

[i] Calculer l'impédance Z de la bobine.

[ii] Calculer l'intensité efficace I du courant dans la bobine.

[iii] Calculer la phase φ de la différence de potentiel u par rapport à l'intensité i.

[3] Une résistance $10\,\Omega$ (entre les points A et B de la figure) est branché en série avec une bobine de résistance $11{,}21\,\Omega$ et d'inductance inconnue L (entre les points B et C de la figure). Lorsque cette portion de circuit est parcourue par un courant alternatif sinusoïdal, on observe sur l'écran d'un oscillographe à deux voies les courbes représentatives des tensions u_{AB} et u_{CA} en fonction du temps.

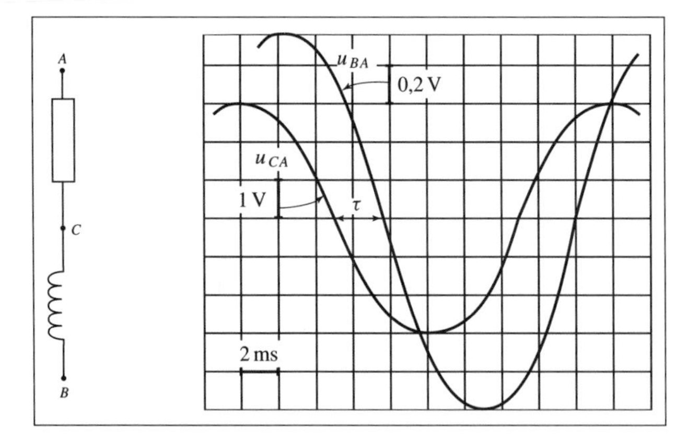

[a] Déterminer à partir de la figure la phase φ de la tension u_{CA} par rapport à l'intensité instantanée i du courant ($\tau = 1{,}25$ division).

[b] Exprimer $u_{CA} = f(t)$ sachant que $u_{BA} = U_m \sin 2\pi N t$, avec U_m la tension maximale et N la fréquence.

[c] Calculer la valeur de l'inductance L.

[4] Un générateur basse fréquence délivre une tension sinusoïdale de fréquence f aux bornes d'un dipôle qui comprend en série une inductance pure $L = 1\,\text{H}$, un condensateur C et une résistance $R = 10\,\Omega$. On réalise le montage de la figure. Les entrées verticales de l'oscillographe A et B ont la même sensibilité : 5 V par division. La courbe représente ce que l'on observe sur l'écran de l'oscillographe avec une vitesse de balayage de spot de 2,5 ms par division.

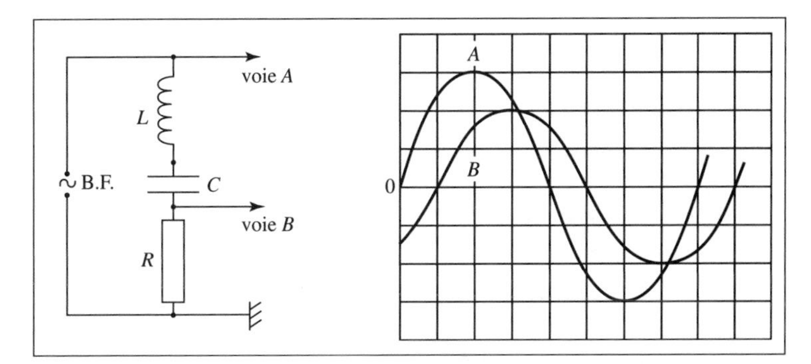

[a] Quelle est la fréquence f de la tension sinusoïdale $u(t)$ et la pulsation correspondante ?

[b] À $t = 0$, le spot de la voie A est en O. Quelle est l'expression de $u(t)$?

[c] Calculer les valeurs numériques de la tension efficace U aux bornes du dipôle et de l'intensité efficace I du courant.

[d] Quel est la phase φ de $u(t)$ par rapport à $i(t)$? En déduire l'expression de $i(t)$.

[e] À l'aide, de préférence, de la construction de Fresnel déterminer la relation donnant $\tan\varphi$. En déduire la valeur de la capacité C du condensateur.

[5] On considère une portion de circuit MP constituée par un dipôle inconnu (X) et une résistance $R = 10\,\Omega$ placés en série et alimentés en courant alternatif. Les expressions des tensions instantanées exprimées en volts sont :

$$u_{NP} = u_1 = 8{,}1\cos\left(100\pi t + \frac{\pi}{5}\right)$$
$$u_{MP} = u_2 = 10\cos 100\pi t.$$

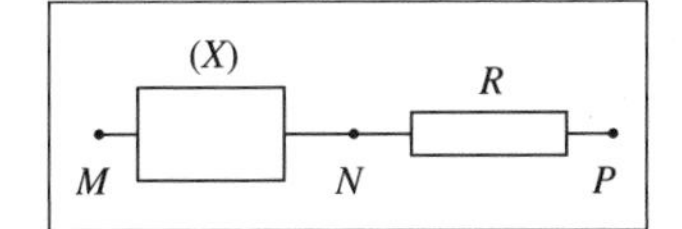

[a] Quelle est la période de la tension appliquée à la portion du circuit ? Donner l'expression de l'intensité instantanée du courant qui traverse le circuit. Quel est le décalage horaire entre les deux fonctions u_1 et u_2 ? Préciser celle qui est en avance.

[b] Un oscillographe bicourbe permet de suivre les variations des tensions u_1 et u_2 en fonction du temps :

– sur l'axe vertical, la sensibilité de l'appareil est de 2 V par cm pour chacune des voies ;

– sur l'axe horizontal, 1 cm représente 2 ms.

Représenter sur un même schéma les deux courbes observées sur l'oscillographe. L'écran a une largeur de 15 cm et on prendra $t = 0$ à l'extrémité gauche de l'écran.

[c] La lecture sur un wattmètre de la puissance moyenne consommée par la portion du circuit MP donne $P = 3{,}30$ W. Que pouvez-vous dire de la résistance du dipôle (X) ?

[d] Le dipôle (X) étant soit une bobine d'inductance L, soit un condensateur de capacité C, indiquer la nature de ce dipôle et calculer son paramètre caractéristique L ou C.

[6] On veut établir dans une bobine de résistance $R = 15\,\Omega$ et d'inductance $L = 0{,}1\,\text{H}$ un courant de fréquence 50 Hz et d'intensité efficace $I = 2\,\text{A}$.

[a] Donner l'expression de l'impédance de la portion de circuit et calculer la valeur de la tension efficace que l'on doit alors appliquer à ses bornes.

[b] Pour alimenter cette bobine, on dispose de la tension du secteur $u = 220\sqrt{2}\cos 100\pi t$ (t en s en u en V). Pour que le circuit soit traversé par le courant d'intensité efficace $I = 2\,\text{A}$, on utilise l'un ou l'autre des procédés suivants.

[i] On place en série avec la bobine une résistance R_1.

[ii] On place en série avec la bobine un condensateur de capacité C.

Calculer les valeurs de R_1 et de C. Déterminer la puissance électrique moyenne consommée dans le circuit au cours de chacune des deux expériences. En déduire la méthode la plus avantageuse.

[7] On dispose d'un condensateur parfait de capacité $C = 1\,\mu\text{F}$ et d'une bobine d'inductance L et de résistance R inconnues. On branche le condensateur et la bobine en série et on applique entre les bornes du branchement une tension sinusoïdale $u = U\sqrt{2}\sin\omega t$, dont la tension efficace U est constante et égale à 10 V mais dont la fréquence N est variable. On fait varier N et on note l'intensité efficace I dans le circuit. Les résultats sont donnés dans le tableau suivant où N est en Hz et I en mA.

N(Hz)	60	80	100	120	140	150	155	158
I(mA)	4,40	6,70	10,3	17,2	36,4	65,5	91,6	104
N(Hz)	159	160	165	170	180	200	220	260
I(mA)	111	105	84,3	61,8	37,9	21,3	15	9,80

[a] Tracer sur papier millimétré la courbe donnant les variations de I en fonction de N. On prend comme échelle 1 cm pour 10 Hz et 1 cm pour 10 mA.

[b] En déduire :

– la fréquence pour laquelle l'intensité efficae est maximum dans le circuit ;

– une valeur approchée de cette intensité efficace maximum.

[c] Donner, sans démonstration, l'expression littérale de l'impédance d'un circuit R, L, C série. Que devient cette expression quand l'intensité est maximale ? À partir de ces résultats et de la courbe précédente calculer le coefficient d'inductance L de la bobine et sa résistance R.

[8] Une bobine de résistance R et d'inductance L est alimentée :

– dans une première expérience par une source de tension continue A ; elle est alors parcourue par un courant d'intensité 200 mA, la tension à ses bornes étant de 32 V ;

– dans une deuxième expérience pour une source de tension sinusoïdale B de fréquence 50 Hz ; l'intensité efficace du courant est 100 mA et la tension efficace aux bornes de 30 V.

[a] En déduire la résistance de la bobine et son inductance.

[b] Quelle est la capacité du condensateur qui placé en série avec la bobine et la source B, permettrait d'obtenir la résonance ?

[c] La résonance étant réalisée, donner l'intensité efficace du courant dans le circuit et la tension efficace aux bornes du condensateur et de la bobine. Comparer les tensions efficaces aux bornes du condensateur et aux bornes de la bobine à la tension efficace 30 V aux bornes du circuit.

[9] On applique une tension alternative sinusoïdale de valeur efficace $U = 200\,\text{V}$ et de fréquence 50 Hz aux bornes d'une bobine de résistance 50 Ω et d'inductance 0,2 H.

[a] Calculer l'intensité efficace du courant qui circule dans la bobine.

[b] Calculer la puissance moyenne dissipée dans la bobine.

[c] Un condensateur de capacité $C = 10\,\mu\text{F}$ est placé en série avec la bobine. Calculer les tensions efficaces qui apparaissent respectivement aux bornes du condensateur et aux bornes de la bobine.

[d] Quelle valeur faut-il donner à C pour obtenir l'intensité efficace maximale dans le circuit ? Calculer alors cette intensité.

[10] On se propose d'étudier la réponse en intensité d'un oscillateur électrique en régime sinusoïdal forcé. Sur la table de la manipulation, on trouve :

- un générateur de fréquence N réglable qui délivre une tension efficace de 500 mV supposée constante ;
- deux bobines d'inductance $L_1 = 0{,}25\,\text{H}$ et $L_2 = 0{,}50\,\text{H}$ de même résistance r ;
- deux condensateurs de capacité $C_1 = 10\,\mu\text{F}$ et $C_2 = 1{,}0\,\mu\text{F}$;
- deux résistances $R_1 = 10\,\Omega$ et $R_2 = 100\,\Omega$;
- un oscillographe bicourbe, un voltmètre, un ampèremètre, un interrupteur, de nombreux fils de jonction dont on négligera la résistance.

[a] L'expérimentateur se propose d'étudier point par point la courbe de résonance en intensité d'un oscillateur électrique. Il réalise un circuit comportant un générateur, une des deux bobines, un des deux condensateurs, un des deux conducteurs ohmiques, le voltmètre, l'ampèremètre et l'interrupteur.

[i] Faire le schéma du montage qu'il a réalisé. Quel est le rôle du voltmètre ?

[ii] Donner l'allure de la courbe qu'il obtiendra en précisant la grandeur portée en abscisse et la grandeur portée en ordonnée.

[b] La courbe tracée précédemment présente un extrémum d'intensité 25 mA pour une fréquence de 320 Hz.

[i] Que se passe-t-il si l'on remplace le conducteur ohmique par un autre de résistance plus grande ?

[ii] Quelle est la relation qui lie la valeur 320 Hz aux grandeurs électriques caractéristiques de l'oscillateur ?

[iii] Parmi les composants proposés quel a été le choix du manipulateur ? Quelle est la résistance de la bobine ?

[c] À l'aide de l'oscillographe bicourbe, on désire étudier avec les mêmes composants, à la fréquence de 320 Hz, la base de temps étant branchée :

- sur la voie A,l'intensité du courant qui traverse le circuit ;
- sur la voie B, non inversée, la tension délivrée par le générateur.

[i] Pourquoi peut-on étudier, à l'aide de la voie A,l'intensité traversant le circuit ?

[ii] Faire le schéma du montage à réaliser.

[iii] Sur la photo de l'oscillographe, les trois réglages effectués par l'expérimentateur sont indiqués. Dessiner en vraie grandeur ce que l'on voit sur l'écran en justifiant brièvement. (En l'absence de tension extérieure appliquée, le spot balaye la ligne médiane de l'écran.)

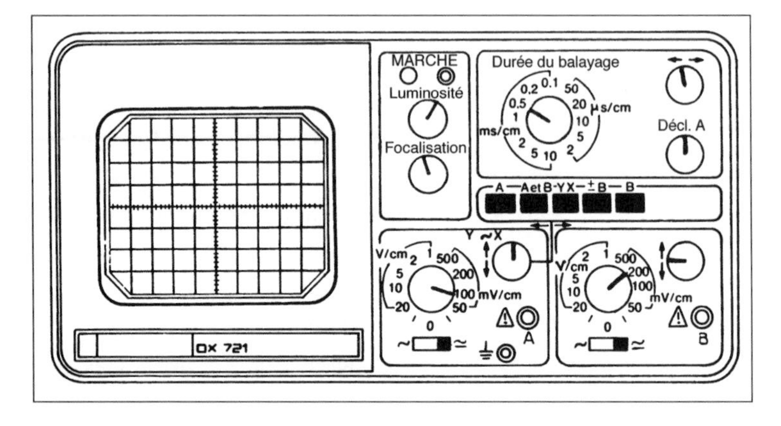

[11] Un circuit R, L, C est constitué par une bobine, de coefficient d'inductance $L = 0{,}1\,\text{H}$ et de résistance négligeable, d'un condensateur de capacité $C = 1\,\mu\text{F}$ et d'une résistance $R = 480\,\Omega$. Il est alimenté par une tension alternative sinusoïdale $u = u_{AB} = 8{,}5 \sin 2\pi f t$ dont la fréquence est variable.

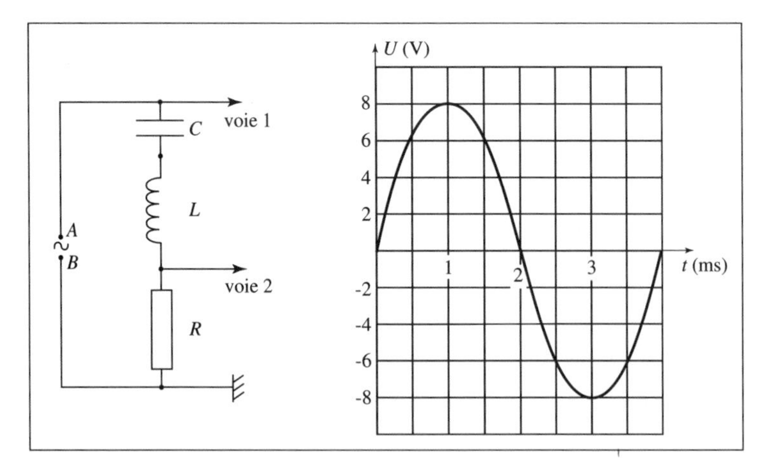

[a] [i] On donne à f la valeur $f_1 = 250\,\text{Hz}$. Calculer l'impédance Z_1 du circuit, l'intensité efficace I_1, la phase φ_1 de la tension par rapport à l'intensité et la puissance moyenne P_1 consommée.

[ii] Déterminer la puissance moyenne P_0 consommée par le circuit lorsque la fréquence f est égale à f_0, fréquence de résonance. Comparer P_0 et P_1 ; que peut-on en conclure en ce qui concerne f_1 ?

[b] La fréquence étant toujours égale à $f_1 = 250\,\text{Hz}$, on observe à l'oscillographe sur la voie (1) la tension u aux bornes du circuit R, L, C et sur la voie (2) la tension u_R aux bornes de la résistance R. Le graphique reproduit la courbe observée sur la voie (1). Sur un même graphique, reproduire cette courbe et dessiner la courbe observée sur la voie (2) (la sensibilité verticale est la même sur les deux voies : 2 V par division).

[12] Un circuit comprend, montés en série, un générateur, une résistance de valeur R, une bobine d'inductance L et de résistance négligeable, un condensateur de capacité C. Le générateur maintient entre ses bornes une tension sinusoïdale de valeur efficace $U = 4\,\text{V}$, de fréquence réglable N. Pour diverses valeurs de N, on note l'intensité efficace I du courant et on trace la courbe $I = f(N)$.

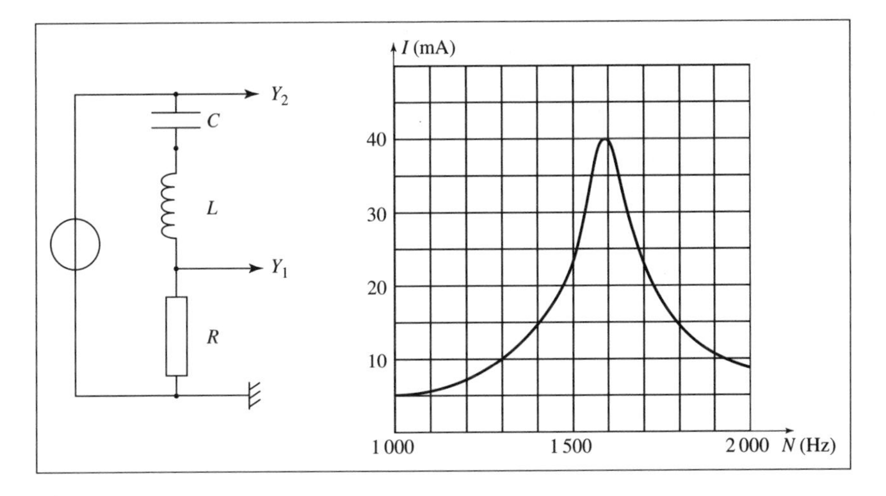

[a] **[i]** Expliquer pourquoi la courbe présente un sommet ; en utilisant la courbe, trouver la fréquence de résonance et la valeur de R.

[ii] I_{N_0} étant la valeur maximale de l'intensité efficace, on rappelle que la bande passante est l'ensemble des fréquences comprises entre N_1 et N_2 telles que $N_2 > N_1$ et $I_{N_1} = I_{N_2} = I_{N_0}/\sqrt{2}$. Trouver N_1 et N_2 à partir de la courbe. Calculer le facteur de qualité :

$$Q = \frac{N_0}{N_2 - N_1}.$$

[b] On branche un oscillographe bicourbe comme il est indiqué par la figure.

[i] Quelles grandeurs électriques visualisent les courbes correspondant à la voie (1) et à la voie (2) de l'oscillographe ?

[ii] On règle N pour que les deux grandeurs ci-dessus soient en phase. Quelle est alors la longueur occupée par une période sur l'écran si le balayage est réglé à 100 μs par division ?

[iii] On règle maintenant N à la valeur N_1 ; quelle est, en fraction de période, le décalage observé entre les deux courbes ? Laquelle des deux grandeurs est en avance sur l'autre ?

[réponses]

[1] **[a]** $R = \dfrac{U}{I} - R' = 200\,\Omega$. **[b]** $I_m = 17\,\text{mA}$ (l'ampèremètre donne la valeur efficace) ; $\omega = 314\,\text{rad.s}^{-1}$; $U_m = 6{,}0\,\text{V}$; $Z = \dfrac{U}{I} = 354\,\Omega$; $\cos\varphi = \dfrac{R+R'}{Z}$; $\varphi = \dfrac{\pi}{4}$; $L = \dfrac{(R+R')\tan\varphi}{\omega} = 0{,}08\,\text{H}$.

[2] **[d]** $Z = \sqrt{R^2 + L^2\omega^2} = 200\,\Omega$; $I = \dfrac{U}{Z} = 0{,}55\,\text{A}$; $\tan\varphi = \dfrac{L\omega}{R}$; $\varphi = \dfrac{\pi}{3}$.

[3] **[a]** $\varphi = \dfrac{\pi}{4}$. **[b]** $u_{CA} = 3\sin\left(100\pi t + \dfrac{\pi}{4}\right)$. **[c]** $L = \dfrac{(R+r)\tan\varphi}{\omega} = 67{,}5\,\text{mH}$.

[4] **[a]** $f = 50\,\text{Hz}$; $\omega = 314\,\text{rad.s}^{-1}$. **[b]** $u = 15\sin 100\pi t$.

[c] $U = 10{,}6\,\text{V}$; $I = 0{,}707\,\text{V}$. **[d]** $\varphi = \dfrac{\pi}{4}$; $i = \sin\left(314t - \dfrac{\pi}{4}\right)$.

[e] $C = \dfrac{1}{\omega(L\omega - R\tan\varphi)} = 10{,}5\,\mu\text{F}$.

[5] **[a]** $T = 20\,\text{ms}$; $i = 0{,}8\cos\left(100\pi t + \dfrac{\pi}{5}\right)$; $\Delta t = 2\,\text{ms}$; u_1 est en avance sur u_2.

[c] $P = (R + R_X)I^2$; $R_X \simeq 0$; i est en avance sur u_2 : X est un condensateur.

[d] $C = \dfrac{1}{R\omega\tan\varphi} = 438\,\mu\text{F}$.

[6] **[a]** $Z = 34{,}8\,\Omega$; $U = 69{,}6\,\text{V}$. **[b]** $R_1 = 90{,}4\,\Omega$; $C = 22{,}7\,\mu\text{F}$. **[i]** 422 W. **[ii]** 60 W.

[7] **[b]** 159 Hz ; 111 mA. **[c]** $L = 1{,}00\,\text{H}$; $R = 90\,\Omega$.

[8] **[a]** $R = 160\,\Omega$; $L = \sqrt{Z^2 - R^2/\omega} = 0{,}81\,\text{H}$. **[b]** $C = \dfrac{1}{L\omega^2} = 12{,}5\,\mu\text{F}$.

[9] **[a]** $I = 2{,}49\,\text{A}$. **[b]** $P = RI^2 = 3\,W$. **[c]** $U_C = \dfrac{U}{C\omega\sqrt{R^2 + (L\omega - 1/C\omega)^2}} = 245\,\text{V}$;
$U_B = U_C C\omega\sqrt{R^2 + \left(L\omega - \dfrac{1}{C\omega}\right)^2} = 61{,}7\,\text{V}$. **[d]** $C = 50{,}7\,\mu\text{F}$; $I = 4{,}0\,\text{A}$.

[10] **[b]** Résonance moins aiguë ; $LC\omega^2 = 1$; $L_1 = 0{,}25\,\text{H}$; $C_2 = 1\,\mu\text{F}$.

[c] Les courbes $u(t)$ et $u_R(t)$ sont confondues (résonance).

[11] **[a]** $Z_1 = 678{,}5\,\Omega$; $I_1 = \dfrac{U}{Z_1} = 8{,}86\,\text{mA}$; $\tan\varphi_1 = \dfrac{L\omega - 1/C\omega}{R}$; $\varphi_1 = -\dfrac{\pi}{4}$;
$P_1 = UI_1\cos\varphi_1 = 37{,}7\,\text{mW}$; $P_0 = \dfrac{U^2}{R} = 75{,}4\,\text{mW}$. **[b]** $u_R = 6\sin\left(500\pi t + \dfrac{\pi}{4}\right)$.

[12] **[a]** $N_0 = 1\,590\,\text{Hz}$; $R = 100\,\Omega$; $N_1 = 1\,520\,\text{Hz}$; $N_2 = 1\,670\,\text{Hz}$; $Q = 10{,}6$.

[b] 6,3 divisions ; u_1 avance de $\dfrac{T}{8}$ sur u_2.

[INDEX]

[A,B]

aimants 87
alternateur 128
ampère-heure 10
amplification statique en courant 58
amplificateur opérationnel (A.O.) 69
armatures d'un condensateur 33
associations,
— en parallèle 6 & 35
— en série 5 & 35
auto-inductance 139

balayage 152
bande passante à 3 dB 159 & 177
base de temps 152
blocage d'un transistor 58
branches 23
bruit électronique 158

[C,D]

canon à électrons 149
capacité 34
caractéristique,
— de l'A.O. 70
— de sortie 59
— de transfert en courant 60
— d'entrée 59
— d'un dipôle 46
champ,
— électrique 1
— magnétique 88
— magnétique terrestre 91
circuit oscillant 153 & 154
condensateur, 33 & 167
— équivalent 35
— plan 33 & 34
conducteur,
— ohmique 3 & 16
— rectiligne illimité 89
constante,
— de temps 41 & 144
— diélectrique 34
construction de Fresnel 173
convention,
— générateur 138
— récepteur 24 & 138
courant,
— continu 2
— électrique 1
— induit 125
cyclotron 118

dérivateur 74
diélectrique 33
différence de potentiel 1
diode,
— à jonction 47
— de Zener 48
dipôle,
— passif 46
— passif non symétrique 48
— symétrique non linéaire 46
dipôles électrocinétiques 2
diviseur de tension 73
droite,
— d'attaque 59
— de charge 59

[E,F]

effet,
— Joule 16
— thermoélectronique 149
— transistor 58
électrons 1
énergie,
— électrique 15
— électrostatique 34
— magnétique 140

f.é.m. induite 125 & 126
facteur,
— de puissance 178
— de qualité 158 & 178
filtre de vitesse 116
flèches,
— de courant 23 & 24
— de tension 23 & 24
flux,
— magnétique 125 & 126
— propre 138
force,
— contre-électromotrice (f.c.é.m.) 3
— de Laplace 99
— de Lorentz 111
— électromotrice (f.é.m.) 3
— électromotrice induite 125
fréquence propre 155

[G,I,L]

gain de l'A.O. 71
générateur 3 & 16

impédance 174
inductance 139 & 166
intégrateur, 85
— double rampe 84
intensité,
— du courant 2
— efficace 172
— instantanée 171

lignes de champ 88
loi,
— de Faraday 139
— de Pouillet 5
— des mailles 25
— des nœuds 25
— d'addition des intensités 6
— d'addition des tensions 4
— d'Ohm 2 & 3

[M,N]

maille 23
masse d'un circuit 69
méthode de Kirchoff 27
montage en opposition 7
multiplicateur,
— inverseur 72
— non inverseur 82
multivibrateur astable 78

nœuds d'un circuit 23

[O,P]

opposition 10
oscillateur harmonique 154
oscillographe,
— bicourbe 152
— électronique 150 & 151

permittivité du vide 34
photorésistance 63
point de fonctionnement 45 & 46

polarisation,
— directe 47
— inverse 47
puissance,
— électrique 16
— moyenne 178
— utile 16
pulsation propre 155

[Q,R]

quantité d'électricité 2

récepteur 3, 15 & 16
régime saturé de l'A.O. 71 & 76
rendement,
— d'un générateur 18
— d'un moteur 18
réseau des caractéristiques de sortie 59
réseaux électrocinétiques 23
résistance, 3
— équivalente 5 & 6
— interne 3
— négative 156, 158 & 162
résistivité 11 & 92
résistor 3 & 15
résonance d'intensité 177
rétroaction 72
roue de Barlow 104

[S,T]

self 139
sens conventionnel du courant 1
sensibilité de balayage 152
seuil de tension 47
solénoïde 90
sommateur,
— inverseur 82
— non-inverseur 83
source,
— de tension idéale 73 & 74
— de courant 83
spectrographe de masse 114
spire circulaire 90
spot 149
suiveur 74

tension, 2
— à vide 3
— de Zener 48
— différentielle 70
— efficace 172
— instantanée 171
transformateur 131
transistor 57

[V]

varistance 46

Lettres grecques usuelles

Nom	Minuscule	Majuscule
Alpha	α	
Bêta	β	
Gamma	γ	Γ
Delta	δ	Δ
Epsilon	ε	
Dzêta	ζ	
Êta	η	
Thêta	θ	Θ
Kappa	κ	
Lambda	λ	Λ
Mu	μ	
Nu	ν	
Xi	ξ	Ξ
Pi	π, ϖ	Π
Rhô	ρ	
Sigma	σ	Σ
Tau	τ	
Phi	φ, ϕ	Φ
Khi	χ	
Psi	ψ	Ψ
Oméga	ω	Ω

Achevé d'imprimer en novembre 1997 sur les presses de l'Imprimerie Carlo Descamps
59163 Condé-sur-l'Escaut — Dépôt légal : novembre 1997 — N° d'imprimeur : 97510
N° d'éditeur : M.J. 102 — *Imprimé en France*